VENTA POSITIVA

LA NECESARIA TRASFORMACIÓN DE LA VENTA
BASADA EN LAS APORTACIONES DE LA NEUROCIENCIA

VENTA POSITIVA

LA NECESARIA TRASFORMACIÓN DE LA VENTA
BASADA EN LAS APORTACIONES DE LA NEUROCIENCIA

NURIA MARTÍN

PRÓLOGO DE FERRAN RAMON-CORTÉS

PROFIT
editorial

© Nuria Martín Muyo, 2019
© Profit Editorial I., S.L., 2019

Diseño de cubierta: Xic Art
Maquetación: Idemmedia

ISBN: 978-84-17942-14-4
Depósito legal: B 23432-2019
Primera edición: noviembre de 2019

Impreso por: Liberdúplex
Impreso en España - *Printed in Spain*

*A mi hija, la luz de mi vida,
que me marca el camino a seguir.*

❖ ÍNDICE ❖

1

FERRAN RAMON-CORTÉS

«MÁS ES MÁS»

(CON EL PERMISO DE MIES VAN DER ROHE)

Escribió Anthony de Mello que «la distancia más corta entre el hombre y la verdad es un cuento» (no es de extrañar que la mayoría de sus libros sean de cuentos). Inspirándome en su dicho, y ante tu libro, Nuria, me atrevo a afirmar que «la distancia más corta entre el hombre (o la mujer) y la sabiduría es una buena historia». Y esto es lo que nos regalas con tu libro. Una buena historia, llena, muy llena de sabiduría.

Nos invitas a viajar a Nepal para que aprendamos a vender en tiempos de Amazon. Reconozco que mi aversión a los aviones me impediría hacer físicamente el viaje, pero la lectura de tu libro me ha transportado hábilmente a la situación y al aprendizaje.

El reto no era fácil, porque no es fácil que una historia sea lo bastante consistente como para transmitir todo lo que nos quieres transmitir. Pero el perfecto paralelismo entre el relato y el mundo comercial, sumado a la precisa y hábil caracterización de los personajes, nos va empapando de todo lo que nos quieres contar.

Con todos estos ingredientes, y pervirtiendo la cita del arquitecto Mies van der Rohe, en tu libro «más es más». Porque hay mucho, pero no sobra nada. Porque desborda abundancia en los contenidos y agilidad en la narración.

En tu generosidad característica (de la que soy receptor habitual) nos regalas conocimiento profundo y valioso. Como autor, sé que una de las cosas más difíciles es aportar valor a una obra, especialmente en literatura de empresa, y tú nos das mucho y muy valioso.

En épocas de banalización de la literatura empresarial (hay libros que no merecen la tala de un árbol), en el tuyo nos das mucha sabiduría. No te conformas con el trazo grueso. Buscas la didáctica plena y todos los matices. Apuras la narración en cada capítulo hasta asegurarte de que lo que nos quieres contar queda diametralmente claro, y nos lo sazonas con la ironía y el carácter de los personajes para que nos cautive.

Y, como coautor del modelo Bridge, junto a mi socio y común amigo Álex Galofré, tengo que decirte que lo transmites en su más pura esencia y con mucha belleza; lo haces digerible y fácilmente comprensible.

Yo he apelado en numerosas ocasiones y para mí mismo al «menos es más», cita original del arquitecto germano-estadounidense, porque escribo casi siempre corto y soy parco en palabras. Pero en este caso se demuestra claramente lo contrario.

No es habitual que una profesional con tu trayectoria tenga la generosidad de compartir su conocimiento. Puesto que haces una cosa muy interesante, que es beber de muchas fuentes, para configurar tus propias teorías. Y, como propias, te las podrías guardar para ti; pero afortunadamente no lo haces.

Es difícil no vender tras haber leído el libro. Es difícil cerrar la última página y no pensar que quienes lo tendrán crudo a partir de ahora serán los Amazon y compañía. Nuria, gracias por este estupendo viaje, que como buen «fueguito» tiene un fin muy claro y un contenido profundo. Y como buen «fueguito», has tirado adelante escuchando lo que tenías que escuchar, ignorando lo que debías ignorar y contándonos todo lo que nos querías contar.

Es más que probable que este libro ayude a vender más. Y lo que además es seguro también es que ayuda a ser mejor persona. *Más es más.*

Barcelona, julio de 2019.

Ferran Ramon-Cortés

Director de l'Institut 5 Fars, codirector del Instituto de Comunicación y autor de *La isla de los 5 faros, El cuaderno de bitácora, Virus, Conversaciones con Max, El premio, Escuchar con los ojos, La química de las relaciones, Cuento de invierno, Relaciones que funcionan* y *Más amistades y menos likes.*

2

❖ INTRODUCCIÓN ❖

Mi marido es un apasionado del vino. Y no solo por lo que le aporta desde un punto de vista sensorial, sino también por lo que el vino tiene de expresión cultural de los diferentes pueblos. Cosa que ha hecho que, durante más de 25 años, hayamos visitado bodegas de aquellos lugares del mundo en los que hemos estado y probado sus vinos. Y su pasión no se ha alimentado solo de la cata en sí misma, sino que también ha ido creciendo con los años mediante el estudio continuado (como decía Cousteau, «solo amamos aquello que conocemos»). En casa hay estanterías llenas de libros sobre el vino, entre los que es posible encontrar desde grandes clásicos como *Le goût du vin* de Émile Peynaud y Jacques Blouin a la mayor parte de las guías de vinos del mundo, como *Italian Wines* del Gambero Rosso, *Le guide Hachette des Vins*, la *Guía Peñín de los Vinos de España*, etc. Las personas que vienen a casa por primera vez suelen alucinar cuando, nada más entrar, se encuentran en el recibidor con varios jarrones de cristal de 1 m de alto llenos de corchos de vino, como parte de la decoración. Todos ellos vinos que él ha probado.

Pero en algún momento, hace unos 10 años, su pasión por el vino entró en crisis. De pronto empezó a decir que todos le parecían iguales, como faltos de personalidad. Todos tallados por el mismo patrón. Hasta una de sus pequeñas bodegas favoritas de *terroir* de la D. O. de la Terra Alta, junto al Priorat, se había transformado de un año para otro. Eso sí, para pasar a obtener un vino con un 98 (sobre 100) según la clasificación Parker. Mi marido se dio cuenta de que un sinfín de bodegas estaban transformando su proceso de vinificación para ajustarlo a los nuevos cánones marcados por Robert Parker. En pocas palabras: vinos con muchos taninos, mucha potencia y mucha madera (roble), vinos fáciles de beber, de gusto internacional. Se diría que, si querías vender vino, o tenías una puntuación alta según Parker y, por tanto, pasabas a vinificar como indicaban los enólogos alineados con su pensamiento (con el prestigioso Michel Rolland como ejemplo a seguir), o estabas muerto. El rodillo aplanador y homogeneizador del tipo de vino que le gustaba a Robert Parker parecía imparable en el mundo.

Al verle tan desilusionado con el tema, busqué y busqué hasta encontrar un libro que le regalé por Sant Jordi aquel año. Se llamaba *The Battle for Wine and Love or How I Saved the World from Parkerization*, de Alice Feiring. Aquel libro lo cambió todo para él: le hizo recuperar la ilusión. Y confirmó lo que él intuía: que Robert Parker había impulsado un proceso global de uniformización en el vino. Después descubrimos el documental *Mondovino* de Jonathan Nossiter (que abordaba los conflictos del mundo del vino en la actualidad: la globalización, la industrialización, la estandarización del proceso de vinificación y de los sabores, la batalla entre la tradición europea y el nuevo mundo, etc.). Y mi marido fue poco a poco haciéndose consciente de que había una «pequeña resistencia» de viticultores que reivindicaban el vino como «forma de vida», la vinificación orgánica, biodinámica y, finalmente, 100 % natural, como expresión de la relación íntima entre la tierra y el ser humano. Vinos sin levaduras químicas ni procesos industriales de microoxigenación ni de ósmosis inversa. Vinos naturales cuyo sabor hablaba directamente de la uva de la que se habían obtenido y también de la tierra, de sus minerales y del clima en la que aquella se había desarrollado. Desde entonces, la tendencia hacia el vino natural ha ido en aumento sin dejar de crecer. Y así mi marido recuperó el gusto por el vino. Él y otros muchos. Y cada vez son más.

¿Por qué cuento todo esto? Porque creo que hoy en día, y especialmente desde la gran crisis de 2009, estamos viviendo un proceso de alguna manera similar en el mundo de las ventas.

En mi labor diaria como consultora y formadora de ventas me encuentro con Vendedores descorazonados que afirman que «a los Clientes ya solo les importa el precio; a los Vendedores de a pie nos quedan cuatro días, dentro de nada todo se venderá por Internet». Y esa creencia (fuertemente limitante, por cierto) los lleva a vender cada vez con mayor agresividad, con menor interés verdadero por el Cliente, más rápido, con menos atención… Mucho peor, en definitiva. Y con esa idea de fondo de que, hagan lo que hagan, su trabajo no tiene sentido. Una tendencia que, según mi experiencia, va al alza. No dejo de ver cómo ciertas organizaciones ponen el foco de sus programas formativos para Vendedores en técnicas de negociación y de cierre avanzadas (lo de avanzadas es un eufemismo, en realidad quieren decir salvajes o engañosas). Y, si bien es cierto que todos como consumidores hemos cambiado, y mucho, en gran parte debido a la crisis que hemos sufrido, parece bastante evidente que la solución no puede ser de ninguna manera vender tratando peor a los Clientes.

El nuevo Cliente, profundamente empoderado, exige experiencias de compra excepcionales, poderosas, ilusionantes y plenas, de la mano de asesores comerciales profesionales, honestos y transparentes. Y si el Cliente no obtiene esas experiencias, sí, se irá a hacer la mayor parte de sus compras por Internet, donde todo es mucho más «aséptico» y transparente. Y entonces, en efecto, la «amazonización», como yo denomino a la migración masiva de las ventas al canal único de Internet, será cosa de muy poco tiempo. Sin embargo, esa tendencia no es ni mucho menos imparable. Yo defiendo que es posible una convivencia, una integración saludable del mundo físico y el mundo online, también a nivel de ventas. Y creo que ello pasa por ayudar a los equipos de ventas a desarrollar algo que yo he llamado su capacidad de **Venta Positiva**. Porque hay otra forma de vender en el mundo *retail* o físico, diferente de la que predomina en la actualidad. La nueva forma de vender que los nuevos tiempos y los Clientes exigen, y que se focaliza fundamentalmente en desarrollar y potenciar los aspectos cognitivos y de comunicación de la venta, gracias a la comprensión de los procesos mentales, en su mayor parte emocionales, que realizamos todas las personas en la toma de decisiones de compra (y que conocemos a partir de los últimos descubrimientos de la neurociencia).

Este libro habla, por ello, de un viaje. O, mejor, de dos. De un viaje a Nepal. Y, dentro de este, de un viaje de descubrimiento gracias a un diálogo socrático, en el que se descifran las claves de los cambios actuales en los Clientes y de cómo debemos transformar la función de ventas de nuestros equipos para conseguir el éxito, aumentando a la vez, y de forma drástica, tanto los ratios de cierre como la excepcionalidad de las experiencias de nuestros Clientes.

¿Se atreve a venir de viaje?

3

❖ LA HISTORIA ❖

3.1 ANDREA, TENEMOS UN PROBLEMA

Andrea Mir se había sentido siempre una persona capaz de asumir cualquier tipo de reto profesional o personal. Siempre. Había afrontado cada proyecto de su vida con decisión, seguridad y templanza. Lo había hecho al tener que concebir a su única hija *in vitro* en 7 intentos a lo largo de 3 duros años. También a la hora de recorrer más de medio mundo con su marido durante los últimos 25 años, por tierra y por mar, buceando incluso con tiburones tigre de 5 metros en libertad. Lo hizo cuando decidió estudiar Ingeniería de Telecomunicaciones y fue una de las únicas 6 mujeres en una clase de 120 personas. Y, por supuesto, cuando había decidido, hacía ya 10 años, crear su propia empresa, dando un giro radical a su carrera profesional, buscando su independencia y su propia manera de crear y hacer, llevando a cabo con éxito su primer gran proyecto, consistente en la completa renovación del modelo comercial de una reconocida marca de automoción.

Sin embargo, sabía que este nuevo desafío iba a poner a prueba su determinación. Pero tenía que aceptarlo y darle forma. Su hermana mayor, Cristina, se lo había pedido en la última celebración familiar, ese último domingo de mayo, de un modo algo inesperado mientras estaban todos en la tertulia de sobremesa:

–Andrea, ¿me acompañas al jardín? Tengo que contarte un cotilleo y… ¡me apetece fumarme un cigarrito en un día tan especial!

–¿Pero tú no habías dejado de fumar? –respondió Andrea, algo extrañada con la propuesta en conjunto.

–Pues sí, ¡pero una no cumple 60 años cada día, qué vértigo! Y tengo muchas ganas de estar con mi hermanita pequeña, que eres muy cara de ver, hija, ¡viajas tanto!

–Vaaaale, vale…, aunque no sé bien cómo hemos pasado en un segundo de que quieras charlar conmigo a que me reproches viajar tanto, ¡jajaja!

Cristina apretó los labios con expresión recriminatoria-cariñosa sin dejar de mirar a su adorada y única hermana y señalándole a la vez con el dedo índice y el brazo extendido el camino al jardín. Andrea, sin más, se levantó de la mesa, cogió su jersey y, obedeciendo la orden de su hermana mayor, salió por delante de ella.

Ya en el césped, con un radiante sol de primavera, Cristina alcanzó a Andrea, encendió su Marlboro light y empezó a andar en dirección a la piscina, alejándose de la puerta de acceso al jardín, jardín que ella misma había diseñado hasta el último detalle, como gran arquitecta de exteriores que era. Andrea la siguió:

–¿Qué es ese cotilleo tan importante que me tienes que contar? ¿Y a qué viene eso del cigarrito si tú ya no fumas?… Te noto rara, la verdad… ¿Qué ocurre, Cristina?

–Perdona, cariño, no quería asustarte… Tiene que ver con Javier, necesito pedirte un favor.

Javier era el mayor de los 3 hijos de Cristina. Si ella acababa de cumplir sus 60, él cumpliría sus 30 en septiembre. Y, aunque al nacer el primogénito Andrea tenía solo 18 años, Cristina no había dudado ni un segundo en hacer a Andrea madrina de su hijo. Cristina siempre había pensado que su hermanita pequeña tenía la cabeza muy bien puesta sobre los hombros.

Por lo demás, ambos, Andrea y Javier, simplemente se adoraban, se tenían verdadera devoción. Andrea le había visto crecer y le había dedicado millones de horas de atención, canguros, risas, cuidados, juegos y provocaciones. Le sentía como a un segundo hijo. Y él la tenía a ella por una segunda madre, que siempre le había intentado enseñar a disfrutar aprendiendo cosas nuevas, aunque a él los cambios no le fueran en exceso.

Javier era un extraordinario estudiante que se había titulado en Ingeniería Industrial y en Ciencias Económicas con 25 años. Al acabar sus estudios, se había incorporado de inmediato como Product Manager Junior a la casa matriz de una conocida y prestigiosa marca de automoción (su gran pasión) que buscaba sangre nueva y poderosa, verdadero nuevo talento para sus equipos. Al cabo de solo 3 años, tiempo durante el cual había sido capaz de compaginar su vida personal y profesional con un MBA a distancia en una reconocida escuela de negocios inglesa, había sido convocado y superado con éxito el *assessment* para adquirir la categoría de directivo senior en la organización y convertirse en el nuevo y flamante Director de Marketing y Producto de la marca.

Dos años más de éxitos al frente de Marketing y Producto habían llevado al Director General de la marca a anunciarle oficialmente que le veía como sucesor en 4 años más, momento en que finalizaría su contrato vigente como Director General en España y volvería a su país de origen. Pero que, para sucederle, Javier necesitaba realizar, de forma exprés, todo un complejo proceso de aprendizaje y, sobre todo, adquirir experiencia en Ventas. Él, siempre entregado a la organización, había aceptado el reto, pero en lugar de aceptar la solución fácil y directa de un puesto como Delegado de Ventas de Zona de la casa matriz, había pedido aprender de ventas desde la base, para conocer y analizar en profundidad el negocio: como Vendedor de vehículos en una Concesión. Al menos durante un año. Le apasionaban los coches y podría vivir en carne propia lo que significaba vender los vehículos de la marca a los Clientes. Contacto directo con la Red y contacto directo con los Clientes. Baño de realidad. En su constante proceso analítico, esta se le presentaba como una opción imprescindible en su carrera. Y a su Director General le había parecido también una excelente idea.

–¿Con Javier? Pues vigila tú la puerta, que yo no la veo, por si viene a buscarnos; nos ha seguido fijamente con la mirada cuando salíamos. Soy toda oídos, cuéntame.

–Bueno, creo que está pasando un momento profesional muy complicado y me parece que eres la única persona que puede ayudarle.

–Vaya, no lo sabía, no me ha contado nada, qué raro… Hablé con él este mismo viernes para el tema de tu regalo… Le pregunté por el trabajo y me dijo que estaba contento en su nuevo puesto, con los compañeros… No percibí nada extraño, la verdad. Aunque él nunca es muy efusivo con nada, ya lo sabemos.

–Ya, precisamente… En otras ocasiones en las que se ha tenido que enfrentar a situaciones complejas, le he visto más sereno, más seguro de sí mismo, con un plan claro, él siempre lo planifica y lo analiza todo, ya sabes… Pero esta vez se ha encerrado en sí mismo, no habla con nadie, le está cambiando el humor, está todo el día cabizbajo, abstraído y con una expresión entre triste y malhumorada con todo y con todos todo el día… Hasta ha dejado de hacer deporte…

–Caramba… Y, en tu opinión, ¿qué es lo que le pasa?

–Bueno, exactamente no lo sé, claro… Cada día llega a casa y se encierra en su habitación. Sale a cenar y se vuelve a encerrar. Y eso que le he preguntado muy suavemente si le apetecía hablar o comentarme algo… Pero bueno, lo que sí sé es que Laurita y él lo han dejado, al menos temporalmente… Y eso ya me ha disparado todas las alarmas…

–Quéeee, ¿nuestra Laurita? ¿Laurita, su novia desde la ESO? ¿La más brillante, inteligente, simpática, generosa y guapa mujer del mundo? ¿Pero no estaban buscando piso para irse a vivir juntos? No doy crédito, la verdad… ¿Qué ha ocurrido, qué sabes?… ¿Y cómo te has enterado?

–Bueno, él no me había contado nada, imagina. Fue ella la que me llamó el lunes pasado entre lloros para decirme que justamente por eso no iba a venir a la celebración de mi 60 cumpleaños, porque lo habían dejado, y que él me iba a dar una excusa simple para disculpar su ausencia porque no quería preocuparme en un día tan especial para mí… y no quería ser él el protagonista y la diana de todos los comentarios e interrogatorios en la celebración… Pobrecita, no dejaba de decirme que sentía muchísimo la llamada y darme el disgusto antes de la celebración, que para ella somos y seremos siempre parte de su familia, pero que quería que supiera que estaba muy preocupada por Javier, que estaba pasándolo muy mal en su nuevo trabajo y que además le estaba cambiando y que esa era la causa de su separación temporal. Al parecer, él le ha pedido tiempo para poder resolver sus problemas, porque, según le dijo, en estos momentos no puede ocuparse de nada más. Y que, según ella, él no quiere hablar de ello con nadie.

–Caramba –dijo Andrea, sumida en sus pensamientos, intentando imaginar qué podría estar pasando–… Muy grande le debe de parecer el problema que tiene, desde luego. Y entonces, ¿qué has pensado, qué me quieres pedir?

–No he pensado nada concreto, cariño, simplemente necesito tu ayuda. No sé bien cómo intervenir. Ni siquiera si debo. Él ya es un adulto y todos sabemos que es una persona cabal e inteligente. Sabes que siempre he sido y seré una madre profundamente respetuosa con su vida y sus decisiones, pero no puedo evitar que todo esto me preocupe. Quizá contigo sí quiera hablar. Te adora. Confía en ti. Y te admira de verdad. Sabes que para él siempre has sido una referencia en su vida. Además, tú eres consultora y formadora especializada justamente en ventas, ¿no?

–Precisamente… Si en efecto el problema tiene que ver con su nuevo trabajo en la Concesión y no ha hablado ya conmigo habiendo tenido la oportunidad…, es probable que lo quiera hacer. Le da miedo, o vergüenza, o lo que sea… por alguna razón que por ahora se nos escapa…

–¿Y qué se te ocurre? ¿Crees que debemos dejarlo correr sin más y que él lo resuelva solo?

–Bueno, desde luego solo él lo puede y debe resolver. Y si él no ha acudido a nosotros a hablar, no creo que debamos abordarle a bocajarro para que nos cuente qué ocurre, no creo que funcione. Si él lo ha decidido así, creo que deberíamos respetarle. Además, tu hijo es muy orgulloso. No sé a quién habrá salido… –dijo Andrea con una mirada burlona a su hermana, pero sin perder ni un ápice de implicación en el tema.

Cristina adoraba la capacidad de Andrea de encontrar una broma sutil, hasta en las situaciones más complicadas. Le dio un empujón cariñoso a su hermana y le pasó después el brazo por encima del hombro, acercando su cabeza a la de ella.

Solo por el hecho de habérselo contado todo, Cristina ya se sentía algo más tranquila, más confiada en que podrían ayudar de alguna manera a Javier.

–Se me está ocurriendo algo. Es un poco lioso, pero podría funcionar… Solo te pido una cosa: que confíes plenamente en mí y no pongas objeciones a mi propuesta. ¿Aceptas? –le planteó Andrea a Cristina.

–Por supuesto, ¿cómo podría negarme?

–Ok, repítelo, por favor, que te voy a grabar para que cuando incumplas tu palabra pueda recordártela.

–Jajaja, caray, ¿tan malo es?

–No, a mí no me parece malo en absoluto. Pero todos sabemos lo cagada que eres y la aprensión que te da todo lo que implica un mínimo riesgo. Y sobre todo si se trata de tus hijos.

–Y no me lo vas a contar ahora, claro…

–No, no es el momento. Antes debo asegurarme de que es viable.

Tras lo cual Cristina le dio un beso en la mejilla a su hermana, apagó contra una piedra el cigarrillo que ni siquiera había probado y, con la colilla en la mano, volvieron hacia el comedor de su casa.

3.2 UN REGALO DE CUMPLEAÑOS

Sábado del primer fin de semana de junio. Nueva comida de celebración en la familia Mir. Marc, el marido de Andrea, acababa de cumplir 48 años ese mismo viernes. Ella los había cumplido en enero. Se habían conocido en primero de carrera y desde cuarto curso siempre habían estado juntos como pareja.

De eso hacía ya 25 años y Andrea había decidido organizar de inmediato la habitual comida de celebración familiar, dándole un toque especial que realzara ambos eventos, el cumpleaños y el aniversario.

Volvían a estar todos reunidos: los abuelos, Ricardo y Amparo; Cristina, su marido Bruno y sus 3 hijos (Javier, Mauro y Rebeca), y Andrea, Marc y su hija Gabriela de 14 años. Esta vez la celebración tocaba en casa de Andrea.

Tras la deliciosa comida (Andrea y Marc adoraban cocinar), llegó la hora de la entrega de regalos. Desde pequeña, Gabriela había sido la encargada de ir a buscarlos, y así lo hizo también esta vez. Había 3 paquetes.

Marc sopló el 4 y el 8 de su pastel con energía y se dispuso a abrir sus regalos con una enorme sonrisa en la cara. Luego se ocuparían de dar cuenta del pastel.

El primer paquete que eligió resultó ser el de los padres de Andrea: un precioso polo y unos bermudas de una de las tiendas favoritas de Marc. Fantástico, ¡qué falta le iban a hacer ese verano!

El segundo paquete elegido era de la familia de Cristina. Unos fantásticos zapatos de piel vuelta, también de verano, de color verde… ¡con cordones azules! Y una chaqueta de verano bien ajustadita, todo como muy de modernito *hipster*.

¿Se atrevería Marc a ponérselo todo? La familia entera se lo pidió a voces y él, bromista por naturaleza, se puso primero el polo sobre la camisa, luego encima la chaqueta y por último los zapatos.

Estaba encantado y, como siempre, con una sonrisa amplia y generosa en la cara. Solo quedaba la última bolsa que, claro está, debía de ser la de su mujer y su hija. ¡Pero era la más pequeña de todas! Marc la cogió por las asas con el dedo índice, investigando el peso, con la boca y los ojos muy abiertos.

–Mamáaaaa, ¡pensaba que al menos iba a pesar! ¡Pero nada, es pequeño y encima no pesa! ¡No es justo!

Y, poniendo cara de payaso triste, empezó a aullar como Charlie Rivel:

–¡Auuuuuuuu, mis chicas favoritas ya no me quieren, auuuuuuuu!

Y mientras todos seguían riendo sus gracias, Marc sacó de la pequeña bolsa un sobre:

–¡Mamiiiiiii, ¿de verdad lo has dejado para el último momento y aún no ha llegadooooo?! Me has tenido que regalar un valeeeee, quéeeee cutre, no hay derecho, ¡yo me curro vuestros regalos muuuuucho más!

–Anda, papi, ¡deja de quejarte y abre el sobre de una vez que vas a flipar! –le dijo Gabriela.

Y como si a alguien en el mundo hacía caso Marc era a su hija Gabriela, empezó a abrir el sobre, ante la expectación general.

–A ver, a ver… *and the winner issssssss…*

De repente, su cara cambió de expresión. Loco de alegría, se levantó de la silla de golpe y abrazó y llenó de besos a su mujer y a su hija. Un sueño hecho realidad. El resto de la familia protestó, por boca de Javier:

–¡Ehhhh, venga, los besos para luego, dinos qué es de una vez, anda!

–Leo textualmente: «Vale por un trekking en los Annapurnas, acompañado por tus amigos, tu mujer y tu hija (bueno, tú en *mountain bike*, los demás andando, claro)».

–¡Joooooope, tía Andrea, menuda inversión! ¿Invitas tú a todos? ¡Algunos más igual también querríamos ir! –dijo Javier.

–A Nepal nada menos, hiiiiija –dijo Amparo, la abuela–, ¿no ha habido un terremoto hace nada que ha destruido el país entero? Ay, hija, de verdad, siempre lo tenéis que hacer todo taaaaaan complicado…

–Venga, mamá –dijo el abuelo Ricardo–, no empieces con tus sufrimientos... Déjalos que ellos son jóvenes.

–¡Ya no tan jóvenes! ¡Precisamente ya no tienen edad para estas barbaridades! ¡Como si no me hubieran hecho ya sufrir bastante con sus viajes y sus aventuras, madre mía!

Ante lo cual Andrea se puso de pie y, tocando con la cucharita de postre en su copa de vino, rogó un momento de silencio para explicar el regalo.

–Veo que la nota necesita alguna aclaración, jajaja. Lo primero: no te preocupes, mamá, tomaremos las precauciones necesarias, de verdad. Lo segundo es que yo pago el viaje a toda persona con relación de consanguinidad, los foráneos tendrán que rascarse el bolsillo –todos rieron e hicieron comentarios varios.

–Ya me extrañaba a mí –dijo Cristina–, tal y como lo habéis escrito parecía barra libre a Nepal para todos vuestros amigos.

–¿Y hasta qué grado de consanguinidad dices que abarca la nota? –preguntó Javier.

–Bueno, Javier, ¡eso igual lo hablamos luego! –dijo Andrea guiñándole un ojo a su sobrino.

Andrea estaba encantada: la apuesta era arriesgada, pero parecía que Javier había mordido el anzuelo, aunque aún no estaba hecho, ni mucho menos. Andrea volvió a reclamar silencio, golpeando nuevamente la copa con la cucharita de postre.

–Por favor, ahora viene lo tercero: el porqué de todo esto. Aunque quizá algunos no lo recordéis, este año no solo Marc cumple 48 años (y Cristina ha cumplido 60 hace unos días), sino que además hace exactamente 20 años de nuestro primer gran viaje, justamente a Nepal. Marc y yo éramos unos críos de 28 años –y mi hoy marido, entonces novio, aún me quería, jajaja– y nos fuimos a la otra punta del mundo, a un país que muy pocos conocían o sabían exactamente dónde estaba, con un billete de avión y una mochila. Ese viaje nos transformó. Fue un hito clave en nuestra aventura vital juntos, ¡aventura que también este año cumple 25 años! ¡25 años juntos, madre mía!

En ese momento todos empezaron a aplaudir, a gritar y a levantarse para abrazarlos y besarse todos, la abuela aún a regañadientes, recordando que 20 años atrás también se había llevado un disgusto. Y 25 años juntos. Casados algunos menos, pero eso ahora no importaba. Todo un logro en estos tiempos que corren, pensaba la abuela. Gabriela abrazaba a sus padres con fuerza, muy contenta y emocionada.

–Gracias, gracias, sois unos soles –dijo Andrea, sonriendo feliz aunque emocionada en lo más profundo, moviendo las manos con las palmas hacia abajo en petición de calma–. ¡Aún no he acabado las aclaraciones!

Tras lo cual se oyeron algunos leves abucheos, para enseguida hacerse de nuevo el silencio. Todos atendían con profunda e intensa emoción.

–Y cuarto: el cuándo y los quiénes. ¿Cuándo? Primera quincena de agosto. ¿Y quiénes se han apuntado y vienen? Por ahora, han confirmado Raúl y Ainara –una pareja de amigos– y mi amiga Mar y su hijo Alberto de 21 añitos, gran *mountain biker* también. Además, claro, de Gabriela, Marc y yo. Pero falta alguien más por confirmar, alguien a quien aún no le he propuesto venir…

–Pues si con tanto aniversario y cifra redonda has pensado meterme a mí en el paquete, ¡conmigo no cuentes, hermanita! Ya sabes que el deporte no es lo mío. Yo prefiero mis vacaciones en Formentera bien tranquilita –protestó anticipadamente Cristina.

Andrea disfrutaba creando expectación, pero esta vez se sentía algo tensa. Llegaba un momento crucial en su plan. Debía darlo todo.

–Lo sé, lo sé, Cris. Siento decir que no eres tú en quien yo había pensado. Veréis, resulta que me he dado cuenta de que este año viene con otra cifra redonda en el bolsillo. No solo Marc cumple 48 años…

Saltaron abucheos múltiples.

–¡Mamáaaaa, es que justamente esaaaaa…, redonda, redonda no lo es mucho! –dijo Gabriela.

–Lo séeeee, no solo papá cumple 48, Cristina ha cumplido 60 hace solo unos días y nosotros 20 años de nuestro primer gran viaje y 25 juntos, sino que, además, ¡el mayor de la tercera generación Mir, aquí presente, cumplirá 30 años este septiembre!

Inmediatamente volvieron a aplaudir y miraron expectantes a Javier, que, levantando su ceja izquierda, estaba a la espera de lo que venía después. Andrea le miró entonces directamente a los ojos.

–… de forma que, como además resulta que soy su madrina, he decidido matar todos los pájaros del mismo tiro y, aunque no sea muy habitual hacerlo por adelantado, ¡he decidido también regalarte por tu cumple este viaje a Nepal para que te vengas con nosotros!

Andrea estaba preparada para el silencio que se produjo inmediatamente por parte de Javier, que la miraba con una mezcla de frialdad en los ojos y cierta duda. Cristina disimulaba también su tensión y se mantenía callada. Así que Andrea puso toda la carne en el asador. Sabía que debía darle margen y no forzarle a una decisión inmediata.

–Todo lo que puedo decir es que me haría una ilusión loca que compartieras este viaje único y especial con nosotros. Sé que no te he consultado, cariño, pero quería que fuera una sorpresa. Comprendo que tengas que mirar si las fechas de vacaciones te encajan, e incluso si te convence el viaje. Quiero que sepas que, tanto si decides venir como si no, lo respetaré completamente (y prometo hacerte otro regalo). Y no tienes que responder ahora si no quieres. Piénsalo tranquilamente, por favor, y ya me dirás cuando te apetezca, ¿de acuerdo?

Tras lo cual, Marc, hábilmente, se levantó con su copa de cava en la mano y propuso un brindis.

–¡Por Nepal! –tras lo cual todos, repitiendo sus palabras, brindaron y bebieron, incluido Javier–. Y Javier, piénsatelo sin presión, ¿eh?, ¡pero ten en cuenta, por favor, que si no vienes no sé quién me va a acompañar en bici en la aventura! Jajajaja.

Siguieron comentarios varios, bromas, risas, charlas… Cristina sabía que su hermana había jugado una mano arriesgada, pero que desde luego podía funcionar. Comprendía el alcance real de lo que Andrea había ideado: llevarse a Javier de viaje lejos de todo para tenerlo a su lado durante 15 días seguidos de una forma sutil y con atención casi plena.

Y, ya al despedirse, fue la primera en dirigirse a su hermana. La abrazó fuerte contra sí, la besó con muchos besos, como solo ella sabía hacerlo, y, susurrándole al oído, le dijo: «Gracias, hermanita, te quiero, eres mi hermana favorita».

Llegó el momento de despedirse de Javier, y Andrea quiso ponérselo fácil.

–Piénsalo con total libertad, cielo, de verdad. Y ya me dirás, ¿ok? –a lo cual Javier respondió inesperadamente:

–Ya lo he pensado, tía. Y no sé si me arrepentiré o no, porque no sé qué me dirán en el trabajo, pero te digo ya que sí. Gracias. No me hubiera podido imaginar un regalo mejor. Formar parte de algo tan importante. Sé la ilusión que has puesto en este viaje. Voy. ¡Y si me despiden, que me despidan, que pase lo que tenga que pasar!

Andrea le abrazó y besó con todo el cariño que sentía por él, comprendiendo por su frase final que Javier experimentaba cierto vértigo y creía estar asumiendo un gran riesgo al aceptar. Estaba claro que él percibía su puesto de trabajo en peligro. Le había lanzazo un globo sonda de clara interpretación.

Cuando se cerraron las puertas del ascensor con los últimos invitados, Andrea le dio un enorme abrazo a su marido.

–Gracias, cariño, eres el mejor. ¡Te mereces un Óscar!

–¡De nada, *loving*! Hombre, reconozco que me he tenido que esforzar poco: tu idea de regalo me ha encantado. Y meter a Javier en el plan me ha parecido genial, ya te lo dije cuando me lo contaste. Y ha entrado por completo. Me alegro mucho, de verdad. Eso sí, ahora llega la parte más complicada, ¿no? Esa ya te la dejaré a ti. ¡Y yo me dedicaré a surcar los caminos del Annapurna como mi máaaaaaquina de dos ruedas!

–Jajaja. Pues sí, la verdad. Encima me siento una terrible manipuladora… –confesó Andrea.

–Hombre, un poquito sí, jajaja. Pero tu intención es buena... –rio Marc.

–En fin, veremos... –dijo en voz baja y con un gran suspiro Andrea. Esperaba conseguir que el viaje valiera la pena para todos y en especial para Javier, pero desde luego no iba a ser tarea fácil.

3.3 ESTE MANTRA NO ES NEPALÍ

Habían pasado 10 días desde la comida y el fastuoso anuncio del viaje-regalo. Y lo cierto es que nadie había movido ni un dedo para organizar nada. Junio era un mes de pico de trabajo para todos, cierre del primer semestre del año, y todo el mundo tenía prisa por dejar el año encaminado antes del parón del verano, incluida Andrea. Pero tenía que activarse y ponerse las pilas. No quedaba nada para agosto.

Esa mañana llamó por teléfono a Ainara y a Mar, sus amigas. AMIGAS con mayúsculas. Parlanchinas y divertidas a morir, pese a que a veces una era caótica y la otra miedosa en exceso, podían ser perfectas compañeras de viaje, Andrea ya lo sabía bien. Eso sí, necesitaban algo de organización o todo podría convertirse en un torbellino que no favorecería en nada la obtención de resultados con Javier. Además, los billetes estaban subiendo de precio cada día.

–Hola, Ainara, ¿qué tal, cielo? Oye, tengo a Mar al teléfono, ¿tienes 10 minutos para incorporarte a la multiconferencia y ver si podemos quedar esta semana para hablar del viaje?

–¡Hola, preciosa! ¡Sí, claro! –respondió Ainara.

Andrea manipuló los botones de su móvil para hacer una multiconferencia a tres bandas con las chicas.

–¿Holaaaa? ¿Me oís las dos? ¿Mar? ¿Ainara? –preguntó risueña Andrea.

–Alto y claro, ¡cerrando puertas y *crosscheck*! –soltó Ainara con una gran carcajada.

–Jajaja, ¡yo también! –respondió Mar.

–Hooooola, Maaaar, ¿cómo te va? –dijo Ainara y, como siempre, se lanzó a hablar–. Oye, os tengo que contar. He descubierto un restaurante nuevo ideal para nuestras cenitas. Se llama El Curvo y cenamos el otro día Raúl y yo. Ya sé que el nombre no es muy inspirador, pero ¿sabéis de quién es? Del novio de Bárbara, que al parecer se dedica a la restauración desde hace años y es como el rey Midas de los restaurantes. La verdad es que estaba todo buenísimo, el sitio una monada y el ambiente genial.

–Ainara, cariño, ¿podemos hablar de esto en nuestro encuentro? –cortó Andrea.

–Ay, ay, ay, sí, perdón, es que como hace tanto que no hablamos, tengo ganas, jajaja –reconoció Ainara.

–Eres lo más Ainara, has tardado cero-coma en arrancarte y hablar tú solita, jajaja –dijo Mar.

Las tres amigas disfrutaban de su amistad mutua, de su conversación y reían juntas sin parar.

–Chicas, perdonad pero yo voy a poner mi directa. Necesitamos hablar del viaje y cerrar cosas. ¿Cómo lo tenéis este jueves? Propongo mi casa, ¿vale? Es que quiero que tanto Gabriela como mi sobrino Javier jueguen en terreno conocido. Así además podemos hablar todo lo que queramos. ¿Qué os parece? –preguntó Andrea.

–No he hablado con Raúl, pero creo que el jueves está bien para nosotros –dijo Ainara.

–Mi hijo está de exámenes, pero igual se escapa. Y si no, vendré yo en representación de los dos y luego le contaré. Todo lo que acordemos le parecerá bien, ya sabéis que es de muy buena pasta –dijo Mar.

–Perfecto, pues. Gracias, chicas. ¿A las 20:30? Es que con todo lo que tenemos que comentar, creo que necesitamos tiempo, ¿no?

–Sí, genial. ¿Tienes un guion o una estructura de todo lo que tenemos que hablar? –dijo Mar, siempre tan detallista.

–¡Buena idea, Mar! –celebró Ainara–. Sí, ya nos conoces, o vamos con un poco de orden o nos iremos por las ramas y no cerraremos nada.

–Ok, chicas, genial. Os envío por mail esta noche los temas clave que creo que deberíamos tratar. ¿Lo pongo en Google Drive para que lo podáis completar todos y todas? –preguntó Andrea.

–Perfecto, Andrea. Os dejo, chicas. Me traen mi comida. Besos, guapas, *bye* –dijo Ainara.

–*Bye, bye*, bonitas, hasta este jueves noche –dijo Mar.

–Adiós, preciosas, ¡gracias! –cerró Andrea, finalizando la llamada.

A Marc y a Gabriela les confirmaría la cena del jueves esa misma noche en casa (ya habían hablado de la posibilidad en el desayuno), pero a Javier pensó que sería bueno decírselo en persona. Además, se encontraba muy cerca de la Concesión en la que él trabajaba, y qué mejor oportunidad para verle en acción y tratar de percibir en vivo, aunque fuera de forma discreta, algo de su situación en el trabajo.

Eran las 5 de la tarde y se disponía a entrar en la Concesión cuando de pronto vio justamente a Javier en la exposición de vehículos. Parecía estar atendiendo a una Clienta, y por cómo señalaba constantemente un coche concreto, daba la impresión de estar enseñándole ese vehículo. Andrea decidió esperar a entrar para evitar que su presencia inesperada distrajera a Javier de su trabajo. Al cabo de aproximadamente 15 minutos vio cómo la Clienta le daba la mano a Javier despidiéndose de él y se dirigía a la puerta de salida, la misma donde estaba Andrea.

Javier se había dado la vuelta de inmediato y se encaminaba hacia algún lugar del interior de la Concesión sin visión directa sobre la salida, con lo que Andrea vio de pronto la oportunidad de hablar con la Clienta.

–Perdone que la aborde así, pero me gustaría hacerle una pregunta, si no le importa. Es que tengo una segunda cita ahora con el mismo Vendedor que creo que la acaba de atender a usted y me gustaría conocer sus impresiones sobre él para contrastarlas con las mías. ¿Qué le ha parecido?

La señora le hizo una rápida, completa e instintiva revisión de arriba abajo para comprobar que no hubiera peligro alguno, y entonces contestó:

–¿Qué es lo que desea saber exactamente?

–Bueno, la semana pasada hice una primera visita en la que apenas pudimos hablar. Vine sin cita previa y, como había quedado con otro Cliente, me citó para hoy. Simplemente me gustaría saber cómo ha sido su experiencia como Clienta con él. Me gustaría saber a qué atenerme.

La señora pareció ordenar sus ideas durante un segundo y luego dijo:

–Pues mire, si quiere que le sea sincera, tengo claro que no voy a comprarme un coche con él ni con esta marca. Debo decir que no me he sentido bien atendida. El Vendedor es amable, educado y sabe mucho, muchíiiiiiiisimo de sus coches, pero he tenido la sensación de que no se interesaba lo más mínimo por lo que yo necesitaba. Él quería venderme el coche que a él parecía gustarle más (o que más le interesaba a él, no lo sé) y me lo ha presentado con profusión de datos técnicos, que a mí no me interesaban nada, durante más de 20 minutos. De hecho, he atendido pacientemente a sus explicaciones hasta que por fin me ha «recomendado» el coche en cuestión (que a mí no me motivaba lo más mínimo porque, según él, me «convenía», ya que al parecer yo encajaba perfectamente en el perfil tipo de ese modelo de coche, algo que no sé cómo ha deducido, puesto que apenas me ha preguntado nada de mis intereses personales, la verdad. Le he dado las gracias amablemente por su tiempo, le he dicho que me lo pensaría y me he ido. Y es que, verá, yo ya soy mayorcita para que nadie crea que puede pensar por mí, ¿sabe?

–Jajaja, lo entiendo, a mí me pasa igual –empatizó Andrea.

–En el último momento, además, me ha dicho que lo podía conseguir a muy buen precio, con lo que me ha acabado de demostrar que no había entendido nada de lo que yo buscaba. Pero bueno, como le digo, parece saber mucho de coches. Quizá a usted le guste este tipo de Vendedores, o de cualquier manera le pueda servir de ayuda. Pero no ha sido mi caso.

–Muy amable, señora, le agradezco muchísimo el tiempo que me ha prestado y todas sus explicaciones. Que tenga usted una buena tarde y que disfrute de su nuevo vehículo, sea el que sea que vaya a adquirir.

–De nada… ¡e igualmente!

Andrea entró de inmediato en la Concesión y enseguida vio a Javier sentado en su mesa trabajando con el ordenador. Le indicó con una sonrisa a la persona de recepción que era la tía de Javier Prado y pasó directamente a verle.

–¡Hola, Javier! ¿Qué tal?

–Hombre, ¡Andrea! –dijo Javier con sorpresa, aunque sin demasiada expresividad. ¿Qué haces tú aquí? ¡No me digas que te quieres comprar un coche!

–Jajajaja, me encantaría, pero no. Verás, hemos quedado este jueves a las 20:30 en mi casa para hablar de los detalles del viaje de agosto y concretar planes. Y como estaba por aquí cerca, me he permitido venir a verte y decírtelo en persona, mejor que llamarte.

–Ah, vale –dijo Javier sin mucha emoción–. Estoy bastante liado, pero lo intentaré. Ese día tengo dos entregas de vehículos por la tarde. Podría llegar a las 21:00 como pronto.

–Ok, perfecto, pues te dejo, no te molesto más. Oye, muy chula tu Concesión, ¿no? –dijo Andrea moviendo la cabeza en un sentido y otro.

–Sí, muy chula. Y no, ninguna molestia, solo faltaría –contestó sin mucha convicción Javier, mientras se rascaba la cabeza. Andrea percibió insinceridad y cierta incomodidad en su lenguaje no verbal.

–Un beso, guapo, y espero verte el jueves. Ah, oye, por cierto, cuando entraba he visto que atendías a una Clienta… Por curiosidad, ¿te puedo preguntar qué tal te ha ido con ella? –quiso saber Andrea directamente de Javier.

–Bueno, bien, aunque no he llegado a saber lo que quería. Me parece que no tenía intención clara de compra. Muy callada. No ha dicho ni «mu» durante la presentación del vehículo, solo que se lo pensaría. Pero creo que cuando se lo piense volverá. El coche que le he ofrecido le encajaba totalmente y es una gran oportunidad en estos momentos, tiene una campaña muy importante. ¿Sabes? Cada día veo más claro que lo que dicen por aquí es verdad: hay cada vez menos movimiento, mucha gente de paso y pocos compradores reales. Y a estos últimos solo les importa el precio. Los objetivos que nos imponen desde la marca son realmente exigentes, casi imposibles. Y qué decir de la presión. Va a ser verdad lo que siempre me habían dicho los Vendedores, ¡¡que esto de vender coches hoy en día se ha vuelto misión imposible!!

–Ok, ya veo… –y Andrea pensó: «Cielos, ya ha sido abducido; ¡no lleva ni seis meses aquí y ya repite el mantra de los Vendedores victimistas con total precisión!»–. Oye, ¿has pasado ya por la formación de Vendedores de la marca o por su Proceso de Certificación?

–Uy, no, solo me faltaría ausentarme de la Concesión, con la carga de trabajo que tengo. Entonces sí que adiós al cumplimiento del objetivo. No me lo puedo permitir. Mientras lo pueda retrasar, lo haré, la verdad. Me han dado las pautas básicas aquí en la Concesión. Hay Vendedores con sobrada experiencia y he decidido confiar en ellos y seguir sus indicaciones con rigor y profesionalidad. Y además he leído un par de libros clásicos sobre ventas –respondió Javier.

–Bueno, si quieres un día hablamos un poco del tema. Quizá podamos contrastar algunas ideas. Ya sabes que yo me dedico justamente a esto –dijo Andrea–. Venga, me voy, ahora sí, no te robo más tiempo. Nos vemos el jueves. Espero que vengas, ¿vale?

Y Andrea se fue enseguida. Javier permaneció en su mesa sin siquiera hacer ademán de acompañarla a la puerta. A veces podía parecer realmente distante.

Ya en la calle, Andrea decidió ir a casa a pie, prescindiendo del transporte público. Le iría bien caminar para ordenar las ideas. No se sentía bien: por una parte, no había sido del todo sincera con Javier; notaba que su relación con él se estaba llenando de pseudoverdades, a pesar de la confianza y el cariño que se tenían. Y, por otra, parecía que sus peores intuiciones se estaban confirmando en relación con las dificultades que podía estar teniendo Javier en su nuevo trabajo de ventas.

Ahora tenía claro que había mucho trabajo que hacer con Javier y que no le iba a ser nada fácil llevarlo a cabo, precisamente por la relación personal que los unía y porque además él estaba convencido de que su manera de actuar era sin duda correcta. Es más: que era la única correcta. Iban a tener que recorrer juntos un largo camino, en sentido literal en Nepal… y en el figurado también.

3.4 ¡MÁS DE 200 KM EN 9 DÍAS!

–¿Más de 200 km en 9 días… ¡¡¡y andando!!!? Pero ¿nos hemos vuelto locos o qué? ¿Y tendremos que cruzar un paso a 5500 m de altura? ¿En serio sabemos lo que hacemos? ¿De verdad no nos podemos ir a una playita paradisiaca de arena blanca a pasar los 15 días contándonos nuestras cosas sin parar de hablar? Madre mía, a la vejez viruelas… –objetó Ainara ante las primeras explicaciones del viaje por parte de Andrea. Le encantaba montar un gran *show* con cualquier excusa para llamar la atención y provocar la risa de todos, cosa que, sin duda, conseguía siempre. Era la reina del espectáculo.

–¡No me los asustes con tu sobreactuación, anda, Ainara! –respondió Andrea, mientras Javier permanecía callado y serio.

–¿Que no los asuste yo? Perdona bonita, pero aquí la que se ha puesto en plan «niña del exorcista» y a la que le ha empezado a dar vueltas la cabeza, ¡eres tú! –siguió Ainara con su *show*.

–¿Quizá le puedes dar un enfoque digamos… algo menos «descarnado», mamá? –ayudó Marc.

–A ver, a ver, vale, vale… Posiblemente tenéis razón y lo he abordado de forma demasiado directa. Vamos a ver así: un paseo por un país entre las nubes, un trekking de 9 etapas en las que transitaremos por caminos de montaña entre los paisajes más mágicos del mundo, entre 6 y 8 horas al día, a paso tranquilo. Una experiencia única y, además, compartida con nuestros seres más queridos –dijo con un tono más pausado y solemne Andrea.

–Yo pensaba que el objetivo era conseguir subir a 5500 m de altura, en bici o andando –dijo Javier con sequedad.

–Bueno –dijo Mar–, ese puede ser el objetivo final, sí. Pero el propósito del viaje es otro, ¿no te parece, Javier?

–¿En serio te vas a poner filosófica ahora, Mar? –replicó Ainara, incapaz de estar callada más de un minuto.

–Con lo que ha dicho Andrea, me acabo de dar cuenta de que todo esto tiene un propósito superior, más trascendente, sí. Creo que es una forma de recordarnos que estamos vivos y juntos, que es posible vivir de otra manera, que hay personas con valores francamente distintos a los nuestros y que la admiración misma de la belleza insuperable de la naturaleza virgen bien vale este viaje. Y más si lo hago con todos vosotros y con mi hijo. Y tú, Ainara, tú más que nadie, tienes una oportunidad única de hacer uno de los mejores reportajes fotográficos de tu vida, ¿no te parece? –explicó Mar.

Javier había decidido escuchar sin decir nada más por el momento, y Andrea pensaba justamente en el proceso de autoconocimiento y transformación que pretendía hacer vivir a su sobrino, para que llegara él mismo a la conclusión de que era posible vivir y enfocar el trabajo de otra manera. Pero Ainara la sacó de nuevo de sus pensamientos de forma súbita.

–Bueno, muy manido, ¿no? Se han fotografiado ya tanto los Himalayas… Aunque…, ahora que lo dices… ¡«Los Annapurnas desde mi móvil» podría ser un qué! Fotos hechas exclusivamente con un móvil. Nada de mi cámara profesional. Una mirada a través de otro tipo de objetivo. Conectado con el mundo actual. Creo que eso no lo ha hecho nadie nunca. Ummmm…, ¡investigo y me lo pienso! Reconozco que ha sido una buena idea, Marecita… –dijo, tirándole un besito por el aire.

–Con todo, también debo decir, Andrea, que de viaje para el Imserso me parece que tiene poco… Sé todo lo que hay detrás, y creo que yo conecto con ello tanto como el que más, no me malinterpretes, pero, la verdad, no sé si estoy preparada… –puntualizó Mar, siempre tan delicada y cuidadosa en la expresión de sus opiniones.

–Pues no es ninguna broma: en una de las guías que leímos decía literalmente: «trekking apto para la tercera edad». Yo, que ya lo he hecho, creo sinceramente que exageraba algo, pero también pienso que, sin duda, es más que accesible para todos nosotros –confirmó Andrea.

–¿Seguro, Andrea…? –insistió Mar.

–Mar, Ainara, vosotras precisamente habéis hecho el trekking del Toubkal en Marruecos, el del Kilimanjaro en Kenia, el del glaciar del Jotunheimen en Noruega…

–Yaaaa, lo sé, aunque nunca fueron tantos días y estamos algo desentrenadas… Y realmente ahora no pensaba en los adultos, Andrea, pensaba en tu hija Gabriela, la verdad… –dijo Mar, siempre atenta al bienestar de todos.

–Bueno, ahí tengo que darte la razón también, Mar –respondió Andrea–. Lo cierto es que entre el básquet y el ballet está más en forma que todas nosotras juntas, pero la cuestión en realidad se ha resuelto sola. Os lo iba a contar ahora, pero no me habéis dejado.

–Veeeenga, pues cuenta, cuenta –dijo Ainara.

–Me ha dicho que le sabía fatal decepcionarme con la ilusión que me hacía este viaje, pero que ella realmente ya había hablado con su mejor amiga para irse a Irlanda este mes de agosto. Al parecer, tienen la oportunidad de irse como monitoras a un campus de trabajo en una granja con niños de múltiples nacionalidades –explicó Andrea con tranquilidad.

–¿Y? –dijo Ainara, al límite de su paciencia.

–Pues que le hemos dicho que sí, que se puede ir a Irlanda a practicar inglés y a cuidar de otros niños. Un trabajo en el que además tiene que asumir ciertas responsabilidades –confirmó Andrea con una expresión de seguridad.

–Esta niña es un sol total. Seguro que en realidad hasta intuyó ella solita que este viaje podía no ser del todo adecuado para ella –opinó Mar.

–Es posible. Muchas veces parece tener más cabeza y ser más madura que todos nosotros juntos –reflexionó Andrea, pensando en su adorada hija.

Sin duda, la cena había empezado animada. Apenas habían llegado todos (menos Raúl, ausente por un compromiso de trabajo ineludible; el hijo de Mar, porque tenía un examen al día siguiente, y Gabriela, que se había ido a dormir a casa de una amiga), Andrea había explicado el plan de viaje: serían finalmente 16 días, 2 de ellos de viaje (ida y vuelta), 2 en Katmandú a la llegada para organizar el trekking, 9 de trekking propiamente dicho y 3 al final por el valle de Katmandú, de turismo cultural. Y, a las primeras de cambio, Ainara ya había estallado.

Una vez reconducida la conversación, y con la actitud *switcheada* aparentemente en positivo, tocaba seguir.

–Bueno, entonces ¿todos de acuerdo con el planteamiento del 2+2+9+3? Creo que además así tenemos cierto margen para posibles imprevistos.

–Síiiiiiiii, Andrea, de acueeeeerdo –contestó Ainara, y todos asintieron también.

–Genial, ¡esa es la actitud! Como dijo Henry Ford, «tanto si crees que puedes hacerlo como si no, tienes razón». El primer paso es creérselo, de otra manera es imposible –espoleó Andrea.

–No te puedes estar sin soltar alguna de tus frasecitas de consultora, ¡¿verdad?! –dijo Ainara.

–No, cariño, supongo que no. ¡Pero lo pienso y creo realmente, estoy convencida de ello! ¡Y además sé que lo podemos y lo vamos a hacer, y encima vamos a disfrutar haciéndolo! –respondió Andrea con emoción.

–Oye, Andrea –intervino Javier, devolviendo la conversación a un ámbito más racional–, a mí sabes que me preocupan especialmente esos posibles imprevistos de los que hablabas antes. Para evitarlos, deberíamos planificar bien todo el viaje, ¿no? ¿Vamos a hablar ya de la organización?

Javier, estaba claro, se sentía mucho más confortable en ese terreno.

–Bueno, sí, en lo relativo a las cosas básicas. Pero no vamos a llevar todo, todo, todo cerrado, ¿no? Hay que dejar un cierto margen para que pasen cosas inesperadas, sorprendentes y chulas, ¿no? –replicó Ainara.

«O inesperadas, sorprendentes y terribles, ¿no?», pensó Javier, aunque prefirió no decir nada.

–Obviamente, hay temas que planificar y organizar –confirmó Andrea–. Con lo que escribimos entre todos, yo diría que hay tres grandes grupos de temas:

- En primer lugar, elementos clave relativos al viaje en sí. Como de fechas y días ya hemos hablado, se trataría de cerrar billetes, visado y hotel a la llegada a Katmandú.

- En segundo lugar, yo agruparía temas relacionados con los preparativos: vacunas, preparación física y mental (lo digo en serio) y equipamiento (mochila, tipo de ropa y calzado, provisiones básicas como frutos secos, cambio de moneda, etc.).

- Y en tercer lugar, la organización del trekking: agencia, ruta, posibilidad de portadores, etc.

–Me parece todo perfecto. Y genial que saques el tema de la posibilidad de portadores, me interesa mucho –dijo Mar.

–Efectivamente, creo que es un tema crucial. No sé qué pensaréis… Nosotros la primera vez hicimos el trekking sin porteadores por convicción, y la verdad es que fue en lo personal muy satisfactorio, pero a la vez muy duro físicamente. Y eso que teníamos 20 años menos. Ahora, para mí, el asunto clave y determinante es que unos cuantos van a ir en *mountain bike*, con lo que no pueden arrastrar razonablemente una mochila de 15 kg a la espalda más las cajas de herramientas y el mínimo set de recambios básicos que necesitan, ¿no, Marc? –preguntó Andrea mirando a su marido.

–Sin duda. Yo he calculado un equipo de apoyo a los ciclistas de no menos de 30 kg entre herramientas, fluidos de todo tipo y recambios básicos –confirmó Marc.

–Lo que pasa es que da un poco de mal rollo, ¿no? Usan animales y personas, ¿no? –dijo Mar, siempre muy preocupada por el maltrato a todo tipo de seres vivos.

–Sí, es cierto. Los porteadores son personas especializadas que llevan sus propios animales, en general burros de carga. Si sirve de algo, lo que puedo decir es que la agencia con la que trabajaríamos garantiza un empleo digno a sus porteadores y el no maltrato gratuito a los animales que utilizan en sus trekkings (nada de sobrecarga, descansos planificados, buena alimentación, etc.). Es una de sus señas de identidad. ¿Qué pensáis? –volvió a preguntar Andrea.

–Sinceramente, yo creo que el plan no es viable sin porteadores. Para mí la alternativa de buscar la agencia más concienciada posible me parece aceptable –dijo Marc.

–Ok, lo entiendo. En cualquier caso, entiendo también que todos haremos un esfuerzo por llevar el menor peso posible, ¿verdad? Ainara, olvídate del secador –dijo Mar guiñando un ojo a su amiga.

–¡No pensaba llevarlo, burra! Pero me dejaréis llevar la guitarra, ¿verdad? Casi no pesa y me parece absolutamente indispensable en una experiencia así, ¿no? –respondió Ainara.

–Yo estoy de acuerdo en todo: compromiso unánime de llevar exclusivamente lo indispensable y admito guitarra como animal de compañía –dijo Andrea–. ¿Qué decís el resto de no *bikers*?

–De acuerdo –dijo Mar. Javier seguía sin decir nada–. Y, hablando de *bikers*, ¿tenemos claro quiénes somos los *walkers* y quiénes los *bikers*, como decís vosotros?

–Raúl seguro *biker*, compañero de batallas de Marc –dijo Ainara.

–Y mi hijo Alberto también, está como loco con la idea –dijo Mar.

–¿Entonces *bikers* hombres y *walkers* mujeres, de verdad? –dijo Ainara.

–Pues no –habló Javier por fin–. Veo que voy a ser el único hombre en el grupo de mujeres, ¡qué lujo! –dijo poniendo una leve mueca que dejaba traslucir todo lo contrario a una sensación de alegría–. Solo espero no ir cada día el último y que me tengáis que esperar, ¡miedo me dais! –concluyó suavizando.

Andrea respiró aliviada: «Pese a todo, está en el juego», se dijo.

–¡Fantástico! –dijo Marc–. Así pues, *bikers*: Raúl, Alberto y yo. Y *walkers*: Ainara, Andrea, Mar y Javier. ¡Os vamos a dar una paliza alucinante!

– ¿¿¿¡¡¡Perdóoooooooooonnnnn!!!??? –exclamó Mar–. ¿Me he perdido algooooooo? ¿¿¿Desde cuándo esto es una competición???

–Ni caso, Mar, ya le conoces. Si no hay reto y competición, no le mola. Necesita ganar en todo, es un pesado. Déjale, cada loco con su tema, nosotros no nos vamos a estresar lo más mínimo por ganar nada –apaciguó Andrea.

–A mí me parece genial que lleguéis todos los días los primeros al final de la etapa –apuntó Ainara–. Menudo mérito, por cierto. Qué, ¿vais a ir con bici eléctrica también? Eso sí, entonces os encargaréis vosotros de buscar el *lodge* para dormir cada día y nos tendréis el baño preparado cuando por fin lleguemos los walkers, como tú nos llamas. ¡Fantástico!

–Aaaahhhhh, no, si hay que currar más por llegar antes, llegaremos los últimos, jajaja –dijo Marc.

Y así transcurrió una agradable velada en la que se comentaron los aspectos clave del viaje, se repartieron trabajos y cada uno se quedó con su lista propia de responsabilidades y tareas.

Las actitudes estaban alineadas, la preparación en marcha y los objetivos, e incluso el propósito, claros para todos.

Cuando los asistentes empezaron a desfilar hacia sus casas, Javier decidió quedarse el último para intercambiar con Andrea impresiones sobre la reunión.

–Confieso que tus amigas no dejan de sorprenderme, Andrea. ¡Con la guitarra a un lugar en el que nos conviene ir con el menor peso posible! –confesó Javier con una mueca de desaprobación.

–¿Conoces la historia de sir Ernest Shackleton? –le preguntó Andrea.

–¿No es el de la expedición fallida a la Antártida? –respondió dubitativo Javier.

–Bueno, lo de fallida, depende de cómo se mire, ¿no?… –replicó pausadamente Andrea.

–Creo que el barco varó en el hielo poco menos de un mes después de haber iniciado la expedición. Y los expedicionarios tardaron casi dos años, durante los que sobrevivieron en unas condiciones penosas, en conseguir salir de allí, sin haber cruzado la Antártida como pretendían. Eso para mí es la definición de una expedición fallida –expresó Javier con claridad y sequedad.

–Según cuenta Dennis Perkins en su libro *Lecciones de liderazgo*, a principios del siglo XX hubo dos grandes expediciones a los polos. Una, canadiense, liderada por Vilhjalmur Stefansson y que debía explorar el Ártico, zarpó el 3 de agosto de 1913 en el buque *Karluk*. La otra, británica, denominada Expedición Imperial Transantártica y liderada por sir Ernest Shackleton, partió el 5 de diciembre de 1914 en el *Endurance*. Ambos barcos, uno en el norte y otro en el sur, quedaron pronto bloqueados entre el hielo y destruidos y sus tripulaciones tuvieron que luchar por sobrevivir. Sin embargo, el resultado de estas dos aventuras fue radicalmente distinto: mientras que la tripulación del *Karluk* se transformó en una banda de individuos egoístas y dispares que hicieron de la mentira, la trampa y el robo su conducta habitual (la desintegración del grupo tuvo consecuencias fatales para los once miembros, que fallecieron en la superficie del Ártico), la historia del *Endurance*, en el sur, fue del todo diferente: la expedición de Shackleton encaró los mismos problemas de hielo, frío y falta de provisiones y alimentos, pero la respuesta de su tripulación a estas condiciones infernales fue opuesta en todos los aspectos a la del *Karluk*: el trabajo en equipo, el espíritu de sacrificio y un asombroso buen humor sustituyeron a la mentira, la trampa y el robo. Y los 28 miembros de su tripulación sobrevivieron tras 634 de expedición en condiciones extremas. Para mí, eso fue un éxito ejemplar y digno de estudio –dijo Andrea convencida.

–¿Y qué tiene que ver la guitarra de Ainara con esto? –preguntó Javier crítico.

–Shackleton contó cómo la desaparición del sol era siempre un acontecimiento deprimente en aquella región polar, de forma que los largos meses de oscuridad implicaban una enorme presión mental y física. Sin embargo, la tripulación del *Endurance* se aferró a su alegría cotidiana. Y es que uno de los miembros de la tripulación conservó su banjo durante toda la travesía (pese a las restricciones del peso a llevar, realmente extremas) y daba un concierto cada tarde en el Ritz (que era como llamaban a la zona donde cenaban). Cada tarde vivían una pequeña escena de «ruidoso júbilo» que, según Shackleton, los mantuvo cuerdos y les salvó la vida –explicó serena y satisfecha Andrea.

–Bonita historia. Ahora entiendo la cara que has puesto cuando has oído a Ainara decir lo de su guitarra. En cualquier caso, debo reconocer que al principio de la reunión he pensado que iba a ser un caos auténtico y una pérdida total de tiempo… pero que al final ha resultado bastante más efectiva de lo que me esperaba. Todo el mundo se ha marchado sabiendo perfectamente qué tiene que hacer y qué equipamiento necesita –reconoció Javier.

–¿Y por qué crees que ha sido así? –preguntó Andrea.

–Porque has conducido bien la reunión –respondió Javier al instante, sin pensar.

–Noooo, no me adules, Javier, por favor, no lo necesito, de verdad. En serio, ¿qué actitudes o comportamientos crees que ha habido en esta reunión que han hecho de ella un proceso productivo para el equipo? –preguntó Andrea.

Javier, ahora sí, guardó silencio unos segundos, analizando mentalmente lo que creía haber visto en la reunión.

–Me ha parecido que había ganas, responsabilidad, generosidad y compromiso por parte de todos para que saliera bien. Todo el mundo está muy ilusionado con este viaje –respondió finalmente.

–Genial, Javier, ¿y cómo crees que se llega a tener eso? –preguntó de nuevo Andrea.

–No lo sé… Se nota que os queréis, que os respetáis y que tenéis la suficiente confianza los unos en los otros para deciros todo lo que pensáis sin miedo a que nadie se sienta atacado. Y a nadie le cuesta reconocer posibles errores o aceptar las opiniones de los demás. Me ha sorprendido ver cómo al principio has reconocido que quizá habías expuesto poco acertadamente el planteamiento del viaje y cómo, tras hacértelo notar, has rectificado de inmediato sin enfadarte –reflexionó Javier pausadamente.

–Has dado por completo en el clavo. A todo eso se lo denomina **compartir los valores clave del equipo** (compartimos el sentido básico de respeto por cada uno, la necesidad de escucharnos, etc.) y **gestionar productivamente el conflicto**. ¿Ocurre esto también en tus reuniones de ventas en la Concesión? –aprovechó Andrea para meter la cuña, un poco con calzador.

–Bueno, creo que el entorno no es comparable en absoluto, ¿no? Es un entorno profesional, no somos amigos, somos colegas de trabajo. Y, además, ya no hacemos reuniones de ventas. El Jefe de Ventas opina, y estoy de acuerdo con él, que no tenemos tiempo que perder, que todos tenemos que tener claro qué hacer, puesto que todo el mundo conoce su objetivo personal de ventas, y que si hay alguna duda lo mejor es que se la comentemos a él individualmente –respondió Javier, algo a la defensiva.

–Vamos, que no sois un equipo. Sois un conjunto de personas individuales que trabajan en la misma ubicación física –dijo Andrea con cierto tono provocador.

–Hombre, yo no diría eso. Cuando alguien lo necesita y lo pide, procuramos ayudarnos –se defendió Javier.

–Bueno, ¿aquí la gente no tiene ganas de irse a dormir, o qué? –interrumpió Marc.

–Perdona, Marc, tengo a tu mujer aquí secuestrada –respondió amable Javier, sintiendo en realidad la intervención de Marc como un salvavidas.

–Noooooo, para nada –replicó Andrea lanzando una mirada crítica a su marido por haberles interrumpido en un momento clave–. Me parece que hemos tenido una conversación muy interesante, la verdad. De hecho, Javier, quería darte las gracias por ella. En realidad, por toda la noche.

–¿Por qué? –preguntó Javier ligeramente sorprendido.

–Bueno, por tu cambio de actitud durante la velada. Porque efectivamente te he visto muy incómodo al principio de la reunión, pero luego, poco a poco, te has ido poniendo en un modo mucho más receptivo… Me parece una manera genial de iniciar nuestro viaje y te lo agradezco profundamente. Creo que has conectado con la actitud positiva que impregna esta aventura –reconoció Andrea.

–Caramba, eres un peligro, no se pueden tener secretos contigo, Andrea. Sí, reconozco que tus amigas me han parecido, digamos, particulares... Ainara la verdad es que al principio me ha puesto bastante nervioso, me resultaba un poco demasiado alocada. Y Mar... me ha dado la impresión de ser un poco blandita y excesivamente miedosa de todo... Y luego, sí, he decidido escuchar mejor, por respeto a ti, lo reconozco, y me he dado cuenta de que no todo lo que decían eran barbaridades... Aunque debo decir que no sé bien cómo es que sois amigas: sois tan distintas –confesó Javier.

–Pues te puedo decir que ellas cambiaron mi vida y que me hacen crecer cada día –respondió Andrea con expresión melancólica, pensando con cariño en sus amigas del alma.

–¿En serio, ellas? ¿Y eso? –preguntó Javier curioso.

–Hace 10 años trabajábamos en la misma compañía. Yo estaba en un proceso interno de capacitación directiva y asistía a un posgrado de dirección de personas en el que me hicieron un análisis 360º. Y, para mi sorpresa, todo el mundo en la empresa (y en especial ellas, que colaboraban asiduamente conmigo) coincidió en que yo era una gran profesional, visionaria, inteligente, comprometida, etc., pero que veía la vida y todas las cosas solo desde mi punto de vista (que, claro, para mí era el único, el infalible, el perfecto) y que, sobre todo, no me relacionaba en profundidad con nadie, no tenía relaciones de calidad. Que iba a la mía, vamos. Un lobo solitario –explicó Andrea.

–Caramba, me sorprende mucho –dijo Javier, impactado por la confesión de su tía.

–Pues sí. Así que, con ese baño de realidad, tomé consciencia de ello y aprendí, en gran parte gracias a ellas, a ser más humana, a interesarme sinceramente por los demás, a ser más tolerante, a ACEPTAR, en mayúsculas. Y sobre todo a aprender a valorar cosas de cada persona que antes incluso despreciaba –siguió Andrea.

–¿De verdad? ¿Como qué cosas? –preguntó Javier, de nuevo curioso.

–Pues, por ejemplo, comportamientos como el de Ainara al principio de la reunión. Antes, como a ti al principio, me hubiera parecido que Ainara era una persona poco sólida, alocada, cambiante, superficial... Y probablemente le hubiera dado una respuesta cortante, despreciativa y hasta hiriente, lo más que hubiera podido, casi para barrerla del mapa y que se pensara muy bien la próxima vez que decidiera interrumpir la reunión y dar el coñazo de aquella manera –volvió a confesar Andrea.

–¿Y ahora qué ha cambiado? –preguntó Javier con voz tenue.

–Bueno, he comprendido que Ainara es la imaginación, la creatividad, la alegría, el optimismo, el espectáculo, la brillantez y la agilidad de pensamiento hechas persona. Y que siempre es capaz de mirar el mundo con una mirada distinta a la mía. Y que todo eso lo expresa siempre, digamos, hacia fuera, hacia los demás y, en general, de una forma rápida y algo errática, tal como fluye en su cabeza. Es un ser hipersocial, con un extraordinario sentido del humor y una vena artística increíble. Y como la reconozco, pues la respeto, la acepto y la incorporo como 100 % válida y digna de valoración en mi mente. Eso es lo que ha cambiado –concluyó Andrea.

–Ya veo, buscas y te fijas más en lo bueno que ves en ella, ¿no? –reflexionó Javier.

–Efectivamente. Todos somos ante los demás una moneda con dos caras, y la gran trampa es que solemos ser muy hábiles en percibir y quedarnos con la cruz de la moneda, la cara que más nos hiere. Aprender a ver y quedarse también con la cara «buena» no es fácil, pero sí posible mediante un trabajo constante de observación consciente. ¡Y sobre todo es muy productivo! En vez de ir descartando gente o enfrentándote a ella, puedes ir sumando más y más. Un chollo, vamos –explicó Andrea, sabedora de que estaba ante el primer tramo del viaje de transformación de su sobrino.

–Y con Mar, ¿qué ves, cuál es la otra cara de su moneda? –volvió a preguntar Javier.

–Mar es la persona que siempre cuida de todos, la que nos preserva, la gallina que vela siempre por todos sus polluelos. Es detallista, sensible, amable, cariñosa, profundamente leal… Una AMIGA con mayúsculas de esas con las que sabes que puedes contar SIEMPRE. Nos aporta cohesión, lima conflictos y nos enseña cada día que juntos somos mejores y más felices que separados. Todo eso, es decir, el estar siempre pendiente de todo y de todos, le comporta, claro está, un cierto sufrimiento vital que transmite como duda, lentitud o miedo… –continuó Andrea.

–Vaya, cómo puede cambiar el cuento… Da que pensar, la verdad… ¿Y todo eso se puede aprender? –preguntó intrigado Javier.

–Por supuesto. Si te apetece, podemos tratarlo con más tranquilidad durante el viaje… –ofreció Andrea abiertamente.

–¡Bueno, chicos, son las 2 de la mañana y, no sé vosotros, pero yo mañana madrugo y trabajo! –volvió a interrumpir Marc–. Esta vez la mirada de Andrea fue de comprensión: tenía razón, era muy tarde ya. Y los primeros tanteos a Javier estaban ya lanzados.

–¿Las 2? Por favor, ¡qué barbaridad! Me marcho, ahora sí que sí. Gracias por todo, de verdad. Me voy con la cabeza llena de deberes para el viaje… y para otras cosas –se despidió Javier mientras daba besos a sus tíos y salía por la puerta–. Ah –dijo al tiempo que entraba en el ascensor–, te llamaré, Andrea, para que me eches una mano con la compra de mis botas de trekking. No tengo ni idea de dónde comprarlas ni de cómo deben ser.

–Sin problema, cariño, hablamos y si quieres incluso te acompaño a una tienda que conozco en la que son especialistas –respondió Andrea apresurada al ver cómo su sobrino desaparecía tras la puerta del ascensor que se cerraba.

–Ok, ¡hablamos! –se oyó decir a Javier ya en pleno descenso.

Andrea estaba muy satisfecha con la reunión: empezaba a ver las cosas mucho más claras con Javier. Y curiosamente sus amigas del alma iban a ser un ingrediente clave en el proceso de transformación y crecimiento personal de Javier con vistas a convertirse en un verdadero Vendedor de éxito. La suerte estaba echada.

3.5 NECESITO UNAS BOTAS DE TREKKING, PERO NO ASÍ...

–Hola, ¿qué tal, en qué puedo ayudarte? –le preguntó a Javier la Vendedora, vestida con el uniforme de la tienda.

–Hola, necesito unas botas de trekking cómodas, por favor –contestó Javier.

–Claro, mira, las tienes todas al fondo a la derecha, en la zona de Montaña. ¿Te las miras y me dices algo si necesitas ayuda? –dijo la Vendedora con una enorme sonrisa en la cara, mientras seguía ordenando unos guantes de *mountain bike*.

Los dos, Javier y Andrea, se dirigieron al fondo de la tienda, miraron a su derecha y allí estaba. Un panel cuadrado en la pared de unos 2 m por 2 m con 4 filas de estantes de metacrilato transparente en las que había exactamente 16 modelos de botas de hombre, 4 por cada fila. Cada bota estaba situada sobre una miniestantería, de cuyo frente colgaban la marca, el precio de la bota y un pequeño panel de cartón plastificado con la información sobre el artículo que, daba la impresión, era proporcionado por el fabricante, dado que en cada bota y cada marca la descripción hacía mención a diferentes características técnicas, pero las diferentes marcas no compartían una estructura común en la descripción. Las botas estaban perfectamente colocadas y ordenadas por precio: abajo las de un menor precio y arriba las de un precio más alto.

Todo eso captó Javier en un instante. Las miró todas con atención, analizando el aspecto de cada una de ellas, sus marcas, sus descripciones adjuntas y sus precios. Le hubiera ido genial tener su portátil y hacer un Excel rápido para comparar características. Con tiempo, hubiera hecho un análisis en profundidad. Pero no tenía ese tiempo. Se giró hacia Andrea y le dijo:

–¿Alguna pista sobre los criterios clave a tener en cuenta a la hora de tomar una buena decisión?

–Bueno –dijo Andrea–, yo puedo conocer ciertos criterios, pero no puedo saber con precisión qué botas los cumplen y cuáles no. ¿Y si pedimos asesoramiento a la Vendedora que nos ofreció su ayuda a la entrada?

Por supuesto, Andrea tenía muy claros los criterios cruciales que había que seguir cuando se trataba de elegir unas botas de trekking, pero quería ver a la Vendedora en acción e intentar aprovechar la oportunidad para hacer nuevas reflexiones con su sobrino.

–Hola, perdone, ¿nos puede ayudar, por favor? –dijo Javier en tono serio y aséptico, de usted, para marcar cierta distancia. La Vendedora seguía ordenando material en otra sección.

–¡Claro, para eso estamos, faltaría más! –contestó risueña, con gran simpatía y moviendo mucho las manos.

Y sin mediar ni media palabra más, se dirigió con ellos a la zona de las botas y se lanzó a las explicaciones:

–Como verás, el panel está ordenado por gamas. En la fila de arriba tenemos las botas de gama alta, te diría que para montañeros profesionales o semiprofesionales (lo verás además por el precio: ninguna baja de 250 €), y de ahí, hacia abajo, vamos hacia gamas más medias y amateurs. Eso sí, nosotros solo tenemos primeras marcas, de forma que todas, sean de la gama que sean, son de calidad garantizada.

–Ya… ¿Y qué distingue la gama alta de la media y la amateur? –preguntó Javier, siempre tan preciso.

–Jajajaja –rio sonoramente la Vendedora–. Bueno, la gama tiene que ver, claro, con la marca, los materiales, los acabados y esas cosas. No es lo mismo la bota que tiene que llevar alguien que va a subir el Mont Blanc que alguien que va de excursión a Montserrat.

–Ya veo… –respondió Javier, poco satisfecho con la imprecisa respuesta de la Vendedora.

Andrea se estaba dando cuenta (con cierta sorna interior, todo sea dicho) de que Javier estaba empezando a ponerse un poco nervioso, aunque se esforzaba por mantener la calma aparente. Javier decidió tutear a la Vendedora y ser más claro en sus necesidades, a ver si así conseguía un resultado mejor.

–Verás, yo necesito unas botas que no me destrocen los pies para ir a hacer el trekking de los Annapurnas –le dijo.

–¡Hombreeeee, qué chulo! ¡Y qué envidia! ¡Quién pudiera, yo sueño con hacer algo así algún día, la verdad! Pues mira, yo, sin duda, me miraría las de gama alta… y más si va a haber nieve, porque son las que están mejor impermeabilizadas –recomendó la Vendedora.

–¿Nieve, dices? –contestó Javier. Y girándose hacia Andrea, le preguntó también:

–¿Va a haber nieve, Andrea?

–No, que yo sepa. Nunca ha habido nieve en esa época del año y a esa altura… Pero con el cambio climático que tenemos encima, igual esta señora tiene información de primera mano que yo desconozco –respondió en un tono serio y aparentemente respetuoso, pero que Javier comprendió socarrón y provocador de inmediato. Y la Vendedora también…

–Ah, bueno, perdón. Como me dijiste los Annapurnas… ¿Eso no está cerca del Everest? Por eso pensé en nieve. En el Everest hay nieves de esas perpetuas, ¿no? –respondió sin perder su sonrisa.

La desesperación de Javier empezaba a ser muy evidente en su lenguaje no verbal: su siempre templado porte comenzaba a registrar ciertos movimientos nerviosos y se frotaba las manos e incluso la cara. No obstante, se seguía esforzando por mantener la calma y decidió darle a la Vendedora una última oportunidad. Sobre todo, porque había sido él quien se había empeñado en entrar en esa tienda.

–De las de alta gama, ¿cuáles serían las más cómodas? –preguntó pausadamente.

–¡En realidad, todas lo son! Hoy en día, cualquiera de estas botas incorpora la máxima tecnología en cuanto a comodidad, agarre, impermeabilización, etc. Aunque, bueno, hablando claro, alguien que va a hacer un trekking al Everest ya sabe que, al menos un poquito, algo va a sufrir, ¿no? ¡Hay que estar realmente en forma! ¡El dolor de pies casi será el menor de tus males! –sentenció con una gran carcajada mientras cogía a Javier por el antebrazo, en un intento de implicarlo en su broma.

Javier ya no aguantó más.

–Ok, perfecto. Me lo voy a pensar un poco. Se me van algo de precio respecto de la idea que tenía. Gracias –dijo, iniciando un movimiento hacia la salida y cogiendo a su tía por el codo para que también se dirigiera a la puerta de salvación.

–Ok, como quieras. Pero piensa, por favor, que ahora además tenemos una promoción realmente interesante: con una compra superior a 180 € te regalamos 30 € en otro material. Esos 30 € te darían, por ejemplo, para unos calcetines *pro-fit* de montaña que te serían ideales –espetó la Vendedora en un último intento por convencerle de la compra.

–Ok, lo tendré en cuenta, gracias –contestó Javier sin dejar de andar hacia la puerta.

Ya fuera de la tienda, Javier exclamó:

–Por Dios, ¡qué horror! ¿Y esta es la tienda de deportes de montaña más grande, importante y especializada de la ciudad? ¡En el Decathlon seguro que me habrían atendido mejor y eso que se supone que son generalistas! Y la verdad, Andrea, ya te vale, no me has ayudado mucho… Por no decir nada: no has abierto la boca, ¡no sé para qué te he traído! –recriminó Javier con cierto mal humor.

Andrea le miró a los ojos con expresión burlona y entonces ambos soltaron a la vez una sonora carcajada.

–Jajajaja, ¡pero qué campeona! Perdona, pero no me he podido resistir a verle desplegar todas sus habilidades de venta, jajaja –dijo Andrea, aún entre risas.

–¡Qué mala eres, por favor! Lo he pasado hasta un poco mal, la verdad –reconoció Javier.

–Ya lo he visto… Para grabaros en vídeo y pasarlo en todos mis cursos de ventas, jajaja. Ahora en serio: ¿qué es lo que crees que no ha hecho bien? ¿Qué crees que te ha hecho sentir tan incómodo y te ha hecho escapar literalmente de la tienda? –preguntó Andrea.

–¡No tenía ni idea de producto! –dijo Javier.

–Bueno…, o al menos no lo ha demostrado como tú esperabas, ¿no? ¿Algo más? –replicó Andrea, intentando sacar más jugo a la experiencia vivida.

–Bueno, estaba un pelín «chaladeta»: se reía de sus propias bromas sin darse cuenta de que a mí no me hacían ni pizca de gracia. Y encima se ha tomado conmigo confianzas que estaban fuera de lugar… ¡Me ha tocado! Así, sin más y sin venir a cuento de nada –sentenció Javier.

–Ya veo… Déjame que te pregunte algo: si todas las ventas en esa tienda funcionan así, ¿qué crees que aporta la tienda y sus Vendedores físicos frente a la venta por Internet? –volvió a preguntar Andrea.

–Pues francamente poco… Ver, tocar y probar el producto antes de comprarlo y nada más, esa es la verdad. Pero es que, como ahora realmente si compras algo por Internet y al recibirlo ves que no te encaja lo puedes devolver sin más, esta gente parece condenada a morir. En realidad, creo que todos los Vendedores vamos a acabar desapareciendo devorados por los Amazon y compañía –respondió Javier apesadumbrado y molesto.

–Ya veo, interesante… Entonces, ¿cómo te parece que debería haber actuado? –siguió Andrea.

–Caramba, creo que uno tiene que tomarse su trabajo un poco más en serio. Daba la impresión de que no le importaba lo más mínimo, de que no respetaba su trabajo ni a ella misma. Y si ella da esa sensación, no la va a respetar nadie –se reafirmó Javier.

–¿En qué te basas para pensar que ella no respeta su trabajo ni a ella misma? –preguntó sorprendida Andrea.

–Bueno, es evidente: si valorara y respetara su trabajo, se esforzaría por hacerlo bien y no estaría jiji-jaja constantemente –dijo Javier–. De hecho, yo iba totalmente dispuesto a comprar, pero por no tener ni idea y hacer el tonto ha perdido una venta fácil. Sinceramente, no le auguro un buen futuro como Vendedora.

–Esforzarse por hacerlo bien… Ummmm, muy interesante… ¿Y qué sería exactamente, según tú, «hacerlo bien»? –continuó Andrea.

–Hombre, pues saber de los productos que vendes más que nadie para poder recomendarle o aconsejarle a cada Cliente cuál es el producto más adecuado para él o ella –reflexionó Javier.

–Ya veo, producto y recomendación… Y en cuanto a su comportamiento, ¿crees que todos los Clientes esperan el mismo tipo de conducta por parte del Vendedor o Vendedora? Es decir, a ti te ha molestado especialmente lo que tú has llamado su «jiji-jaja constante» y que te tocara, pero ¿cómo sabes que a otros Clientes no les encaja eso? –siguió Andrea.

–Por favor, es evidente, a nadie le puede gustar un Vendedor o Vendedora que está todo el rato de cachondeíto y que no se centra en lo que se tiene que centrar, que es el producto que tiene que vender al Cliente –volvió a insistir Javier, notablemente molesto y convencido de lo evidente de la respuesta.

Andrea iba comprobando paso a paso que su sobrino había incorporado en su cabeza todos los tópicos disfuncionales del mundo de las ventas: la necesidad de un conocimiento exhaustivo y profundo del producto como máxima habilidad del Vendedor o Vendedora, su obligación de «recomendar o aconsejar» al Cliente qué comprar, una visión monolítica del comportamiento obligado de los Vendedores hacia los Clientes («como a mí me gustan los Vendedores serios, creo que todos los Vendedores deben serlo»), la idea apocalíptica de que todos los Vendedores de todo tipo desaparecerán en un futuro cercano, devorados por la venta por Internet… Sabía que solo podría luchar contra ellos mostrando cómo otras realidades eran posibles y, sobre todo, que podían ser más efectivas y satisfactorias para los Clientes…

–Tomo nota mental de todos tus comentarios y te los agradezco. Oye, no estamos muy lejos de la tienda a la que yo había pensado acompañarte. ¿Te apetece que vayamos ahora? –sugirió discretamente Andrea.

3.6 ¡AHORA SÍ!

–La verdad es que me siento un poco contrariado, frustrado… ¡Cabreado, vamos! No sé si voy a ser el Cliente más receptivo del mundo, la verdad. Pero bueno, si quieres probamos, a ver qué tal. Lo cierto es que me tengo que comprar unas botas y no tengo mucho más tiempo para dedicar a esta tarea –dijo Javier.

–Genial, gracias. Oye, yo, si te parece, tampoco hablaré. Así tú podrás observar de verdad la diferencia entre ambas experiencias, ¿te parece? –sugirió Andrea.

–Para ti esto es como un juego, ¿no? ¿Tú recuerdas que yo necesito en serio unas botas de trekking que no me destrocen los pies ni me maten por el camino? –le dijo Javier algo contrariado.

–Jajaja, por supuesto, no se me va de la cabeza en ningún momento, te lo aseguro –cerró Andrea para empezar a andar hacia la tienda a la que ella quería llevarle desde el principio.

Llegaron en menos de 15 minutos. Era una templada tarde del mes de junio, y lo cierto es que pasear un rato por las calles del Ensanche de Barcelona era un auténtico placer. Al entrar, Javier tuvo la impresión de que la tienda era muy coqueta, pequeña pero muy acogedora: una buena organización de los elementos, todo perfectamente ordenado y muchas imágenes de gente haciendo escalada. Le sorprendió ver una foto de tamaño natural de Kilian Jornet abrazándose con otra persona, que supuso debía de ser el dueño de la tienda, y una dedicatoria firmada a mano que decía: «Gracias, Robert, por toda tu ayuda y tu infinito saber hacer». Sus suposiciones se confirmaron de forma inmediata:

–Hombreeeeeee, Andrea, ¡qué alegría volver a verte por aquí! – dijo la persona de la foto que estaba junto a Kilian Jornet en cuanto vio a su tía, antes de dirigirse a ella con una enorme sonrisa y los brazos abiertos.

–Robeeert, compañero, ¡qué ilusión también verte otra vez!! –dijo su tía Andrea, fundiéndose en un abrazo sinceramente amistoso con él.

–¿Qué os trae por aquí? –preguntó Robert a Andrea, mirando también a su sobrino y haciéndole un cordial gesto de bienvenida con una leve inclinación de la cabeza y los ojos.

–Mira, te presento a mi sobrino Javier Prado –dijo Andrea.

–Robert Martín. Encantado, Javier, y bienvenido a nuestra pequeña tienda –dijo Robert, que no tendió la mano a Javier al ver que él no lo hacía.

–Igualmente, y muchas gracias –respondió Javier, algo frío, aunque ya se sentía algo más tranquilo.

–Oye, dime, ¿qué tal todo, Andrea, tú, tu trabajo, la familia? –preguntó Robert con mucha amabilidad.

–La verdad es que todo de maravilla, muy contenta, de verdad. El trabajo, viento en popa, y en casa Marc y Gabriela estupendos y felices también. ¿Y tú, qué tal te va todo? –respondió Andrea.

–Pues fantástico, la verdad. Creciendo sin parar. Las cosas van francamente bien. Estoy buscando un local más grande. Y ya somos un equipo humano de 8 personas que estamos funcionando como un reloj, alucinante. Y en casa, una maravilla, la verdad… No sé si lo sabes, pero ¡he sido papá por segunda vez! Teníamos un niño y ahora nos ha llegado una niña increíble que me roba el sueño por las noches, pero también me ha robado el corazón y eso me compensa la falta de sueño, fíjate, jajaja. En fin, suuuupercontento, muy feliz, vamos. Me siento un privilegiado en la vida –explicó Robert con una expresión de felicidad total en su cara.

–Caramba, Robert, muchas felicidades por tu hija… ¡y por todo lo que me cuentas! Muy cerca de ese equilibrio perfecto entre vida personal y profesional, ¿no? –dijo Andrea, sinceramente emocionada.

–¡Pues sí, la verdad, muchas gracias! Pero oye, no os quiero entretener, que seguro que no os sobra el tiempo. ¿En qué os puedo ayudar? –preguntó Robert rápidamente.

–Vamos a ir a hacer un trekking juntos este verano y Javier necesita unas botas. Pero, si no te importa, yo ya me callo y te cuenta él, ¿te parece? –dijo Andrea.

–¡Perfecto! Bien, Javier, ¿en qué puedo ayudarte? –dijo Robert dirigiéndose a Javier en un tono algo más serio.

–Estoy buscando unas botas que no me destrocen los pies para ir a hacer el trekking de los Annapurnas –dijo Javier, intentando decirle a Robert prácticamente lo mismo que le había dicho a la Vendedora de la tienda anterior.

–Ok, entendido. ¿Me permites que te haga unas preguntas para comprender mejor lo que buscas o necesitas? –dijo Robert.

–Sí, claro –respondió Javier sin mucha convicción.

–Lo primero que me ha llamado la atención es que me has dicho que buscas «unas botas de trekking que no te destrocen los pies». ¿Te puedo preguntar por qué lo dices exactamente? ¿Qué experiencias previas negativas tienes? –preguntó Robert.

–Bueno, con botas de trekking ninguna, la verdad. En el trekking soy novato, pero soy maratoniano y sufro bastante justamente de los pies. Me ha costado mucho encontrar las zapatillas adecuadas para mí, y supongo que con las botas de trekking, que me imagino mucho más duras, me puede pasar lo mismo… –explicó Javier con seriedad.

–Caramba, entiendo. Un tema crucial. Quienes de verdad entienden de montaña saben que la clave para que el día no acabe en amargura empieza por el suelo y, más concretamente, por los pies. Unas malas botas de montaña pueden acabar no solo por destrozar tus pies, sino incluso por generar graves molestias y lesiones –empatizó Robert, con tono afable pero moderadamente serio–. En concreto, Javier, ¿en qué parte del pie sueles tener más dolores o más problemas? –siguió investigando Robert.

–Pues sobre todo en la planta. De hecho, hace un par de años tuve una fascitis plantar que me obligó a guardar reposo durante más de 6 meses. Ahora estoy totalmente recuperado y he corrido 2 maratones desde entonces, pero, la verdad, me ha quedado el miedo a volver a sufrir la misma lesión –dijo Javier, algo que ni su tía Andrea sabía.

–Si me permites, me gustaría seguir preguntándote sobre tu fascitis plantar… ¿Cómo conseguiste recuperarte? –preguntó Robert.

–Pues básicamente con reposo y tratamiento antiinflamatorio. El médico me dijo que debía dejar de correr y tomar antiinflamatorios hasta que la inflamación de la fascia desapareciera. Me dijo que era una lesión muy normal en maratonianos. ¿Acaso no lo es? –preguntó Javier.

–Sí, sí, por desgracia demasiado habitual y normal hoy en día. Y más con el *boom* actual del *running*. El tema es que, en general, el tratamiento de las fascitis plantares se suele centrar más en aliviar los síntomas y el dolor que en eliminar las causas que las originan. ¿Te has hecho alguna vez un estudio de la marcha y de la pisada? –preguntó Robert.

–Pues no, la verdad, nadie me lo propuso… ¿Por qué? ¿Qué me puede aportar? –se interesó Javier.

–Nosotros tenemos aquí bastantes *runners*, algunos de ellos profesionales, y lo que comentan es que hoy en día hacerse un estudio en profundidad de la pisada y de la forma de andar y correr les ha sido clave para prevenir y eliminar lesiones, que pueden ir desde las fascitis plantares a las tendinitis, pasando por las periostitis tibiales, las lumbalgias, etc. Al parecer, cuando este tipo de lesiones se manifiesta, ponerse lo antes posible en manos de un buen podólogo deportivo suele ser una buena idea, según me cuentan los Clientes… Como te digo, cada vez veo más gente aquí que me habla de estas cuestiones y que corre con plantillas completamente hechas a medida con las últimas tecnologías. Y también hay ejercicios para fortalecer la musculatura interna del pie, lo que también previene la aparición de ciertas lesiones –explicó Robert.

–Caramba, no me lo había planteado. Me hace pensar que en realidad si he sufrido una fascitis plantar es posible que algo en mi pisada no esté bien. Tiene toda la lógica. Y que posiblemente podría volver a sufrir esa… u otra lesión derivada, ¿verdad? ¿Tú me podrías recomendar algún podólogo deportivo? –preguntó Javier, sin dejar de dudar de las intenciones de Robert, pensando que quizá todo aquello se lo comentaba para favorecer el negocio de algún amigo o para venderle unas plantillas.

–La verdad es que no. No tenemos ningún podólogo «de cabecera». Preferimos no hacerlo para que nuestros Clientes no nos vean como parte interesada en ningún sentido. Solo te lo comentaba por si lo habías tenido en cuenta y te podía ayudar de alguna manera, puesto que me ha dado la impresión de que el problema te preocupa bastante –respondió Robert.

–Pues sí, la verdad –respondió Javier, sorprendido por la respuesta y el posicionamiento escrupulosamente honesto y transparente–. Hablaré con un compañero *runner* que, ahora que lo pienso, creo que visita a un podólogo deportivo habitualmente.

–En cualquier caso, Javier, también es preciso saber que no es lo mismo correr o entrenar para una maratón que andar por la montaña. Cambian tanto la inclinación del terreno (mucho más fuerte en el trekking) como la velocidad (mayor en carrera, claro). Lo que quiero decir con eso es que la superficie del pie que usamos en uno y otro ejercicio puede cambiar, como también puede cambiar, por tanto, la acción muscular que realizamos… Intento transmitirte que el hecho de que hayas sufrido una fascitis plantar corriendo no tiene por qué significar que también la vayas a sufrir andando. Y, por otra parte, andar, al ir más despacio que en carrera, te puede servir para tomar mejor consciencia de cómo usas tus cadenas musculares, es decir, de cómo colocas el cuerpo, de cómo utilizas tu cadena extensora (glúteo, isquiotibiales, gemelos, etc.)… y para mejorar tu técnica de pisada, gracias a una mejor comprensión de cómo trabaja tu cuerpo y de cómo lo usas. En eso, como te decía, un experto te podrá asesorar. Y yo tengo algunos libros de entrenamiento técnico que si quieres te podría dejar encantado. Estas cosas no son tan fáciles de consultar por Internet –ofreció amable y serenamente Robert.

–Caramba, gracias. Sí que te agradecería que me dejaras algún libro, me encantaría echarle un vistazo a todo esto que me estás contando –reconoció Javier.

–Sí, claro, sin problema. Ahora me gustaría, si me permites, saber cómo pisas, es decir, si tienes tendencia supinadora, neutra o pronadora. ¿Qué sabes de eso? –dijo Robert.

–Ok, sin problema. En la tienda donde me compré las zapatillas que estoy usando ahora me dijeron que era supinador. Algo más de un pie que del otro. Más del pie de la fascitis justamente… –dijo Javier, pensando que en aquella tienda, en donde también había comentado el problema de la fascitis, no le habían asesorado en modo alguno como lo estaba haciendo Robert.

Tras lo cual este le condujo a la zona de *running* y le pidió que se descalzara y se colocara sobre una máquina con dos siluetas de pies pintadas.

–Efectivamente, más supinador del derecho, ¿no es así? Tú desgastas los zapatos por la parte de afuera del tacón, pero el derecho algo más que el izquierdo, ¿verdad? –dijo Robert.

–Sí, así es –respondió Javier, gratamente sorprendido.

–Vale, Javier, entendido este tema, es superimportante que lo hayas comentado, gracias. Lo tengo totalmente en cuenta para pensar en botas con plantillas termoformables o de tecnología similar que se puedan ajustar al máximo a tu pie –repuso Robert.

–Perfecto, gracias –respondió agradecido y de nuevo sorprendido Javier.

–Ahora necesitaría saber algunas cosas más. Me has dicho el trekking de los Annapurnas… Imagino que saliendo de Besisahar, ¿verdad? –preguntó Robert.

–Sí –respondió Andrea directamente, al ver que su sobrino la miraba con expresión interrogante–. Salimos desde Besisahar para cruzar el Thorong La Pass a 5416 m y volver desde Jomson a Pokhara en avión. Un total de 9 días de trekking.

–Ok, hacéis el medio entonces, no el completo. Pero 9 días ya son muchos días andando. ¿Cuántós kilómetros son? Entre 150 y 200 km, ¿verdad? –Javier y Andrea asintieron a la vez con la cabeza–. Eso da una media de unos 20 km al día aproximadamente… Se necesitan unos neumáticos adecuados, sin duda –dijo Robert, procesando la información recibida en su cabeza.

A Javier, amante del mundo del motor, le encantó la metáfora de los neumáticos y el carácter analítico de Robert, tan parecido al suyo… Robert siguió con sus preguntas. Javier estaba ya totalmente relajado y metido en la conversación y se daba cuenta de que Robert no había hablado aún de un solo modelo de botas…

–Más preguntas, Javier, si me permites… ¿En qué época exacta vais a ir? Te lo pregunto por entender qué condiciones climáticas vais a tener… –dijo Robert.

–Vamos en agosto, primera quincena –respondió Javier.

–Ok, agosto, verano. Época monzónica. Mucho calor, aunque bastante lluvia o al menos chirimiri hasta 3500 m más o menos. Calor, agua y humedad presentes en buena parte del trekking, ¿verdad? –preguntó Robert, a lo que de nuevo asintieron Andrea y Javier con la cabeza–. Nada de nieve, por tanto.

Javier y Andrea se lanzaron una mirada cómplice, pensado ambos en la anterior Vendedora, que había dado por sentada la presencia constante de nieve en su total desconocimiento del trekking en cuestión.

–De acuerdo, Javier… Una última pregunta para asegurarme de las condiciones del terreno… ¿Sabes de qué tipo de terreno hablamos? Yo creo recordar que casi todo son caminos de tierra: senderos, vamos. Pero algo de terreno mixto con piedra debe de haber, ¿verdad? –preguntó Robert.

Javier miró de nuevo a su tía, que pese a su «voto de silencio» se vio invitada nuevamente a contestar por su sobrino:

–Sí, yo creo que el 80 % del camino es sendero de tierra y el 20 % restante piedras gruesas, escalones… Ah, bueno, además de la bajada de la morrena de piedras de unos 1000 m de desnivel hacia Muktinath, una vez superado el Thorong La Pass –dijo Andrea, que recordaba con precisión el trekking hecho 20 años atrás.

–¿Es obligatoria la bajada por la morrena o hay sendero en paralelo? –preguntó Robert.

–Ummmmmm… Tienes toda la razón, Robert: nosotros bajamos por la morrena casi como surfeándola porque nos pareció más rápido y divertido. Pero había sendero al lado, sí –confirmó Andrea.

–Perfecto. Bien, creo que tengo ya una idea bastante clara de lo que podría encajar con tus necesidades. Te cuento. En primer lugar, vais en verano. Existen botas de invierno y de verano. Obviamente, las de invierno incorporan más tejidos térmicos para mantener los pies calientes. Mucha gente se compra, sin saberlo, botas de invierno para hacer un trekking como este, en que vais a tener una temperatura media de 30 grados hasta los 3500 m, y acaban con los pies como en un «cocido madrileño o una escudella» durante todo el camino, cosa que acaba provocando más llagas al tener los pies siempre como reblandecidos por el calor. Aparte, con todo lo que tú me has contado de tus pies, creo que tiene más sentido una bota de verano, ¿qué te parece? –dijo Robert.

–Sí, sí, sin duda. Además, soy bastante caluroso en cualquier temporada –confirmó Javier.

–Genial. Segundo tema, la caña. Las botas pueden tener la caña alta, media o baja. Bueno, la últimas no serían realmente botas, sino más bien zapatillas de montaña. Así que hablaríamos de caña alta o media. La caña alta está realmente más indicada para botas de invierno y especialmente en terrenos con nieve o hielo (que requieran crampones) o con mucha piedra pequeña, para evitar que entren constantemente dentro y se te claven en los pies. O también para trekkings con muchísima bajada en los que la protección del tobillo frente a torceduras es clave. Como vosotros no vais a encontrar nieve, ni hielo, ni gravilla y fundamentalmente vais a subir, sinceramente creo que unas botas de caña media encajan mejor. Y más pensando que, en general, suelen ser bastante más cómodas. ¿Qué te parece, Javier? –dijo Robert.

–Caña media, desde luego, lo veo claro –confirmó Javier.

–Ok, vamos a por el tercer tema. Hemos dicho que va a ser un trekking con bastante calor, agua y humedad. En estos casos, es crucial que la bota incorpore una membrana transpirable, pero a la vez 100 % impermeable y resistente al agua. De nuevo, con todo lo que tú me has dicho de tus pies, creo que mantenértelos secos es uno de los aspectos clave para que estén sanos y sin dolor, ¿no te parece? –dijo Robert.

–No me imagino, desde luego, 200 km con los pies en remojo. Además, me sudan bastante. Necesito una membrana buena, sin duda. Te refieres a algo tipo Gore-Tex®, ¿verdad? –preguntó Javier.

–Efectivamente. Gore-Tex® es la membrana más conocida y, según una gran parte de los expertos, la mejor –explicó Robert.

–Pues sí, sí, está claro, también con membrana. Adelante, ¿qué más? –dijo Javier, que ahora estaba disfrutando.

–El siguiente tema es el de la suela. Lo cierto es que una suela antideslizante de calidad aporta un plus de confort y seguridad. Hablamos de suelas de Vibram®, Contagrip®, OmniGrip®, etc., ¿te suenan? –Javier negó con la cabeza–. Vosotros vais a tener que andar sobre barro y que pasar un buen número de puentes elevados, muchos de ellos de troncos de madera sobre ríos, que suelen estar mojados y resbalan un poco. Así que creo que es otro tema a considerar, ¿no crees? –siguió Robert.

–Esto no me lo habías dicho, Andrea –dijo Javier mirando a su tía–. Qué guardadito te lo tenías, sabiendo el vértigo que tengo, ¿eh?

–Te aseguro que en ningún momento se me ha pasado el tema por la cabeza. De hecho, para mí son una atracción. ¡No sabía que para ti pudieran ser un problema! ¿Lo serán? –preguntó Andrea, con cierta inquietud.

–Bueno, espero que no… Y, Robert, doble de suela antideslizante, por favor –dijo Javier.

–Jajajaja, ok, entendido. A ver, yo recuerdo los puentes colgantes que he visto como de acero y muy seguros, ¿eh? Los de troncos de madera, si aún quedan, suelen ser cortos y no de mucha altura. Piensa que el trekking de los Annapurnas es probablemente el más famoso de todos los Himalayas (y seguramente del mundo) y lo deben de hacer cientos de personas al año. Tienen que ser seguros a la fuerza, ¿no? –preguntó retóricamente Robert.

–Sí, sin duda, Javier, yo no le daría más vueltas –dijo Andrea, mostrando total seguridad a su sobrino para zanjar definitivamente el tema.

–Y lo último, aunque no menos importante. El peso de la bota. Para caminatas medias o largas, y la vuestra entra dentro de esa categoría, se suelen usar botas que no superen los 600 g por bota. En tu caso, buscando la máxima comodidad, creo que una bota ligera es también clave. ¿Qué te parece? –preguntó nuevamente Robert.

–¿Pero no será entonces muy enclenque, no se pierde consistencia? –objetó Javier.

–Tienes toda la razón en que una bota cómoda no es necesariamente una bota 100 % blanda. Para nada. Pasa como con los colchones. Un colchón muuuy blando no es mejor para una espalda propensa al dolor, sino todo lo contrario. Debe tener cierta consistencia. En el caso de las botas (como en tantas otras cosas), piensa que la tecnología ha trabajado y se ha centrado en los últimos años justamente en aligerar peso asegurando la consistencia. Piensa en las bicis de montaña o en los coches de hoy en día: ya se hacen cuadros y componentes 100 % de titanio o de carbono que pesan la mitad de lo que pesaban los de acero hace menos de 10 años, pero con niveles de rigidez casi similares –explicó didácticamente Robert.

–Sí, es cierto –aceptó Javier, convencido con la respuesta de Robert.

–Perfecto, pues. Con todo esto que hemos comentado, ya estoy en disposición de ofrecerte alternativas que encajen con tus necesidades. Si me permites, te las voy a presentar, ¿te parece? –solicitó permiso Robert.

–Sí, claro, perfecto –respondió Javier.

–¿Qué talla de pie tienes? –preguntó Robert.

–Un 41 –respondió Javier.

–Ok, te voy a traer entonces un 42 de todas. Ya sabes, con las botas pasa como con las zapatillas para la maratón –dijo Robert.

–Sí, claro. Un número más o adiós a las uñas de los dedos gordos –bromeó Javier.

–Eso es, jajaja –rio sereno Robert, que notaba cómo Javier se sentía cada vez más cómodo con él.

Y entonces se levantó a coger 3 botas de su panel, muy similar al que tenían en la otra tienda pero ordenado no por precios, sino solo por marcas.

–Te voy a presentar 3 posibles opciones. Te las explicaré con el nivel de detalle que creo que a ti te encaja y a continuación te las podrás probar. ¿Te parece que lo hagamos así? –preguntó de nuevo Robert.

–Genial, Robert, perfecto, vamos a ello –respondió Javier.

–Mira –dijo sosteniendo la primera bota con la mano izquierda, dejando la mano derecha para señalar diferentes elementos de la bota–, en primer lugar te presento la Salomon X ULTRA MID 3 GTX®. Se trata, como ves, de una bota de verano (apta también para inviernos no rigurosos) de caña media, membrana Gore-Tex®, suela de Contagrip® de alta tracción y de tan solo 460 g de peso (una de las más ligeras del mercado, si no la que más). Quizá en tu caso la clave diferencial de esta bota la marca su plantilla y su sistema de ajuste: incorpora una plantilla de EVA moldeada para el mejor apoyo anatómico posible del pie, y además incluye un sistema denominado SensiFit®, que básicamente envuelve el pie como un verdadero guante, conectando la entresuela con el sistema de cordones para una sujeción del pie 100 % personalizable y precisa –explicó con precisión Robert.

–Caramba, estoy flipando, la verdad. Tiene muy buena pinta y cumple con todo lo que habíamos comentado, ¿no? –dijo Javier.

–Claro, esa es la idea, Javier. Te la pongo aquí al lado –y la posicionó en una mesita de ruedas delante de y al alcance de Javier, a la altura de sus rodillas–. ¿Te apetece comprobar cómo se comporta en acción? –propuso entonces Robert.

–Bueno…, sí, sí, claro –respondió dubitativo Javier, que no se esperaba la nueva propuesta.

–Mira, para esta bota tengo un vídeo de un minuto –dijo Robert, manipulando su tablet y ofreciéndosela a Javier, que miró la pantalla con atención. En ella se veían la mayor parte del tiempo solo unas piernas de rodilla para abajo con las botas en diferentes situaciones (caminando por senderos, subiendo por rocas, atravesando riachuelos, etc.).

–Muy chulo, Robert. Verla moviéndose por diferentes entornos me ha ayudado mucho, la verdad –confesó sorprendido Javier–. Oye, perdona, por un segundo me ha parecido que eras tú el del vídeo… ¿Es así o me he confundido?

–Jajaja, ¡qué observador! Sí, es así, aunque no se me debería haber reconocido, la verdad. Yo me he dado cuenta de que para mis Clientes es muy importante no solo ver el producto aquí en estático, sino también dinámicamente. Así que, como en la mayor parte de los casos no puedo dejar probar el producto a los Clientes en un entorno real (en la nieve, en la montaña, etc.), pues se me ocurrió grabar un vídeo o más de cada producto, al menos de lo que más vendo. Yo pruebo los productos de hombre mientras me graba mi mujer, y viceversa. Y luego un amigo que se dedica a esto profesionalmente nos los edita y nos los organiza. Un poco casero, pero nos funciona –explicó Robert, que sentía que Javier estaba procesando con detenimiento todo cuanto le explicaba–. ¿Vamos a por la siguiente posibilidad? –dijo Robert.

–Claro, estoy ansioso –respondió Javier.

–La segunda bota que te presento es la North Face Hedgehog Hike Mid GTX® –dijo Robert, sosteniendo la nueva bota con su mano izquierda para de nuevo ir señalando sus componentes con su mano derecha a la vista de Javier–. Podríamos decir que es la bota equivalente de North Face a la Salomon que acabamos de ver. Se trata de otra bota de verano (apta para inviernos suaves), de caña media, membrana Gore-Tex®, suela en este caso de Vibram® (con compuestos de goma que permiten un enorme agarre y tracción) y un peso de 522 g, es decir, 62 g más que la Salomon. Pensando en tu máxima comodidad, Javier, te puedo decir que esta bota también incorpora plantilla de EVA moldeada y, como hecho diferencial, un sistema propio que North Face llama TPU CRADLE®, una tecnología de estabilización del talón –explicó Robert, mostrándosela también a Javier para que la tocara.

–Espectacular igualmente, la verdad. Entiendo que son competencia directa, ¿no? –dijo Javier.

–Claro, se trata probablemente de dos de las grandes marcas de referencia (una americana, The North Face, y otra francesa, Salomon) en material de este tipo y a buen seguro se observan la una a la otra

de forma habitual. Incluso las botas tienen cierto aire parecido...
–confirmó Robert.

–Anda, no sabía que Salomon era francesa –dijo Javier.

–Sí, fundada por el señor Georges Salomon en los años 50, si no me equivoco –respondió Robert–. Piensa que la tradición montañera y esquiadora francesa en los Alpes ha sido muy potente siempre. Al fin y al cabo, tienen el Mont Blanc, ¿no? –comentó Robert, pasándole también la tablet con un vídeo de la bota en cuestión.

–Claro, claro –y en cuanto vio el vídeo–: Me gusta mucho también. ¿Tienes alguna más para mostrarme? –dijo Javier, que estaba disfrutando.

–Pues mira, pensaba mostrarte también otra francesa, la Lafuma M Atakama II. Esta la tengo en marrón y las otras solo en el color negro que te he enseñado. De nuevo una bota que cumple con todos los requisitos que hemos establecido: caña media, membrana (aunque en este caso se llama Climactive®, no es Gore-Tex®), suela de Vibram® y un peso de 520 g por bota, casi como la North Face. Otra gran alternativa –prosiguió Robert, a la vez que le volvía a pasar la tablet con el vídeo de la bota.

–Muy chula esta también, la verdad. La combinación de piel y los colores me gustan mucho. Y me ha encantado ver en el vídeo cómo parece que se adapta al pie –dijo Javier.

–¿Empezamos a probarlas? –preguntó entonces Robert.

–¿Por cuál empiezo? –dijo Javier.

–Pues por la que te apetezca, solo faltaría. Si quieres, te traigo los dos pies de todas para que puedas probarte ambos y además incluso dos botas distintas, una en cada pie –comentó Robert.

–Sí, por favor, genial –agradeció Javier.

Andrea observaba todo con atención y en un gran ejercicio de paciencia, no sin cierto esfuerzo. Ella no era en absoluto de tantos detalles, pero veía que Robert estaba aplicando sus lecciones con rigor y altísima profesionalidad, y había conectado totalmente con el estilo de Javier: le había sabido dar lo que a él más le gustaba (rigor, seriedad amable, sistemática, proceso, conocimiento intensivo de producto, alternativas…) y se lo había ganado sin ninguna duda. Javier se probó todas las botas con mucha atención y concentración, mientras Robert le observaba procurando intervenir poco para no distraerle de la consciencia de sus sensaciones. Cuando vio que había acabado y se había puesto de nuevo sus zapatos, le preguntó:

–¿Y bien? ¿Qué destacas de tus sensaciones?

–Tanto la Salomon como la North Face me han encantado. La Lafuma también, pero la he notado algo más dura, como que se me ajustaba peor al pie –respondió Javier pausadamente.

–Ok, y comparando las otras dos, ¿con qué sensación te quedas? –preguntó Robert.

–No soy capaz aquí en parado de percibir las diferencias, la verdad. Y por estética, me gustan las dos –respondió Javier–. ¿Cuánto vale cada una? Quizá por el precio…

–Pues me temo que el precio tampoco te sacará de dudas: 165 € la Salomon y 160 € la North Face.

–¿En serio? En otra tienda me han intentado colar botas de 250 € para arriba, así sin más –confesó Javier.

–Sinceramente, creo que estas botas responden al 100 % a tus necesidades. Si te tuvieras que ir a subir el Everest por la cara norte, pues entonces no, pero para lo que vais a hacer y para cumplir el requisito imprescindible de confortabilidad y ajuste personalizado que reclaman tus pies, estas encajan. Si te digo la verdad, creo que no hay necesidad de gastarse más dinero. Es que una bota de caña alta, más rígida, no te iba a ir bien para un trekking como el vuestro y con tus pies –comentó Robert.

–Comprendo… y la verdad es que lo veo bastante claro –dijo Javier mientras pensaba.

–Perfecto, ¿te quedas entonces con la Salomon o con la North Face? –preguntó Robert suavemente.

–Mira, si te soy sincero, yo normalmente soy de pensarme más estas cosas y de analizar todas las alternativas en profundidad, consultar en Internet, comparar, etc., pero la verdad es que me has atendido de una manera tan absolutamente profesional que me decido ya: me llevo las Salomon. Lo del peso mínimo creo que es muy importante en mi caso –se lanzó Javier.

–Gracias, Javier. De verdad que te agradezco muchísimo tus comentarios. Y felicidades por tu decisión. Venga, te saco la caja y te cobro. Y ya me contarás qué tal, ¿vale? –respondió Robert.

Javier pagó sus botas y todos se despidieron afablemente. Cuando Andrea ya salía por la puerta de la tienda, Javier dio media vuelta, sin salir, y se giró de nuevo hacia Robert para preguntarle:

–Oye, no me puedo ir sin preguntarte algo más… Tú dices: «esta bota pesa 460 g». Pero cada bota de cada número tendrá un peso distinto, ¿no? No pesa lo mismo la misma bota en talla 45 que en talla 40, ¿no?

–Jajajajaja –rio Robert–. ¡Qué pregunta tan de persona profundamente analítica! Muy propia, claro… Pues sí, tienes toda la razón una vez más. El peso de las botas que dan las marcas y que verás, por ejemplo, en Internet, suele referirse a la bota de talla 42 EU de hombre. Que, en este caso, corresponde justamente a la tuya.

–Vaaaaaale, ahora lo entiendo. Y, oye, ¿por qué has dicho: «muy propia, claro» ante mi pregunta? –preguntó curioso Javier.

–Bueno, perdona, espero no haberte ofendido… Es que te he identificado nada más entrar en la tienda como Cliente de una tipología muy concreta que se caracteriza por ser así, muy analítico, que necesita profusión de datos y explicaciones técnicas, un proceso de compra muy riguroso y detallado, mucho tiempo, etc. Y esa pregunta final, si me permites, te ha acabado de «delatar», jajaja –confesó Robert.

–¡Qué fuerte! ¿Quieres decir que si yo hubiera sido de «otra tipología» me habrías atendido de forma distinta? ¿No atiendes a todo el mundo de la misma manera? –dijo Javier.

–Jajaja, claro que no. ¿Cómo podría ser eso? Cada persona espera ser atendida de una manera muy concreta: la suya –sentenció Robert.

–Caramba, da que pensar… Y todo eso de la tipología, ¿cómo lo has sabido nada más verme entrar por la puerta? –dijo Javier.

–Bueno, Javier, eso se lo puedes preguntar a tu tía Andrea, mi maestra, que me cambió la vida y salvó mi negocio –contestó Robert, guiñándole un ojo a Javier y mirando después a Andrea, que ya estaba fuera de la tienda esperando.

–¿En serio? No lo sabía… –dijo Javier.

–Sí… ¿No te ha dicho nada? Pues de eso nos conocemos. Hace 3 años hice con ella un curso de Ventas muy poderoso y transformador que me hizo comprender y ver cómo debía cambiar mi forma de vender si quería sobrevivir al Decathlon, a los Amazon y a todos los gigantes de la venta de material deportivo. Lo apliqué y aquí estoy, creciendo y creciendo sin parar. Y sintiéndome feliz con cada Cliente, como contigo, que creo que has valorado mi trabajo y que sales habiendo tenido una experiencia de compra gratificante, ¿no? –Javier asintió con la cabeza–. Siempre le tendré a tu tía un sincero afecto y la más profunda admiración y gratitud. Es una grandísima persona y una profesional fuera de serie. Pero eso tú ya lo debes de saber, ¿no? –dijo Robert.

–Cada día lo descubro un poco más, sí –contestó pensativo Javier, mientras procesaba todo lo que acababa de escuchar–. Robert, ha sido un auténtico placer, de verdad, no te lo puedes imaginar. Y muchísimas gracias por todo tu asesoramiento, que efectivamente valoro muchísimo: he aprendido una barbaridad y me voy convencido de que no podría haber hecho mejor compra –dijo Javier, casi con un punto de emoción que ni él reconocía en sí mismo.

Ya fuera de la tienda, Javier alcanzó a su tía en la esquina de la calle, fue directo hacia ella y le dio un fuerte beso en la mejilla, algo muy raro en él.

–Gracias, Andrea –le dijo.

–De nada, cariño. Un auténtico crack, Robert, ¿verdad? –le preguntó su tía.

–Sin duda, un extraordinario profesional. Las grandes plataformas de ventas por Internet lo tendrán un poco más complicado con Vendedores como él, ¿no? –repuso Javier.

–Muy probablemente, sí. ¿Quieres que comentemos algunos detalles de lo que ha ocurrido ahí dentro? –le preguntó Andrea.

–Me gustaría de verdad que lo comentáramos. Y en profundidad. Me ha impresionado en especial una cosa que me ha dicho al final sobre las tipologías de los Clientes –contestó Javier. Y tras guardar un breve silencio, pensando bien en lo que iba a decir, prosiguió–: Ahora sé que, aparte de por las botas, me has traído aquí con otro objetivo: querías que aprendiera de él, que le viera en acción, ¿verdad? Reconozco que la experiencia y Robert me han impactado. Pero no quiero que hablemos ahora, es tarde y me gustaría ir a casa. Ha sido un día largo, y además necesito reflexionar y escribir ciertas notas de todo. Yo, el tipo analítico, lo necesito… Pero eso tú ya lo sabes, ¿verdad? –le dijo cariñosamente Javier a su tía, guiñándole un ojo.

Andrea se emocionó profundamente y los ojos se le inundaron de lágrimas. Solo pudo decirle a Javier:

–Gracias a ti, cariño. Sin saber muy bien cómo, has dejado de ser mi niño pequeño y te has convertido en una persona realmente maravillosa –y le dio un fuerte abrazo y un intenso beso, aunque sabía que a él nunca le habían gustado las muestras de cariño excesivo y público.

Aún no había empezado el viaje en sí y había conseguido dar grandes pasos con Javier, quien además ya había comprendido que pretendía ayudarle de una manera profundamente respetuosa y, sobre todo, experiencial. Y, ahora sí, Andrea tenía claro que él se iba a dejar ayudar. Así que el viaje, en realidad, ya había empezado.

3.7 ... ¡Y UNAS CHANCLAS FLIP-FLOP!

–Hola, Javier, buenos días, ¿qué tal? –dijo Andrea por teléfono a su sobrino, casi dos semanas después de la compra de sus botas, moderando su habitual efusividad.

–Hola, Andrea. Muy bien, ¿y tú? –respondió Javier con tono neutro, algo fuera de juego por la llamada de su tía a las 10:30 de la mañana. Nunca le había gustado que le llamaran por temas personales en medio de la jornada laboral–. Si me llamas porque aún no te he dicho de quedar para comentar la compra, perdona, pero es que estamos de cierre de trimestre y ya te imaginas cómo vamos… De hecho, me pillas bastante liado…

–No, no, perdona, no es por eso. Te llamo porque hoy vuelvo a la tienda de Robert con Ainara, que también se quiere comprar unas botas. Hemos quedado allí a las 19:30. Sé que te llamo con poca antelación, pero quizá te apetezca venir y observar –explicó Andrea.

–¿Y qué me puede aportar? ¿No será tres cuartos de lo mismo? –preguntó Javier escéptico.

–Bueno, justamente… **¡Ainara y tú sois el día y la noche! Igual te sorprende comprobar cómo él vende de forma diferente a distintos tipos de personas…** –matizó Andrea.

–Ya…, pero cerraba la tienda a las 20:00, ¿no? No le va a dar tiempo, mira el rato que estuvimos nosotros el otro día… –dijo Javier, cuya mente no paraba de poner inconvenientes…

–¿Media hora con Ainara? ¡Le sobra tiempo! Ella no aguantaría ni un solo minuto más… –contestó Andrea riendo.

–Ok, lo intento, pero voy muy liado y además no lo tenía previsto en mi agenda. Venga, ya te diré por WhatsApp, ¿ok? Adiós, tía –respondió Javier frío.

–Perfecto, gracias, Javier. A ver si nos vemos, adiós –se despidió Andrea, comprendiendo a plena consciencia lo cortante que podía llegar a parecer su sobrino por teléfono.

A las 19:40 llegó Ainara con su moto, subió a la acera y aparcó justo delante de la tienda, donde Andrea y Javier ya esperaban. Javier, que había hecho un esfuerzo por acabar las cosas del día en tiempo récord y estar allí a las 19:30 en punto, se veía algo contrariado. Ainara se quitó el casco inmediatamente y nada más hacerlo empezó a hablar sin parar:

–Madre mía, ¡cómo está el tráfico! ¡Y qué día de locos, todo el día corriendo como un pollo sin cabeza! –dijo sin parar de sonreír y mientras repartía besos.

–Venga, vamos, tardona, que solo quedan 20 minutos para las 20:00 y no quiero que cierre más tarde por nosotros, que le esperan con dos pequeñajos en casa –contestó Andrea con cariño a su querida amiga.

Andrea entró la primera y tomó la iniciativa para no perder ni un minuto con las presentaciones.

–Hola, Robert. Oye, perdónanos por el retraso, por favor. Si te parece, vamos directamente al tema, no quiero que tengas que cerrar tarde por nosotros. Javier y yo somos invitados de piedra, meros acompañantes. Y ella es Ainara, amiga del alma que, como te dije por teléfono, también necesita unas botas de trekking.

–Jajaja, vienes con la moto puesta, Andrea –dándole dos besos–. No os preocupéis, de verdad, tranquilos, siempre es un placer para mí veros. Hola, Javier, ¿qué tal?

En esta ocasión, Javier sí le alcanzó la mano para estrechársela y Robert, atento, respondió de igual manera con un apretón cordial y una sonrisa suave.

–Y un placer también, Ainara, bienvenida a mi tienda –dijo dirigiéndose a Ainara, esta vez con una efusiva sonrisa al ver la expresión completamente abierta y sonriente de ella.

–Hola, Robert, un placer, me han contado maravillas de ti, jajaja –respondió Ainara, acercándose y dándole directamente dos besos, momento en el cual se le cayó el casco rodando por la tienda–. Uy, uy, uy, madre mía, ya la estoy liando, ¡perdona!

–Jajajaja, no te preocupes, tenemos un lugar ideal para los cascos que tienen vida propia, jajaja, ¿me dejas ayudarte? –dijo amablemente y con una enorme sonrisa cazando del suelo el casco rodador–. ¿Te va bien que te lo ponga aquí, junto al mío? –y lo puso tras el mostrador de caja, al lado en efecto de otro casco, a la vez que le guiñaba un ojo cómplice.

–¡Hombre, alguien que me entiende! –contestó aliviada Ainara–. Esto de la moto es muy práctico en Barcelona, pero hijo, el tema del casco es un horror. ¡Tendrían que inventar un casco HoiPoi, que se comprimiera en una capsulita que cupiera sin problema en el bolso, sería un exitazo de ventas, ¡ya te lo digo yo!

–Sí, y ya puestos, guitarras HoiPoi también… y coches y elefantes y aviones… –apostilló de pronto Javier con sorna, recordando que Ainara siempre tenía los mismos problemas con los bultos y el control sobre ellos.

–Mira el sobrinito, qué graciosillo él –replicó Ainara juguetona, mirando a Andrea primero y luego a Javier–. Intuyo que tú y yo vamos a tener un viajecito de lo más entretenido, rey –contestó aceptando claramente la broma y prometiendo venganza futura.

Andrea observaba divertida, pensando que, efectivamente, el combate entre ellos dos podría dar mucho de sí en el viaje. Pensó que la cosa tenía ahora el punto simpático justo, pero que debía estar atenta para que no se le fuera de las manos en ningún momento.

–Bueno, al tema, no me enrollo, que si no luego Andrea me riñe. Necesito unas botas de trekking, creo que ya te lo ha avanzado ella –dijo Ainara, retomando el tema de la visita a la tienda, sin perder el tono alegre y positivo.

–Sí, eso me ha dicho Andrea. ¡Y muy poco más! Así que me gustaría hacerte un par de preguntas para entender cómo te puedo ayudar de la mejor manera posible, ¿te importa? –contestó Robert, también en tono alegre y jovial.

–Mientras no me preguntes ni mi edad, ni mi peso, ni si este es mi color natural de pelo ni mi talla de nada que no sea mi pie, adelante, jajajaja –respondió Ainara, que no podía resistir la tentación de hacer una broma de cualquier cosa.

–Jajaja, ok, entendido, jamás se me ocurriría –respondió Robert, también riendo abiertamente, al igual que Andrea e incluso Javier–.

Bueno, Ainara, entiendo que el trekking que vais a hacer todos es el mismo, ¿verdad?

–Sí, sí, vamos todos juntos…, al menos sobre el papel. Luego yo voy dando saltos como las cabras por todos sitios para buscar siempre una foto o una vista o un olor o lo que sea… Me pasa siempre que me despisto aquí y allá y hasta me puedo llegar a perder con cierta facilidad, pero sí, a priori el mismo recorrido. ¿Se les puede poner un localizador a las botas, por cierto? Nunca se sabe… –se le ocurrió de pronto a Ainara.

–Ainara, cielo, ¿podrías intentar hacer un esfuerzo por centrarte y no divagar en cada frase, por favor? –le dijo Andrea, viendo a su amiga incluso más dispersa de lo habitual.

–Vale, vale, sí, tienes razón, Andrea, vengo acelerada y me voy de plano. A ver, el mismo trekking todos, Robert, sí, perdona –dijo Ainara, en un intento forzado por ser algo más formal y seria.

–No te preocupes por mí, de verdad. Ya os he dicho que no hay problema alguno, yo estoy encantado –respondió sincera y alegremente Robert, que se lo estaba pasando bien de verdad–. Perfecto, Ainara. Y, oye, la pregunta clave: como sé que tú ya tienes experiencia senderista (eso sí me lo ha chivado Andrea), ¿qué les pides tú a unas botas de trekking?

–Que qué le pido yo a unas botas de trekking… Pues no sé, lo normal: que me quieran, que me escuchen, que sean amables, que me hagan reír… ¡Lo habitual! –respondió Ainara muerta de risa, no pudiendo resistirse a la broma servida en bandeja.

Todos rieron a gusto a plena mandíbula, Javier incluido.

–Perdón, perdón, me centro, me centro… –dijo Ainara con cara de pilla, mirando a Andrea de reojo por haber vuelto a hacer otra broma–. Hijo, pues no sé qué quieres que te diga, me parece una pregunta muy profunda para hacerme a estas horas del día y en relación con unas botas de trekking… Casi hubiera preferido que me preguntaras la edad, jajaja… ¿Que qué les pido yo a unas botas? –se preguntó a sí misma, pensativa–. Pues no sé, no me lo había planteado nunca, y eso que he tenido un montón. De hecho, sigo teniendo ese mismo montón, la verdad, pero ya no me motivan… Bueno, en realidad, no sé, siento como que este viaje se merece unas botas nuevas, flamantes y bellas que me hagan sentir bien en esta aventura tan especial… No sé, siento que un paisaje tan magnífico no puede ser atravesado o casi profanado por unas botas viejas, sin ilusión, sin brillo, veteranas ya en mil montañas previas… Eso…, eso les pido, que sean bellas, que me den buen rollito y que estén al nivel del entorno que las va a rodear, que lo respeten. Bueno, y si van bien, pues también, claro… Pero vamos, que no es lo más importante, jajaja –cerró irónicamente–. ¿Te sirve de algo esta respuesta o es una mierda y no sabes ni por dónde empezar?

–Jajaja, me sirve, me sirve. De hecho, mucho más de lo que te imaginas –respondió Robert, que había captado claramente que la motivación fundamental de compra de Ainara era un sentido profundo de la belleza y de la estética que él también compartía. No le hacía falta más, razonó para sí.

Javier lo miraba todo, pensando en lo nervioso que se ponía cuando le tocaba algún Cliente así, como Ainara, tan difuso, tan *happy-hippie*…, y en lo mal que solían acabar casi siempre esas ventas para él. Mejor dicho, esas no ventas… Y se daba perfecta cuenta también de que Robert, en cambio, se había dejado llevar, fluía con naturalidad absoluta por las divagaciones de Ainara… Parecía incluso que disfrutara sinceramente con ella y encima seguía manteniendo el control de la conversación de ventas. Eso sí, ni asomo del discurso técnico de producto que había tenido con él.

–Si me permites, Ainara, te diré que en un segundo me has emocionado. En un instante me has transportado a aquellas montañas mágicas y he conectado con la grandiosidad de su belleza. Creo que comprendo lo que dices. Y en mi cabeza ha sonado la *Sinfonía del Nuevo Mundo* de Dvořák y me he imaginado allí con mi mujer y mis hijos –dijo Robert con una cara de felicidad extrema, conectando íntimamente con la emoción de Ainara.

A Ainara se le inundaron los ojos de pronto y no pudo reprimir lanzarse y darle un intenso abrazo a Robert.

–¡Eres un puto crack, tío! ¡¿Lo sabes, no?! ¡Dvořák, qué maravilla, encaja perfectamente! Yo la oigo en mi cabeza cuando recuerdo el amanecer del monte Bromo, en Indonesia, ¡qué fuerte! –respondió Ainara–. Venga, vamos al tema, que si no estos dos mirones se nos enfadan.

–Creo que tengo dos botas que te pueden encajar… ¿Me dejas que te las enseñe? ¿Qué número de pie tienes? –obedeció Robert, sin perder parte de la emoción.

Javier no daba crédito. Le costaba comprender lo que estaba viendo. Sobre todo, pensar que el mismo Robert que le había vendido las botas a él hacía algo más de una semana en un alarde de profesionalidad y conocimiento técnico del producto, ahora estaba completamente conectado con Ainara y su rollito alternativo. Toda esa emocionalidad estaba, por el momento, lejos, muy lejos de su propio alcance, pensaba para sí.

Robert volvió en un instante con dos cajas de botas. Sacó la primera.

–Mira, Ainara, si me permites, te presento la Salomon OUTpath PRO GTX® W. Es una bota que, de hecho, habitualmente no tengo ni expuesta. Es tan especial, tan diferente y exclusiva, que mucha gente ni la entiende. A mí me parece una bota casi futurista, propia de *Una odisea del espacio* o de *Star Trek*. Y con las prestaciones técnicas necesarias para el trekking que vais a hacer (membrana Gore-Tex®, suela de Contagrip®, etc.). Además, para ti que me has dicho que vas «saltando como las cabras por todos sitios», esta es una bota superligera, flexible y con alta capacidad de reacción. Y con una sujeción espectacular del tobillo. ¿Qué te parece?

–Madre mía, Robert. ¿Te has metido en mi cabeza o qué? ¿Tú no me harías de *personal shopper* para tooooooooodas las otras cosas de mi vida? ¡Qué barbaridad, me encanta, qué preciosidad, está hecha para mí, lleva mi nombre! –respondió emocionada Ainara.

–Jajaja, cuánto me alegro, Ainara, gracias. Pues mira, aquí tengo la otra. ¿La vemos también? –dijo Robert señalando la otra caja.

–Sí, claro, pero vista esta, no sé si la otra me va a impactar igual, ya te aviso… –respondió Ainara.

–Vamos a ver… –dijo Robert sacando de su caja la otra bota, consciente de que era un nuevo as en la manga–. Mira, esta es la North Face Back-to-Berkeley II. Si la Salomon parecía, en cierto modo, futurista, esta podríamos decir que tiene un aspecto total aunque conscientemente retro, pero un retro totalmente innovador y moderno. Es como un homenaje a los senderistas de los años 60 o incluso a esos primeros alpinistas de los Himalayas, pero, por supuesto, actualizada y fusionada también con la última tecnología (membrana Hydro-Seal®, suela de goma TNF Winter Grip® que cuenta con tacos de goma Ice Pick® sensibles a la temperatura, etc.). Tanto o más exclusiva que la anterior, la verdad. Una bota bastante cálida, eso sí. Usable también, por ejemplo, como bota para ir a esquiar o *après ski* en invierno. ¿Qué me dices? –preguntó Robert.

Ainara observaba la bota sin hablar, maravillada. Por fin habló.

–Qué maravilla, Robert, qué preciosidad de bota… Las dos me encantan, la verdad…

–Entonces, ¿te quedas alguna de las dos? –preguntó Robert.

–¿Sabes qué? Voy a hacer limpieza en casa y voy a dar las que ya no uso… Lo tengo claro: me llevo las dos. No sería justo que abandonara aquí a ninguna de estas dos preciosidades. Listo y decidido. Madre mía, ¡qué bonitas las dos! –cerró Ainara sin pensárselo más–. De verdad que eres un crack, Robert, gracias.

–¿Guitarra y dos pares de botas te vas a llevar? Y un piano, ¿no? –respondió Javier, que pensaba en el peso y el volumen extra que llevarían.

–Seguro que dos pares de botas míos pesan y ocupan lo que un par tuyo, guapo, con ese pedazo de pie que debes de tener tú –contestó Ainara–. Y que me compre las dos no significa que me lleve las dos, ¿sabes, niño listo?

Andrea sabía que, a poco que Robert hiciera bien su trabajo, Ainara se iba a fundir la tarjeta en la tienda. Y aún no habían salido por la puerta…

–Robert, oye, ya que estoy… Yo soy de las que al acabar la caminata de cada día necesita unas chanclas flip-flop para dar libertad, aire y descanso a mis pies. Pero, ya sabes, necesito que tengan algo, que sean también especiales. ¿Tú no tendrás también algunas bien monas? –dijo Ainara.

–Claro que sí, las tengo aquí detrás –respondió Robert–. Además, yo trabajo tanto con Havaianas como con Ipanema, así que podrás elegir tú misma tu marca favorita. Y tengo modelos que habitualmente no se encuentran aquí. Mira, creo que hay unas de nueva colección que te pueden encajar… Dame un segundo –y se fue a buscar las chanclas flip-flop–. ¿Cómo te gustan más, lisas o estampadas? –preguntó mientras buscaba.

–Me gustan preciosas, que me hablen, que me digan algo –respondió Ainara.

–Ok, aquí tengo las chanclas que hablan… –dijo amable Robert–. Mira, en primer lugar te presento las Havaianas Slim Floral. En este modelo, la suela incluye estampados de flor de Hibisco, que son las flores originarias de las islas brasileñas en las que se inspiró inicialmente la marca para sus creaciones. Las tengo con fondo negro y con fondo blanco. ¿Qué te parecen?

–¡Jo, Robert, quéeeeee chulas! Alucino de cómo me lees. ¿A todo el mundo le sacas las mismas o de verdad a mí me sacas estas porque sabes que son las que a mí me pueden gustar? –dijo Ainara, sorprendida de lo mucho que encajaba siempre todo lo que Robert le enseñaba.

–¿Tú qué crees? –respondió Robert con cierta expresión amable-divertida de pseudoofensa–. Cada uno de mis Clientes es único y yo me esfuerzo mucho por comprender y conectar con esa unicidad, ¿verdad, Andrea?

–Sin duda es así, Ainara, te lo puedo garantizar. En otro caso, sabes que no te habría traído –contestó Andrea con su contundencia y seguridad habituales.

–¿Y en marca Ipanema, qué me enseñarías? –preguntó Ainara a Robert.

–Mira, en Ipanema, te puedo presentaaaar… –dijo mientras buscaba un modelo concreto que tenía en la cabeza– las Ipanema Jazz

Flip Flops. Mira, aquí las tengo. Tengo el modelo Jazz Green con un estampado que parece de Missoni. Y también tengo las Jazz en Gold, Yellow o Navy, que tienen motivos florales… ¿Qué te parecen?

–Ostras, ¡de verdad que parece el estampado Missoni! Madre mía, ¿pero encima entiendes de moda? ¿¿¿¿Tú de dónde has salido, Robert, y por qué yo no te he conocido hasta ahora???? –exclamó Ainara, que empezaba a estar medio en éxtasis con Robert–. Todas me gustan… ¿Cuáles me recomiendas, tú que ya me tienes pillado el punto?

–Jajaja, lo de la moda es por mi mujer, que es una apasionada y me ha enseñado cuatro cositas. Pero yo no sé nada. En cuanto a lo de recomendarte unas…, verás, Ainara, yo nunca recomiendo nada, ¿sabes? Cada persona es un mundo. A mí las dos me parecen extraordinarias. Es una cuestión de gusto personal y de lo cómoda que te sientas con una u otra. Creo que ambas encajan mucho contigo, por eso te las he sacado. Mira, si te doy más info, quizás esto te ayude en la decisión: las Havaianas están hechas con goma, muchos dicen que más esponjosa, y la suela es plana. Son las originales, las históricas en Brasil, y cada año venden más de 200 millones de pares en el mundo. Las Ipanema son su competencia, algo más modernas en el tiempo, hechas de PVC 100 % reciclable y con la suela, al no ser plana, dicen que algo más anatómica. Y compiten con las Havaianas mediante una política medioambiental teóricamente más comprometida (materiales reciclados y reciclables, etc.). Hay quienes son fans de unas porque dicen que son las más chulas y cómodas y quienes defienden las otras con los mismos argumentos. En realidad, si lo piensas, lo que hay es una identificación con los valores que representa o abandera cada marca. La gente «es» de Havaianas o de Ipanemas. Pasa un poco como con los amantes de la Coca-Cola y de la Pepsi. O con los de Nike y Adidas. O con los de Android e iOS. Y el precio es muy similar en las dos marcas de chanclas flip-flop. ¿Te las quieres probar, a ver si eso te ayuda también?

–Ostras, ¡no tenía ni idea de que hubiera tanto detrás de unas flip-flop! –dijo Javier.

–¡Ni yo! Y este tío también sabe de marketing y branding o qué –dijo Ainara mirando a Andrea. Además, le encantaba que cada cosa, por pequeña que fuera, tuviera una historia, una anécdota que contar… Estaba fascinada.

–Uy, en Brasil, las flip-flop son un producto nacional mimado –respondió Robert, mirando alternativamente a Javier y a Ainara–. Es el producto brasileño, creo, que más se exporta al resto del mundo. En los años 50, consideradas como producto de primera necesidad, como el pan o la leche, el Estado llegó a regular su precio. Imaginad. Y se consideran parte de su cultura más profunda y un elemento de igualación y a la vez de cohesión social. ¡Las llevan ricos y pobres por igual! ¡Casi comparten altar con el fútbol!

Y entonces Robert guardó silencio. Un silencio que a Ainara se le hizo eterno. Al cabo de unos segundos…

–Me has hecho pensar, Robert, qué bueno eres… Me voy a llevar 6 pares de varios números de ambas marcas, 3 y 3 de cada. Así las podré además regalar a los niños y mayores que nos ayuden más en Nepal. Allí creo que también son el calzado nacional. ¡Y estas les van a chiflar! Bueno, y para mí creo que las Ipanema Jazz Green, las «Missoni», ¡vamos! De esas, solo un par y en talla 39 –decidió Ainara.

–Ostras, Ainara, si me permites que te lo diga, ¡qué idea más brutal! –respondió Robert, reconociendo la magnífica creatividad de Ainara.

–Sí, eres lo más, cariño –dijo también Andrea, impresionada con la idea de su amiga.

–Gracias, guapos. También llevaré libretitas y lápices de colores para los niños, como siempre, pero creo que esto como regalo a algunas personas clave que nos encontremos por el camino puede ser muy especial, ¿verdad? –dijo Ainara afianzándose en su brillante idea–. Uy, uy, uy, se me están ocurriendo cosas que hacer con ellas ya… ¡Pero no os las voy a contar ahora, jajaja, será una sorpresa!

–Sin duda, eres la mejor, Ainara, soy fan tuya total –sentenció Andrea, que se giró a mirar a su sobrino para ver su expresión. Le encontró callado y pensativo, y supo que estaba más impactado de lo que era capaz de reconocer.

Javier no decía nada, pero había quedado realmente impresionado por la idea súbita de Ainara. Ya se lo había dicho Andrea la noche de la reunión de planificación del viaje en su casa; recordaba sus palabras con precisión: «Ainara es la imaginación, la creatividad, la alegría, el optimismo, el espectáculo, la brillantez y la agilidad de pensamiento hechas persona». Eso sí, se iba a gastar más de 400 € entre las botas y las chanclas. ¡Y todo en menos de 20 minutos! ¡Qué mujer… tan especial y tan diferente a él! Y pensar que él habitualmente «despreciaba» a Clientes como ella porque se sentía profundamente incómodo y desubicado al atenderlos… Los tomaba por inconstantes, erráticos y poco centrados en las cosas importantes, no le prestaban atención cuando él explicaba el producto en profundidad y no eran capaces ni siquiera de estarse quietos 5 minutos: «culos inquietos» que él creía incapaces de nada bueno… Si había salido «revuelto» de su propia experiencia de compra, ahora lo estaba aún más. Y algunas cosas no le encajaban, no les veía sentido. Desde luego, tenía mucho sobre lo que pensar.

Una vez Ainara hubo pagado, llegó el momento de la despedida.

–Bueno, Robert, ha sido un verdadero placer. Gracias de verdad por todo, me voy encantada con mis compras. Te voy a enviar a mil amigos y amigas, ya verás, ¡te voy a llevar al cielo! Y al primero, a mi marido. También tocas el tema bici, ¿verdad? –le dijo Ainara francamente encantada. Robert podía dar por seguro que ella iba a ser una gran publicidad para él, ¡a saber a cuántas personas les iba a contar la experiencia, y magnificada por cuánto en sentido positivo! Ainara era única explicando aventuras, anécdotas e historietas.

–El placer ha sido mío, sin duda. Me has hecho reír, me has emocionado, me has inspirado… ¡y encima me has comprado y dices que me vas a recomendar a tus amigos! Qué más se puede pedir. Gracias de corazón –dijo Robert, al tiempo que Ainara lo atraía hacia sí para darle un efusivo abrazo de despedida.

–Yo también te quiero agradecer, una vez más, Robert, tu buen hacer y que me dejes venir además con «observadores» –dijo Andrea guiñándole un ojo.

–Jajaja, soy yo el que te está infinitamente agradecido, ya lo sabes. Y encima me traes Clientes. Esta es tu casa, Andrea, ya lo sabes. Para lo que necesites, aquí me tendrás siempre –respondió Robert de forma muy sentida.

–Gracias, Robert –dijo también Javier–. ¿Sabes?… Hoy me has parecido otra persona distinta a la de la semana pasada.

–Uy, no sé cómo tomarme eso, me ha sonado casi a decepción… –contestó Robert sonriendo, con un gesto de duda y sabiendo perfectamente que el tipo de venta con una Clienta como Ainara no encajaba para nada con Javier…

–No, no, ¡perdona! Solo es que… me ha sorprendido mucho –repuso Javier con algo de torpeza, aunque ligeramente consciente de lo brusco que podía haberle parecido a Robert su comentario anterior.

–Es que Ainara y tú sois diametralmente opuestos en vuestros comportamientos relacionales… ¿Recuerdas lo que comentamos de las tipologías? –inquirió Robert.

–No tengo ni la más remota idea de lo que estáis hablando, pero yo me tengo que ir, chicos –cortó Ainara impaciente…–. ¡Besos a todos y vamos hablando! ¡Uy, que me dejo el casco! –y salió disparada hacia su moto.

Ya en la calle, Andrea sabía que su sobrino necesitaba digerir con calma todo lo que había experimentado en la tienda de Robert.

–Bueno, mucho por procesar, ¿no? –le dijo.

–Efectivamente… ¿Se supone que lo de hoy ha sido coherente con la venta de la semana pasada? –preguntó Javier.

–Por supuesto, totalmente coherente. Robert ha actuado con precisión absoluta y ha sido 100% consciente de lo que hacía en ambos casos… Oye, ¿me dejas que te proponga algo? –dijo Andrea.

–Bueno, a ver… –objetó Javier, que no se fiaba y que no gustaba de sorpresas.

–No, no te preocupes, no te voy a presionar… Mira, como sé que tú necesitas reflexionar en profundidad y nos va a resultar imposible quedar en julio por el trabajo de los dos, te propongo que aprovechemos el vuelo a Katmandú para hablar de todo esto. Total, queda un mes escaso. ¿Qué te parece que nos preparemos la conversación para entonces? Un mano a mano tú y yo en el avión. Así tendremos un objetivo concreto y nuestras mentes ya estarán liberadas del estrés y la presión de antes de las vacaciones. ¿Qué dices? –propuso serenamente Andrea.

–Me parece genial. Pero ya sabes que llevaré una libreta llena de preguntas y de críticas, ¿verdad? –respondió Javier.

–Jajaja, no serías tú si no lo hicieras –confirmó Andrea.

El acuerdo estaba sobre la mesa. Andrea sabía que ella también tendría que preparar concienzudamente la «reunión» en el vuelo, dado que Javier no era una persona que aceptara con facilidad ideas distintas a las suyas y, sobre todo, que no estuvieran perfectamente sustentadas y argumentadas con hechos o datos probados y contrastables. Pero para esa partida que se jugaría a 10 000 m de altura, contaba a su favor con la realidad demostrada por Robert.

3.8 PERDONE, ¿POR DÓNDE ESTÁ YENDO?

–Sí, esta es la puerta, puede parar aquí, gracias –le dijo Marc al taxista–. Esperaremos un momentito aquí para recoger a la otra persona que le hemos dicho y entonces ya nos iremos hacia el aeropuerto, ¿de acuerdo? –el taxista asintió con un leve movimiento de cabeza.

Javier, al que durante el trayecto en taxi ya habían avisado para que bajara desde su casa, que estaba a menos de 1 km, apareció inmediatamente en la puerta con sus dos mochilas, la del trekking, grande, y la de viaje, mucho más pequeña, y con sus propias chanclas flip-flop puestas (muy discretas, de color azul marino, no como las de Ainara). Hacía muchísimo calor en Barcelona, casi 40 bochornosos grados.

–¡Hola, Javier! –dijo Andrea nada más verlo–. ¡Esto ya está hecho, por fin nos vamos, parece increíble!

–No cantemos victoria aún, que todavía pueden anular el vuelo, puede retrasarse el avión o simplemente lo podríamos perder por la cola en el control de acceso al aeropuerto: he oído en las noticias que está habiendo colas de horas –respondió Javier un tanto aguafiestas. En situaciones de cierta tensión, su modo analítico-crítico y su aparente negatividad sobre todo lo que podía llegar a fallar se extremaban…

–Bueno, cariño, ten mucho cuidado, por favor, y si tenéis cobertura ve diciéndonos cosas, ¿vale? –le pidió Cristina, su madre, que había bajado también a despedirlos a todos–. Y cuídádmelo, ¿eh? Que vosotros dos sois un poco demasiado valientes y él nunca ha hecho un viaje así, ¿vale? Confío en ti, hermanita, que sigue siendo mi bebé, ya lo sabes.

–No seas dramática, Cristina, que no le va a pasar nada. Vamos a Nepal, no a Marte. ¡Solo va a ser como la mili que no ha hecho, ya verás qué bien le va a venir a tu bebé! –dijo risueño y provocador Marc.

–Adiós, hermanita, no te preocupes, todos cuidaremos de todos… Qué verano curioso, ¿no? Yo me haré cargo de tu hijo y tú de mi niña… Oye, ¿irás hablando regularmente con Gabriela? Yo la intentaré llamar a diario, pero imagino que no tendremos cobertura todos los días… Tienes todos los datos del sitio en el que está, teléfono, etc., ¿verdad? Esta mañana ya he hablado con ella. Llegaron perfectas ayer, ya están instaladas y les parece que hay muy buen ambiente, estaba muy contenta. Sé que va a estar bien, pero pensar que voy a estar a más de 10 000 km de distancia casi los mismos días en que ella estará con una amiga en Irlanda, me deja un pelo intranquila… Ya sabes, si vas hablando con ella y poniéndome algún mensajito, te lo agradeceré muchísimo –dijo Andrea a su hermana.

–¡Vaya pareja de dos hermanas! ¡Vamos a disfrutar a tope de las vacaciones, todos! ¡Nuestra hija ni se va a acordar de nosotros, mamá! ¡Y vámonos, que el taxímetro está en marcha! –cerró Marc, intentando animar la despedida.

Y así salieron los tres hacia el aeropuerto, Marc, Andrea y su sobrino Javier. Se iban a encontrar allí con el resto del grupo: Mar y su hijo Alberto, y Ainara y su marido Raúl. Como no cabían todos en un único taxi, habían acordado que cada «familia» fuera por su cuenta. Llevaban muchísimo equipaje, dado que además de la mochila de viaje de cada uno, había que contar 3 cajas grandes de bicis y las mochilas adicionales de recambios, herramientas, fluidos, etc. de los *bikers*.

De pronto, Javier se dio cuenta de que el taxista había tomado un camino que no era el que él habría cogido para ir al Prat de Llobregat y que, claro, no le parecía el óptimo.

–Perdone, ¿por dónde está yendo? –le preguntó al taxista con bastante sequedad.

–Balmes, Ronda del Mig, Plaza Cerdá y Gran Vía, es lo más rápido a esta hora –respondió el taxista, bastante cortante y decidido.

–Desde aquí lo más rápido es la Ronda de Dalt, lo tengo más que medido –respondió frío Javier.

–Mire, es 31 de julio, yo llevo todo el día en el taxi y le aseguro que lo más rápido hoy y a esta hora es lo que yo le he dicho –replicó sin tapujos el taxista–. Además, si ahora tengo que cambiar la ruta para ir a coger la Ronda de Dalt, entonces sí que vamos a tardar mucho más –y, sin inmutarse, siguió por la ruta que él solito había decidido.

–¿No se supone que usted debe preguntar a los Clientes la ruta que desean? –insistió Javier.

–Es que ustedes estaban de cháchara despidiéndose y he pensado que debía decidir yo la ruta más rápida... y si no les gusta, paro y se bajan... –respondió tan pancho el taxista, con toda tranquilidad.

–Jajaja –rio Marc sonoramente–, usted sí que sabe tratar a los Clientes, ¡sí señor! Seguro que prefiere llevar a turistas extranjeros que ni preguntan, ni sienten ni padecen; solo pagan y encima dejan una buena propina, ¿verdad? –y mirando a sus acompañantes, pero sin preocuparse de bajar la voz dijo–: No sé por qué no hemos cogido un Uber o un Cabify, sinceramente.

El taxista miró por el retrovisor con el ceño fruncido, pero esta vez sin contestar...

–Pues sí que empezamos bien el viajecito, guapos –susurró Andrea a sus dos acompañantes, de forma extrañamente conciliadora para lo que solía ser ella–. ¿Os podéis relajar los dos un poquito, por favor? Estamos de vacaciones... Y no me apetece ahora el *show* de parar, discutir, bajar todo con lo que nos ha costado cargarlo y buscar otro taxi en medio de la calle, ¿vale? Le voy a decir que siga y no le demos más vueltas, ¿entendido?... Siga, por favor, confío y espero en que de verdad habrá escogido usted la mejor ruta. Eso sí, yo voy a Madrid cada semana y tengo registro aquí en mi móvil de lo que pago por el taxi al aeropuerto. Al llegar veremos si el coste de la carrera se desvía o no de lo que pago habitualmente –dijo Andrea al taxista con esa voz profunda, imperativa, contundente y absolutamente segura que ella sabía que debía poner en ciertos momentos.

Se hizo un silencio intenso en el taxi, que siguió su ruta inicial. Al cabo de un momento, Andrea, que se encontraba sin saber cómo con la mochila de viaje pequeña de su sobrino sobre las piernas, dijo:

–Oye, bonito, ¿se puede saber por qué tengo yo aquí encima tu mochila y no la llevas en tus pies como todos?

–Es que no me cabe, Andrea. Este coche es de tracción trasera y entonces, mira, en el suelo de la plaza central de los asientos de detrás hay un bulto por el eje de la transmisión. Ya voy con las piernas totalmente abiertas... Encima de que me he sentado yo en el «sitio malo»...

–Ah, o sea que lo de tu *manspreading* era por eso y encima te tengo que estar agradecida, ¿verdad?… Pues lo siento, cariño, pero no. Aquí tienes tu mochila, bonito –y al cogerla y pasársela notó aún más lo que pesaba–. Madre mía, ¿se puede saber qué has metido aquí? Pesa más que un muerto… El equipaje de mano también tiene límite de peso, ¿lo sabes, no?

–Pues pasaporte, documentación, dinero, las botas de trekking, una muda completa de seguridad, un pequeño botiquín básico, las gafas de sol, la tablet, los cascos, cargadores extras, un par de libros, una guía de Nepal y del trekking, un mapa detallado de la ruta que he encontrado, una libreta de notas, el móvil, una cámara de fotos, un ajedrez magnético pequeño, algo de comida, unas cartas, una revista de coches y otra de *running*… Vamos, lo que me ha parecido normal y necesario, ni más ni menos… Tenemos 13 horas y media de viaje y además no quiero poner en riesgo mis cosas importantes para el viaje –dijo Javier con total naturalidad.

–¿¿¿En serio llevas las botas de trekking en la mochila de mano, Javier??? –preguntó Marc con sorna e incredulidad.

–Son las más ligeras del mercado: 920 g entre las dos. Y ya veremos quién ríe el último si nos pierden el equipaje facturado –respondió Javier, siempre previsor.

–Si me pierden el equipaje, pues ya pensaré en lo que hacer entonces. Pero amargarme el viaje con peso extra por lo que pueda pasar… –esgrimió Marc.

–Menudo viajecito me espera con vosotros dos –intervino Andrea–. En el avión iré yo sentada en medio, si no os importa, ¿vale?

–Vale, pero me tendrás que cambiar el asiento en algún momento para que, como siempre, le dé una paliza al ajedrez –contestó Marc.

–Perro ladrador… –replicó Javier.

Algo más relajados ya con la conversación, llegaron al aeropuerto. El coste de la carrera fue, a criterio de Andrea, totalmente razonable, así que no hubo discusión alguna con el taxista. Lo que tampoco hubo, por supuesto, fue propina. Ella consideraba que el taxista, aunque no parecía haberlos engañado con la ruta, no se la había ganado debido a su actitud poco orientada al Cliente.

3.9 BARCELONA-DOHA, ARMAMOS RAMPAS Y *CROSSCHECK* (¡PROHIBIDO EL PROSELITISMO!)

Ya en el aeropuerto de El Prat, tuvo lugar el encuentro en el punto acordado. Besos, abrazos, risas, nervios… Después de retractilar las mochilas y bolsas de bodega, todos se dirigieron hacia los mostradores de facturación. El sobrepeso supuso pagar algo de recargo, pero estaba previsto.

Una vez facturados los bultos grandes, tocaba pasar el arco de control de acceso al aeropuerto, lo que transcurrió sin contratiempos. Incluso tuvieron tiempo de comer algo, como habían pensado, antes de la hora de inicio del embarque, a las 15:45. Comida de personas. Todo perfecto.

Javier estaba bastante tranquilo, viendo que las cosas sucedían según el plan. Su confianza en su tía estaba intacta. Llegó la hora de embarcar: embarque también sin incidentes. Y toda la expedición agrupada en la misma zona del avión. Fantástico. Qué bien cuando las cosas se planifican correctamente. «Así las cosas siempre salen bien», pensaba Javier.

Marc había elegido la ventana, Javier el pasillo y Andrea iba entre los dos, como había propuesto en el taxi. Ainara y su marido se encontraban al otro lado del pasillo, exactamente en la misma fila pero en la zona de asientos centrales del avión. Y Mar y su hijo Alberto se sentaban justo delante de Andrea y Javier.

En cuanto despegaron, todos poco a poco se fueron centrando en sus diferentes entretenimientos. Marc se puso a ver en su tablet la última temporada de *Juego de Tronos*. Tenían por delante un largo viaje en dirección este desde Barcelona. Javier miró a Andrea y le dijo:

–Bueno, aquí estamos, 6 horas y 20 minutos de vuelo por delante hasta Doha. Allí, 2 horas y 35 minutos de escala y luego nuevo vuelo de 4 horas y 35 minutos hasta Katmandú. Duración total prevista del viaje: 13 horas y 30 minutos.

–¿Qué te parece, mucho o poco? –le preguntó Andrea.

–Hombre, bastante, ¿no? Nunca había hecho un viaje tan largo a un lugar tan remoto, la verdad –confesó Javier.

–Bueno, siempre hay una primera vez para todo, ¿no? Y además, como dijo Cervantes, «el andar en tierras y comunicar con diversas gentes hace a los hombres discretos» –respondió Andrea.

–Sí, pero tú me enseñaste de bien pequeño el famoso aforismo de Proust, que decía que «el verdadero viaje de descubrimiento consiste, no en buscar nuevos paisajes, sino en mirar con nuevos ojos». ¡Y para eso uno no necesita moverse del sofá, jajaja! –respondió perspicaz Javier.

–*Touchée*, tienes razón, y me gusta lo que dices, mirar con nuevos ojos. Creo que Henry Miller nos puede llevar a unas tablas amistosas: «Nuestro destino de viaje nunca es solo un lugar, sino una nueva forma de ver las cosas» –intentó conciliar Andrea, que quería a su sobrino relajado y sereno.

–Vaaale, acepto pulpo… En cualquier caso, me he traído de todo para entretenerme, la verdad –dijo Javier.

–Sí, lo he podido comprobar con tu mochilita de mano, jajaja –respondió Andrea–. Oye, ¿has podido leer algo sobre Nepal? Dijiste en el taxi que también llevabas una guía… –preguntó Andrea.

–Mucho menos de lo que hubiera querido, apenas nada. Ya sabes, yo soy de prepararlo muy bien todo, de documentarme, de investigar, conocer y saber… Pero en la Concesión el ritmo en este julio ha sido infernal… Bueno, como en casi todos los meses –dijo Javier con un tono algo apagado, como si en su mente estuviera rememorando momentos duros del trabajo y todas las cosas que había «dejado de lado» por él en estos últimos tiempos…

Andrea no quería que su sobrino reconectara con la presión y la tensión. Sabía que tenía que aprovechar el viaje en avión para revisar con él las experiencias de compra con Robert y juntos obtener conclusiones de valor. Así que le necesitaba relajado y abierto a nuevas ideas. Pero también sabía que no podía presionarle e ir directa al grano sin más: debía dar tiempo a la conversación. Y a él le gustaba escuchar más que hablar. Así que, luchando contra su propio instinto, se relajó también e inició una tranquila conversación:

–Oye, es aquí y ahora y estamos de vacaciones. Este tiempo, este momento, es totalmente nuestro, nos pertenece, ¿no? –le dijo Andrea, acomodándose en su asiento, y Javier mostró su acuerdo con una leve sonrisa–. ¿Te apetece que te cuente algo de Nepal y así nos relajamos un poco?

–Ok, adelante, te escucho –respondió Javier, acomodándose también.

–La primera vez que viajamos a Nepal, hace 20 años, teníamos 28, uno menos que tú –empezó a contar Andrea–. Y puedo decir que, aunque luego hemos hecho muchísimos más viajes de todo tipo, probablemente ninguno nos ha impresionado y nos ha transformado tanto como ese.

–Tú lo has dicho, erais jóvenes y fue vuestro primer viaje, normal que os impresionara –dijo Javier, aparentemente incrédulo.

–Es probable. Y además yo creo que también el país en sí nos impactó de forma inesperada, más allá de nuestra juventud y de la novedad –convino Andrea.

–¿De qué forma, por qué? –preguntó Javier.

–Reconozco que el primer impacto, de hecho, fue profundamente negativo. Para empezar, si este viaje te parece largo, aquel te hubiera parecido inacabable. Compañías como Qatar Airways o Emirates existían ya entonces, pero eran relativamente recientes y no tenían conexiones directas con demasiadas ciudades de Europa. Así que volamos primero con Air France para el trayecto Barcelona-París y allí tuvimos que cambiar de aeropuerto, del París-Orly al París-Charles de Gaulle, para embarcamos ni más ni menos que con la Pakistan International Airlines, la PIA. El dinero, por entonces, no nos daba para ir con Air France, British Airways o una compañía similar hasta destino. Volamos en un Boeing 747 gigantesco, para más de 500 pasajeros. Imagina lo que fue la facturación: literalmente cientos y cientos de pakistaníes que volvían a casa por vacaciones, cargados con todo tipo de enseres para sus familias de origen, desde lavadoras hasta animales de granja, te lo aseguro –insistió Andrea al ver la cara de incredulidad de Javier–. El vuelo fue desde París a Islamabad, donde el avión hizo una parada técnica de 1 hora y media, con militares armados en la puerta del avión durante la parada; luego siguió de Islamabad a Karachi, para volver a parar (allí nos hicieron bajar del avión y subir nuevamente después), y finalmente, de Karachi a Katmandú. Más de 27 horas de viaje en total, contando el Barcelona-París y las esperas. Ni te imaginas. Y ese olor de comida con curry tan característico, esa mezcla de especias que a mí me resulta tan penetrante... Nuestra cocina es distinta y no estábamos acostumbrados. Creo que fue entonces cuando desarrollé un cierto rechazo a las especias profundamente perfumadas... Curiosamente, todas las que me afectan empiezan por c: cilantro, cardamomo, comino, clavo, canela... Y había personas, paquetes y bultos de todo tipo por todos sitios, tanto que apenas se podía caminar por los pasillos para ir al baño. Y ni te cuento sobre el ruido: incesante. No existió el silencio en ese avión ni un solo segundo. Un poco locura, la verdad. Para poner a prueba la resistencia de cualquiera.

–Uff, no creo que yo lo hubiera soportado –dijo Javier, sin atreverse siquiera a imaginarse en medio de un avión «superpoblado» con tanto contacto humano y tanto ruido, cosas que él no gestionaba nada bien.

Andrea prosiguió su relato pausadamente. Por un segundo, vinieron a su memoria recuerdos de cuando le contaba cuentos de pequeño. Él siempre escuchaba con mucha atención.

–Una vez en destino, el trayecto desde el aeropuerto hasta el centro de Katmandú lo hicimos en un minitaxi en el que literalmente no cabíamos... Era un coche tipo 600, y como éramos cuatro y teníamos que ir todos detrás, yo iba sentada encima de Marc y debía sacar la cabeza y medio cuerpo por la ventanilla para caber. Los olores de la ciudad me penetraban por la nariz a toda velocidad y eran tan intensos (y no precisamente agradables, ya que había basura amontonada en muchos sitios) que llegué al hotel completamente mareada y preguntándome: «¿Qué demonios se me ha perdido a mí aquí?». Suerte del hotel... Nos habíamos preocupado de reservar un hotel desde Barcelona para no llegar tan expuestos. Solo 2 noches. Era un 3 estrellas, lo máximo que podíamos pagarnos.

–¿El mismo al que vamos ahora, no? –preguntó Javier.

–Sí, el Hotel Horizon, lo recuerdo perfectamente. Por fortuna, el hotel tenía sábanas limpias y agua corriente en la ducha. Eso sí, teníamos que lavarnos los dientes con agua embotellada, claro. Todos se quejaban de lo poco «local» que era el hotel, pero en realidad agradecimos ese nivel mínimo de comodidades que nos ofrecía. Y de poco «local», nada. En fin, con ese conjunto de sensaciones, decidimos no quedarnos en el hotel y salir a pasear, para conocer la ciudad y, sobre todo, para localizar la Oficina de Turismo, sacarnos el visado para el trekking y elegir una agencia en la que contratar un guía. Y también, claro, para no quedarnos dormidos después del larguísimo viaje y no sufrir de *jet lag*. Así que nos lanzamos a la calle, cansados y un tanto aturdidos, sin saber muy bien adónde ir. Pese a las indicaciones del recepcionista del hotel, anduvimos perdidos durante más de 1 hora. Las calles no tenían nombre ni números, o al menos no supimos verlos, y su organización nos parecía laberíntica. Durante todo ese tiempo, montones de niños se dirigían a nosotros al canto de «bueno, bonito, barato» y, atención, «más barato que en Andorra», ofreciéndonos todo tipo de baratijas y *souvenirs* varios.

–Jajaja, ¡qué fuerte lo de los niños y Andorra! –rio Javier.

–Sí, sí, eran unos cracks esos niños. Primero nos solían confundir con italianos, pero en cuanto respondíamos que no, inmediatamente nos ubicaban como españoles y entonces ya reconectaban con el idioma y todas las frases que se sabían para intentar vender. Unas auténticas máquinas de la identificación étnica –respondió Andrea risueña.

–¿Y qué pasó entonces? –preguntó Javier.

–Intentábamos preguntar por la calle y cada indicación parecía contraria a la anterior. Finalmente, conseguimos llegar a la Plaza Durbar, que era donde debía estar la Oficina de Turismo –dijo Andrea, dando un suspiro y cerrando los ojos como para recuperar nítidamente sus recuerdos y sensaciones.

–¿Y? –preguntó Javier, ante la pausa de Andrea.

–De pronto, dejé de pensar en el calor asfixiante, en la humedad, en mi sudor, en el polvo que se me pegaba por todos sitios, en lo sucia que me sentía, en el cansancio que arrastraba, en los olores, en todas mis incomodidades y todos los inconvenientes que estaba dejando que me bloquearan… y me transporté. Me pareció como si hubiera viajado en el tiempo y tuviera el increíble privilegio de estar viendo el estilo de vida de un lugar radicalmente distinto al mío, 3 siglos atrás. Tenía ante mí una plaza literalmente llena, repleta de magníficos palacios de madera y piedra con formas y ornamentaciones alucinantes, que parecían estar vivos. Y las personas, que no paraban de entrar y salir, de ir y venir, me parecían los perfectos figurantes y actores de una escenografía mágica, saturada de colores supervivos. Me impactó en lo más profundo ver tanta historia y tanta belleza concentradas en un espacio tan pequeño. Y tanta bondad y alegría en las caras de aquellas personas. Nunca había visto tanta mezcla de gentes distintas, conviviendo en aparente armonía. Todo era tan diferente de lo que yo conocía... Y eso fue solo el principio. Todo el valle de Katmandú, con Patán, Bhaktapur, etc., es realmente impresionante y único. Muy intenso. Encuentras Patrimonio de la Humanidad a cada paso que das. Imagino que el país entero podría serlo, la verdad –contó Andrea con profunda emoción.

–Un país en medio de la nada que se ha mantenido aislado, virgen y auténtico, ¿no? –dijo Javier, racionalizando la explicación.

–Imagina. Ese fue su gran atractivo en los años 70 con los *hippies*. Nepal es uno de los pocos países del mundo que nunca ha estado bajo la influencia de ningún país europeo, nunca fue colonia de nadie. De hecho, su aislamiento ha sido tal que en Pokhara leí que la rueda no había llegado al país hasta después de la Segunda Guerra Mundial, en los años 50, cuando los alpinistas de todo el mundo llegaron para intentar conquistar el Everest y el resto de ochomiles, cargados de material que había que transportar a los pueblos situados en el inicio de las ascensiones. En cualquier caso, hoy en día no verás un solo carro durante el trekking, porque no sirven de nada en medio de las montañas y las rocas. Solo los animales y las personas transportan cosas. La profesión de porteador es eso, una profesión. Como aquí ser camionero, solo que las cosas las transportan ellos mismos –prosiguió Andrea.

–Es sorprendente... Claro, de qué les servían las ruedas, de nada... Y oye, ¿cómo estarán todos esos tesoros tras el terremoto, lo sabes? ¿Qué nos vamos a encontrar? –preguntó Javier, bastante interesado y metido en la conversación de cosas concretas.

–Bueno, no tuvieron uno, sino varios terremotos. El primero, en septiembre de 2011, el más sonado. Pero luego hubo otros el 25 de abril y el 12 de mayo de 2015. Todos de unos 7 grados o algo más en la escala de Richter, y que dejaron más de 9000 muertos, una auténtica tragedia humana –Javier asintió en silencio. Andrea continuó después–. Pues no lo sé con certeza, y eso que he intentado investigar y buscar fuentes fiables. Es uno de mis miedos, la verdad –Andrea se detuvo y miró a Javier, para volver a desviar la mirada y continuar–. Sí, confieso que temo llegar y que me embargue una sensación de decepción, como de paraíso perdido o aniquilado, ¿sabes?

–Ya, vamos un poco a ciegas con eso… –asintió Javier.

–Según todo lo que he leído y me han contado, es preciso pensar que solo el valle de Katmandú tiene al menos 7 zonas registradas como Patrimonio de la Humanidad por la UNESCO. Así que, como en tiempos pasados en los que Nepal fue encrucijada de caminos en las rutas comerciales que atravesaban Asia, con la tragedia Katmandú se convirtió en el centro de la atención mundial y llegaron comida, medicamentos, productos sanitarios y ayuda de todo tipo. He leído incluso que la población de a pie persiguió a los ladrones que, en medio del caos, intentaron hacer suyos y vender al mejor postor parte de los tesoros (tallas de madera, pequeñas estatuas, etc.) y los recuperaron. Por todos sitios he leído que hubo un enorme esfuerzo de reconstrucción de su patrimonio artístico… y de su patrimonio humano y nacional en todos los sentidos. Piensa que durante esos mismos años también vivieron una cruenta guerra civil, la abolición de la monarquía absoluta en 2008 y la instauración de su joven República Federal Democrática de Nepal en 2009. Al parecer, el país ha recuperado la ilusión y hay un fuerte impulso hacia el progreso en todos los ámbitos, preservando su riquísimo patrimonio artístico, cultural, religioso y étnico. Sin embargo, la misma NRA (Autoridad Nacional de Reconstrucción de Nepal, apoyada por la ONU) sostiene que solo el 5 % de todo lo dañado ha sido reconstruido, por falta de ayuda económica y también por falta de trabajadores especializados como albañiles e ingenieros… y se dice que también por la corrupción: ningún país se libra de esa lacra. Así que es difícil saberlo a ciencia cierta, lo veremos al llegar… –contó cautelosa Andrea.

–Sin reconstrucción, entre otras cosas, ponen en riesgo sus ingresos por turismo, que imagino que deben de ser importantes para el país, ¿no? –preguntó suspicaz Javier.

–Es un país fundamentalmente agrícola. La agricultura representa más del 80 % de su PIB. El país tiene un enorme potencial en relación con el turismo y también con la explotación de energía hidroeléctrica, por sus gigantescos ríos de fuerza extraordinaria, pero el desarrollo no es fácil. Se trata de un país sin salida al mar, con una orografía compleja, una economía débil, un importante retraso tecnológico, cierta inestabilidad política y una, digamos, alta propensión a desastres naturales. No lo tienen fácil, la verdad. Imagino que dependen en gran medida de la ayuda exterior y de la inversión extranjera, al menos para el empujón inicial. Por lo que he podido investigar, están intentando desarrollar un turismo de calidad, centrado en su naturaleza extraordinaria y los deportes (alpinismo, trekking, etc.), pero eso requiere mucho dinero.

–Ya, lo entiendo. Muy complejo. Y, oye, ¿dices que tienen ríos de fuerza extraordinaria? –preguntó Javier.

–Piensa que Nepal es un país de unos 650 km de largo (de este a oeste) por unos 200 km de ancho (de norte a sur). Y en ese ancho hay un desnivel que va casi desde el nivel del mar a las cimas más altas del mundo, a 8000 m de altura. Imagínate los ríos que bajan de esas montañas. Muchos son como el Ebro o el Duero de ancho, con un caudal, una fuerza y una energía descomunales acumuladas en semejante desnivel. Ten en cuenta que casi todos los grandes ríos de Asia, como el Yangtsé chino o el Ganges indio, nacen en la cordillera del Himalaya. El *rafting* extremo es un deporte creciente también en Nepal. Y hablando de deportes, una curiosidad: ¿sabes qué deporte les chifla a los nepalíes? –preguntó Andrea.

–No sé…, ¿el cricket como a los indios? –probó Javier.

–Demasiado *british*, no… ¡El FÚTBOL! Es curiosísimo ver a monjes vestidos con sus largos ropajes granates cogidos con un cinturón de cuerda jugando al fútbol en cualquier prado en medio de las montañas. Y si les dices que eres de Barcelona, te responderán algo del tipo «¡ahhhhh, Barselonaaaa, Messiiiii!», y casi casi te harán una reverencia. ¡Lo idolatran! No se lo digas a nadie –Andrea bajó la voz–, pero yo llevo, entre otras cosas, camisetas del Barça con el nombre de Messi para regalar a los niños de las montañas.

–Qué bueno, ¿podremos hacer entonces algún partidito con ellos durante el trekking? –preguntó Javier.

–¡Seguro, les encantará, les harás felices, ya lo verás! Las gentes de las montañas son increíblemente amables, cariñosas y simpáticas –contestó Andrea.

–Qué bueno… Decías también justamente que encontrasteis una gran mezcla de personas distintas, ¿no? ¿Distintas en qué sentido? –repitió Javier, entusiasmado con tanto saber. Andrea se había empollado varias guías y todo lo que había encontrado en Internet de interés, dándole su toque personal gracias a la experiencia vivida 20 años antes.

–Nepal, con unos 147 000 km^2 (como la mitad de Italia), es una nación muy densamente poblada, dado que tiene a día de hoy cerca de 29 millones de habitantes, 5 millones más que, por ejemplo, Australia, que es 50 veces mayor en extensión. Debido a esa gran población, Nepal es una nación multiétnica, multicultural, multilingüe y, hoy, secular. Imagina un país con más de 100 etnias distintas y más de 10 lenguas en total uso (si bien el nepalí es la lengua mayoritaria en el 50 % de la población). Y aunque la religión mayoritaria es la hindú (más del 80 % de la población), conviven hinduistas, budistas, musulmanes, cristianos y personas de otras religiones minoritarias –explicó Andrea, que sabía cuánto le gustaban los datos precisos a su sobrino.

–Caramba, me atrevería a decir que un ejemplo único, ¿no? –comentó Javier.

–Al menos poco común, desde luego. Es evidente que tienen sus propios conflictos, pero también que en cierta manera están educados en la diversidad y la tolerancia desde siempre, aunque el Estado fue hinduista oficialmente hasta 2007 –recordó Andrea.

–Interesante… –siguió Javier.

–Eso sí, como cada etnia y cada religión tienen sus propias fiestas, ¡es fácil que casi cada día te topes con una celebración u otra! Nosotros en Patán asistimos, por pura casualidad, a una bien curiosa:

honraban a un anciano que había cumplido ese día 77 años, 7 meses y 7 días. Lo llevaban a hombros como en un altar, lleno de flores coloridas, paseándolo por todo el pueblo, y todo el mundo le saludaba y le aplaudía. Como en un paso de Semana Santa, solo que en lugar de llevar una imagen de madera llevaban al anciano. Todos en conjunto formaban una fiesta de luz, color y música, y él, claro, estaba encantado, riendo y saludando a su vez a todo el mundo. Se venera a la gente mayor, no como en nuestro mundo teóricamente civilizado, en el que casi los consideramos desechos y los apartamos… Luego me informé y leí que la celebración, hindú, se llamaba Vijaya Ratha Shanthi y tenía como objetivo lanzar fuerzas y energía a esa persona hasta el final de su vida. A mí me pareció chulísimo, la verdad –confesó Andrea.

–A mí también me parece chulo honrar a los mayores, más allá de sus cumpleaños y para que lo celebre todo el mundo, no solo su familia sino también su comunidad más cercana al completo –respondió Javier con mucha seriedad, dando énfasis a la importancia de lo que decía.

–Sí. Me parece haber leído que estos momentos especiales se empezaban a celebrar a partir de los 60 años, que allí se consideran el ecuador de la vida. Al parecer, el hinduismo cree que una persona puede vivir, por término medio, 120 años. Y también tienen que ver con los ciclos lunares. Recuerdo que otra celebración importante se realiza al cumplir los 80 años y 8 meses, momento en que una persona ha vivido 1000 lunas llenas –contó Andrea, que estaba claro que se había preparado bien y había estudiado pensando en su sobrino.

–¿De verdad 80 años y 8 meses son 1000 lunas llenas? –preguntó Javier emocionado con la casualidad cósmica–. A ver, déjame comprobarlo… –y cogió una libretita y un boli de su mochila, que tenía bajo el asiento–. Vamos a ver… 1000 lunas llenas por 29.5, que es aproximadamente el ciclo lunar, da 29 500 días, que, divididos por 365 días que tiene un año, dan… –y cogió su móvil para hacer el cálculo–, efectivamente da 80.82 años, que vienen a ser realmente 80 años y unos 9 meses. Mi cálculo no es muy exacto, lo sé, ¡pero es fascinante! –dijo Javier. Estas «casualidades cósmico-matemáticas» le encantaban. Para él, el universo entero tenía que responder a una ley, a ser posible comprobable matemáticamente.

–Menudo rollo le estás pegando al crío, ¿no? –intervino de pronto Ainara, riendo a carcajadas.

–Ainara, por favor… –dijo Mar–. Pues yo debo decir que a mí me está pareciendo interesantísimo, cosas importantes que no cuentan las guías, o al menos no de forma tan amena. Nadie te obliga a escuchar, Ainara, cariño. Si no te interesa, deja al menos que los demás disfrutemos, ¿no? Y, ¿sabes?, estoy segura de que luego todo esto te servirá para ir contando tus batallitas e historietas por ahí, ¿a que sí?

Andrea y Javier se miraron y sonrieron sin decir nada al oír a sus amigas. Andrea decidió seguir a lo suyo, no se podía permitir el lujo de cortar la conversación con Javier ahora que estaba consiguiendo tenerlo «enganchado» a sus datos sobre Nepal.

–¿Te está pareciendo un rollo, cariño? –le susurró.

–Para nada, me está encantando este resumen de hechos e informaciones que me estás dando. Estoy comprobando que conoces y has estudiado en profundidad Nepal y sabes que eso siempre me gusta. Sé que llegaré más relajado a Nepal sabiendo todo esto. «Conoces tu producto», jajaja –le contestó Javier–. Oye, estoy pensando: y cuando personas de una determinada etnia o religión hacen una de esas celebraciones suyas en plena calle, ¿qué hacen los de las otras? ¿Se van a sus casas o se giran y no miran? ¿Miran y aplauden?

–Pues la verdad es que no lo sé… Pero lo que sí sé es que en Nepal está prohibido históricamente el proselitismo por ley. He leído en algunos medios que ciertas religiones minoritarias, y en especial el cristianismo, con su concepto evangelizador, dicen que es para impedir el crecimiento de otras religiones diferentes del hinduismo. No lo sé. Lo que sí sé es lo que a nosotros nos explicaron allí: que en Nepal hay un sentimiento profundo de que cada religión, etnia, práctica, cultura, tradición y diferencia social debe estar representada y tener libertad para expresar sus creencias e ideas, sin que nadie pretenda decirles que están equivocados y recomendarles o inculcarles otras ideas y creencias como superiores a las suyas –dijo Andrea cautelosa, intentando ser respetuosa con toda posible creencia u opinión, no dando opiniones propias sino hablando solo de hechos e informaciones que había leído o le habían dado.

–¿Sabes? De pronto, al hilo de la prohibición de practicar proselitismo en Nepal, he pensado en Robert… –dijo Javier–. Una cosa me chocó enormemente en su estilo de venta con Ainara.

–¿Solo una? –respondió irónica Andrea–. ¿Cuál? –preguntó encantada.

Y es que el mismo Javier había conectado con Robert. Fantástico. Había llegado el momento. Calma, se decía Andrea. Debía mantener el mismo ritmo que hasta ese momento.

–Se negó a recomendarle o aconsejarle una chancla u otra. Dijo, creo, que él nunca recomendaba nada a nadie… No lo entendí, justamente ese es su trabajo como experto, recomendar la mejor solución posible al Cliente, ¿no? –preguntó Javier.

–¿Y cuál crees que era la mejor solución posible para Ainara en términos de chanclas? –quiso saber Andrea.

–Yo no lo sé porque no soy experto en chanclas, pero seguro que él sí lo sabía, como experto en su materia –respondió tajante Javier.

–¿De modo que crees que siempre hay una solución única, objetiva, a un conjunto de necesidades o a una determinada situación? –volvió a preguntar Andrea, incitando a Javier a pensar.

Javier se calló. Necesitaba meditarlo. Quería encontrar una respuesta sólida que demostrara que tenía razón.

–No necesariamente una única, pero seguro que siempre habrá una mejor que otras –contestó.

–¿Mejor en función de qué criterios? –siguió interrogando Andrea.

–Hombre, tiene que haber criterios objetivos, basados en la racionalidad y el conocimiento –dijo Javier.

–Ok, entonces dime: ¿qué te ha ocurrido con el taxista de hoy? –preguntó de nuevo Andrea–. Él, como profesional del taxi, ha decidido elegir por nosotros la mejor ruta para llevarnos al aeropuerto, la más racional para él, basada en su experiencia y sus conocimientos. ¿Y cómo nos ha sentado eso? –Andrea intentó no poner ni un ápice de agresividad en su pregunta, haciendo tan solo una invitación a la reflexión.

–Ummmm… Lo primero que yo he pensado es que él no tenía derecho a decidir por nosotros, es verdad. Y como además he pensado que estaba claramente equivocado, he deducido de inmediato que nos quería timar –afirmó con seriedad y cierto tono defensivo.

–Es decir, ¿podríamos afirmar que cuando alguien decide por nosotros nos inspira desconfianza inmediata? –volvió a preguntar Andrea.

–Bueno, depende de quién lo haga, ¿no? En mi médico de siempre, confío. En ese señor del taxi que no conozco de nada y que no sé cuántas veces en su vida ha ido al aeropuerto desde mi casa, pues no. Eso es –dijo Javier, convencido de haber encontrado la vía adecuada–, vamos a pensar en un médico, por ejemplo. Como profesional de la medicina, nos dice qué tenemos que hacer para sanar si estamos enfermos. Y nos indica un tratamiento concreto. Decide por nosotros y lo aceptamos porque entendemos que es su función y que está formado y preparado para ello, ¿no?

–¿Seguro? La abuela Amparo toda la vida se ha dedicado a ir al médico, luego compraba las medicinas que él le indicaba, se leía el prospecto y entonces decidía cuáles se tomaba (o cuáles nos teníamos que tomar tu madre o yo o el abuelo) y cuáles no. Y no tiene conocimientos reglados de medicina, jajaja –respondió Andrea.

–Jajaja, ¿en serio?, qué buena la abuela –dijo Javier, liberando algo de tensión.

–Ya que tú has sacado el tema de la medicina, te voy a poner un caso, a ver qué te parece. Imaginemos dos hermanos gemelos de 25 años. Uno está perfectamente sano, mientras que el otro sufre una cardiopatía gravísima. Tan grave que a sus 25 años necesita de forma urgente un trasplante de corazón o morirá. De pronto, el sano, motorista, sufre un accidente en el que el casco le sale disparado en el momento del impacto. Los médicos determinan que está en coma profundo, muy cerca de la muerte cerebral: sus respuestas a los estímulos son mínimas, aunque no nulas. Dudan de que pueda llegar a despertar nunca. Y si se mantiene respirando y su corazón late es porque está conectado al soporte externo de un respirador –relató Andrea.

–Uff, qué drama. Creo que ya sé adónde quieres ir a parar… –cortó Javier.

–Los médicos informan a la familia de que sería posible usar el corazón sano del hermano en coma profundo para salvar al otro, dado que además sería totalmente compatible. Al menos se salvaría una de las dos vidas –prosiguió Andrea–. ¿Quién tiene que decidir si se desconecta o no al hermano en coma, los médicos expertos o la familia? –preguntó finalmente.

–No vale, es un dilema ético-moral de vida o muerte y está claro que un médico no puede decidir quién debe vivir y quién no –respondió Javier.

–Ok, de acuerdo, sobre la vida no pueden decidir. Vayamos a un caso que no sea de vida o muerte. Un caso de cada día, ¿te parece? Por ejemplo, el caso de Marc y su peroné roto haciendo patinaje «artístico» en una pista de hielo –dijo Andrea.

–¿En serio se rompió el peroné haciendo patinaje en una pista de hielo? –repitió divertido Javier. Afortunadamente, Marc no se enteró de que hablaban de él. Pero Javier decidió que se «la guardaba» para el momento adecuado.

–Sí, hijo, sí, yo no sé cuántas cosas se ha roto ya… –respondió resignada Andrea. Por suerte, Marc seguía concentrado en su tablet–. Tras las pruebas radiológicas de urgencia, quedó claro que tenía el peroné roto por encima del tobillo. Nada más mirar la radiografía, el jefe del servicio de traumatología dijo: «Marc, está claro. Rotura limpia, te operamos, te ponemos una plaquita y unos tornillos y en menos de 1 mes vuelves a estar patinando o haciendo lo que quieras». Pero su segundo de a bordo de pronto dijo: «¿No es la misma rotura que te hiciste tú hace un par de años? Y tú no te operaste. Te pusiste yeso y basta. Quizá él lo prefiera también…».

–¿Le desautorizó ante un paciente? –dijo atónito Javier.

–Bueno, presentó libremente su opinión. Y además el segundo de a bordo era muy amigo de la familia y digamos que velaba especialmente por los intereses de Marc –respondió Andrea.

–Y entonces, ¿qué pasó? –preguntó Javier.

–Marc pidió que le explicaran los pros y los contras de una u otra opción. Y así lo hicieron. La vía de la operación garantizaba una mejor soldadura y una más rápida recuperación, si bien suponía pasar 2 veces por quirófano, una para colocar la placa y otra, al cabo del tiempo, para quitarla. La otra opción suponía una recuperación más lenta y exigía además seguimiento intensivo y cambio regular del yeso para asegurar que nunca se moviera, aunque evitaba, eso sí, el paso por quirófano –contó Andrea.

–¿Y qué eligió Marc? –preguntó Javier.

–Prefirió el yeso y no se operó –respondió Andrea–. ¿Crees que su profesión y sus conocimientos otorgaban al traumatólogo jefe el derecho a decidir por Marc qué camino tomar? Más allá todavía, ¿crees que alguien tiene derecho a elegir por nosotros o a forzarnos a tomar una decisión concreta en cualquier ámbito de nuestras vidas?

–Pero aconsejar la mejor opción no es elegir por nosotros, ¿no? Diga lo que diga el médico, al final la decisión siempre es del paciente… –objetó Javier.

–Desgraciadamente, «recomendar la mejor o la única opción aconsejable» se parece demasiado a decidir por el otro y condiciona, sin duda, la decisión. Mira, fíjate: «No lo dude, este es el producto que más le conviene; si lo elige no se equivocará, yo no pensaría en ninguna otra opción, se lo digo con toda honestidad» –dijo Andrea–. ¿A qué te suena?

Javier lo pensó con detenimiento y tras un breve silencio contestó:

–Me suena a mí mismo cada día en la Concesión, la verdad –reconoció Javier apesadumbrado.

–En general, eso se hace con la mejor de las intenciones, porque realmente nosotros estamos convencidos de que esa es la mejor opción para esa persona. Estoy segura de que es tu caso en la mayor parte de las ocasiones, ¿verdad? –Andrea miraba a Javier, que asintió con sinceridad–. Pero es TU criterio, no necesariamente el del Cliente. Tenemos, todos, la tendencia natural a ir diciendo a los demás lo que tienen que hacer con sus vidas, en función de nuestras propias convicciones y experiencias…

–Supongo que es así, es cierto… –acompañó Javier.

–Si te fijas bien, hoy en día en medicina hay una tendencia creciente (aún no generalizada, hay que decirlo) a actuar de la siguiente forma: «Tenemos la alternativa a), que tiene como ventajas e inconvenientes estos, y la alternativa b), que tiene como ventajas e inconvenientes estos otros. Usted decide». Se trata de dar al paciente o al Cliente la máxima información posible, dejando claros los pros y los contras o riesgos de cada opción (algo que además debe responder a criterios de honestidad y transparencia, sin manipulación) para que él y solo él pueda tomar una decisión informada. Yo a esto lo llamo «asesoramiento no intrusivo» –dijo Andrea–. Que es, por cierto, exactamente lo que Robert hizo con Ainara y lo que pone en práctica con plena consciencia cada día. Es un ejercicio de profundo respeto por el otro que implica unos principios y valores de base muy fuertes y que requiere un profundo autocontrol, porque, como te decía, todos tenemos una tendencia natural a recomendar a los demás lo que nos parece mejor o nos gusta más a nosotros mismos.

–Vaya, ¿lo hago todo mal? ¿Por eso no estoy obteniendo resultados? –preguntó Javier afectado.

–En absoluto, nadie dice que lo hagas todo mal, ni mucho menos. Lo que ocurre es que todo el mundo cree que, en realidad, cualquiera puede vender con 4 pautas, siendo un poco simpático o agradable y con un cierto nivel de conocimiento de producto. Sin embargo, para vender hoy en día, garantizando una experiencia de Cliente excelente, es preciso aprender ciertas cosas en las que no se piensa nunca y, sobre todo, desaprender otras que nos parecen obvias y realmente no lo son. No es complicado, pero hay que hacerlo y, sobre todo, saber cómo hacerlo –respondió Andrea.

–¿Y en qué te basas para estar tan segura de ello? –preguntó Javier, sin agresividad.

–Hoy en día sabemos muchísimo más que hace 10 o 15 años sobre el funcionamiento del cerebro, la comunicación humana y los mecanismos implicados en la toma de decisiones –aclaró Andrea.

–¿Por ejemplo? –quiso saber Javier.

–Hay mucha información contrastada… Por ejemplo, Francesca Gino, psicóloga y profesora en Harvard, en su libro *Sidetracked* nos detalla los resultados de multitud de estudios científicos que ha realizado en los últimos años. Entre otras cosas, nos explica que a diario recibimos cientos de consejos de todo nuestro entorno: de nuestros compañeros de trabajo, de nuestra pareja, de nuestros padres o hijos, de los amigos, hasta de los medios de comunicación y las redes sociales. Un auténtico bombardeo. Y aunque la mayor parte de ellos están llenos de buenas intenciones y nos podrían ayudar a tomar mejores decisiones, los seres humanos no soportamos que nos den consejos. De hecho, los rechazamos profundamente. Es más, cuando alguien nos da un consejo, si a eso se añade que no lo conocemos bien, automáticamente desconfiamos de esa persona.

–Qué curioso… –dijo Javier.

–Marshall Rosenberg, creador del concepto de comunicación no violenta (CNV) y experto mundial en procesos de paz, mediación, conciliación, etc., decía que aconsejar es en realidad una forma de comunicación violenta, dado que quien aconseja se pone en una posición de superioridad sobre el otro («ahora te voy a contar lo que de verdad sirve o lo que deberías hacer con tu vida»), haciendo que, al desequilibrarse la comunicación entre dos seres humanos, se bloquee la empatía y se rompa la comunicación. Por eso rechazamos profundamente los consejos, porque destruyen la posibilidad de construcción de relaciones de confianza, basadas en una comunicación equilibrada.

–Yo, me estoy dando cuenta, no soporto los consejos, es cierto… –reconoció Javier.

–Ni tú ni la mayor parte de nosotros. Pero, todos sin excepción, nos dedicamos a aconsejar en un momento u otro del día. O a imponer o intentar hacer prevalecer, a veces sin darnos cuenta, nuestras opiniones o elecciones vitales. Yo me dedico justamente a aplicar ese y otros muchos conceptos para optimizar la venta *retail* y la venta presencial persona a persona (aunque sea B2C o B2B) –respondió Andrea, mirando a Javier a los ojos con una sonrisa–. Hoy en día parece preciso comprender ese y otros mecanismos improductivos (que los Clientes en realidad rechazan) para conseguir ventas experiencialmente poderosas para nuestros Clientes. ¡Nos va el futuro en ello!

–La verdad es que ahora me cuesta ver cómo puedo vender sin recomendar ni aconsejar. Me sigue pareciendo muy chocante. Además, algunos Clientes me dicen literalmente: «¿Y tú qué me aconsejarías?». ¿Qué debo hacer ante eso? ¿Tú me podrías ayudar a comprender y aplicar todas esas cuestiones de las que hablas? La verdad es que se me ocurren todavía muchísimas preguntas sobre esto de la recomendación, el dar consejos y la confianza –admitió humildemente Javier.

–Es lógico, es un tema complejo y amplio. Y nada me podría hacer más ilusión que recorrer contigo, juntos, hombro con hombro, este camino de descubrimiento, con una nueva mirada –le dijo Andrea, feliz, haciéndole de nuevo un guiño a los «amigos» Cervantes, Proust y Henry Miller–. Pero hemos empezado un poco la casa por el tejado… Quizá antes de tener que llegar a recomendar o no una determinada solución a un Cliente haya pasos previos, ¿no? ¿Qué te parece si empezamos por el principio, por los cimientos? –preguntó Andrea con suavidad.

–Sin duda, me parece lo más razonable –confirmó Javier, insinuando una leve sonrisa.

3.10 PUEDEN DESABROCHARSE LOS CINTURONES (FASE 0: PREPARARSE PARA LA VENTA NO SIGNIFICA SOLO TENER LA EXPOSICIÓN IMPECABLE)

–Ha llegado la hora de sacar mis notas, ¿verdad? –preguntó Javier con voz apagada.

–Jajaja, suena como algo malo, como si te fuera a llevar al matadero, ¿no? Si no te apetece, podemos dejarlo… –respondió Andrea–. Solo me gustaría decirte que yo no pretendo juzgar ni una sola de tus opiniones u observaciones. Me gustaría que te sintieras así, no evaluado por mí. ¿Lo ves posible?

Javier respiró profundamente. Se le notaba nervioso, tenso. Al cabo de unos instantes, respondió:

–Supongo que me siento inseguro porque mis resultados no me han acompañado en estos meses y me da vergüenza que me puedas ver como un torpe o un incapaz –reconoció Javier, sin atreverse a mirar a Andrea.

–¿En serio crees que yo te podría ver alguna vez como un torpe o un incapaz? Decir lo que has dicho, reconocer cómo te sientes, me parece de una inteligencia y una valentía tremendamente poderosas, ¿sabes? –respondió convincente Andrea sin dejar de mirarle a los ojos.

–Pues en estos momentos no me siento ni inteligente, ni valiente, ni poderoso, la verdad –dijo Javier.

–Oye, ¿qué te parece si establecemos unos acuerdos de funcionamiento de obligado cumplimiento en este «juego»? Quizá nos aporten tranquilidad y seguridad a los dos, ¿qué opinas? –propuso Andrea.

–No sé si entiendo a qué te refieres con «acuerdos de funcionamiento» –dijo Javier.

–Sí, mira… Yo, por ejemplo, necesito que uno de nuestros acuerdos de funcionamiento sea que nos respetemos por encima de todo, con todo lo que ello significa: si uno está cansado, pues descansamos; cuando uno habla, el otro escucha con atención; todas las opiniones tienen valor, etc. ¿Qué te parece? –preguntó Andrea.

–Me parece bien, lo compro. ¿Propongo yo ahora otro acuerdo? –preguntó a su vez Javier. Andrea le miró y levantó las manos con las palmas hacia arriba indicándole libertad de acción–. Yo propongo como acuerdo el derecho a equivocarse. Que esto no sea un examen, sino una conversación –dijo Javier.

–Compro totalmente. Yo propongo que nos demos permiso para decir en todo momento lo que creamos, lo que sintamos. Y si algo nos hace sentir incómodos o no lo entendemos, que lo digamos con total confianza e igualdad, sin miedo –dijo Andrea.

–Compro. Yo propongo que si uno incumple uno de estos acuerdos, pueda indicárselo al otro sin que este otro se enfade –dijo Javier.

–Jajaja, me gusta, compro. Yo propongo que los dos tengamos la mente abierta, lo que se llama mente de principiante. Que no nos cerremos a nada y exploremos cada nueva idea u opinión con interés verdadero –propuso Andrea.

–¿Eso será aplicable a todo el viaje o solo a nuestra conversación? Es que yo, por ejemplo, lo de comer gusanos, serpientes, lagartos, escarabajos, hormigas, escorpiones y todo ese tipo de bichos, lo llevo regular… –reconoció Javier.

–Jajaja, podemos hacer que aplique a lo que nosotros queramos, ¡son nuestros acuerdos! –recordó Andrea.

–Ok, vale, pues compro, pero siempre que no incluya la comida –dijo Javier.

–Vaaaaale –dijo Andrea–. Y yo propongo que tengamos permiso para cambiar, quitar o incorporar nuevos acuerdos en cualquier momento y siempre, claro, de mutuo acuerdo, ¿te parece?

–Me parece. ¿Algo más? –dijo Javier–. A mí no se me ocurren más cosas.

–A mí tampoco ahora. ¿Te hacen sentir mejor estos acuerdos? –preguntó Andrea.

–La verdad es que, no sé por qué, pero reconozco que sí… Gracias, Andrea. Oye, ¿tú los has escrito? Porque yo no… –pensó de pronto Javier.

—Claro, aquí están —dijo Andrea, enseñándole una página de su propia libreta. Se titulaba «Alianza Javier-Andrea».

—Perfecto. Estoy listo para empezar —confirmó más seguro Javier—. ¿Puedo grabar nuestra conversación con mi móvil? Así no me tengo que preocupar por tomar nota de todo, solo de las dudas, y podré estar mucho más atento y concentrado… Y reescucharla siempre que lo necesite.

—Genial, sin problema, venga. Propongo que intentemos «deconstruir» paso a paso todo lo que ocurrió en la tienda de Robert, para ver qué conclusiones podemos sacar de su manera de trabajar, ¿qué te parece? —invitó Andrea. Javier asintió con la mirada—. A ello, pues. ¿Sabrías decirme qué es lo primero que se te pasó por la cabeza al entrar en la tienda de Robert?

Javier cerró los ojos, respiró hondo y se tomó su tiempo para rememorar la experiencia vivida:

—Recuerdo que llegaba algo enfadado de la experiencia anterior, pero nada más entrar, su tienda me pareció un lugar muy ordenado, pequeño y acogedor, y eso enseguida me apaciguó un poco. Y ver el cartel de Kilian Jornet con Robert (aunque aún no supiera que era él) me impactó, me hizo pensar que el dueño de la tienda debía de ser un gran profesional.

—Genial, ¿podríamos decir entonces que lo primero que captaste fue el ambiente general de la tienda? —preguntó Andrea mirándole. Javier asintió—. Perfecto, ¿algo más?

—Me impactó su calidez y la sincera acogida que te hizo. Me pareció una persona discreta, comedida y a la vez muy amable y correcta. Me gustó la primera impresión que me dio, su actitud, me pareció que tenía muy buena predisposición general —dijo Javier, en un ejercicio intenso de reflexión.

—Qué bueno, Javier, qué observaciones tan detalladas —reconoció Andrea—. ¿Te parece que todo eso es importante?

—Hombre, por supuesto. Conociéndome, si la tienda me hubiera parecido un caos y/o él un borde o un distraído o un «yo qué sé qué», rollo hipersimpático falso, yo no habría comprado seguro –aseguró Javier.

–Creo que has explicado la **Fase 0 o de Preparación de la venta** de forma muy clara: todo el ambiente de la tienda debe estar cuidado, listo y preparado para la venta; es preciso tener dispuesto el entorno y las herramientas de ventas, algo que suelen tener claro todos los Vendedores. Y aun así, por cierto, a menudo descuidan este aspecto crucial. Lo que no todo el mundo tiene tan claro es la importancia de **la preparación de uno mismo**. Y no se trata solo de tu aspecto físico externo (obviamente, no puedes oler mal o no ir aseado), sino que la cuestión va mucho más allá y tiene que ver, como tú has dicho, con la predisposición personal, con una actitud de visión positiva ante las cosas. Plenamente consciente. A mí también me parece que Robert tiene y transmite eso –explicó Andrea.

–Totalmente de acuerdo. Y no se trata de «ponerse la careta», como dice un compañero mío, ¿verdad? –confirmó Robert.

–Efectivamente, esto no va de caretas, no puede ser una pose, porque las poses se ven a la legua. Por eso es algo que hay que trabajar, y mucho. ¿Conoces el principio 90-10 de Stephen R. Covey?

–Sí…, me suena que me hablaron de él en el máster, pero sinceramente creo que no le presté mucha atención y no lo recuerdo –dijo Javier.

–Es un principio que puede parecer muy simple… Y tiene años ya… Pero a mí me sigue pareciendo tan poderoso… Viene a decir que solo el 10 % de las cosas que nos ocurren están fuera de nuestro control (un avión que llega con retraso, un camión averiado en nuestra ruta habitual al trabajo, que a nuestra hija se le caiga la leche en el desayuno y nos manche el traje, etc.), mientras que el 90 % restante de todo lo que nos ocurre depende de cómo respondemos nosotros ante esas cosas que suceden. Y que está totalmente en nuestras manos decidir entre enfadarnos y sentirnos contrariados o tener una visión y una actitud positivas ante ellas. Zig Ziglar también lo decía: «No puedes controlar todo lo que te ocurre en la vida, pero sí tus actitudes ante todas esas cosas». Y eso es un **ejercicio de responsabilidad personal**.

–¿A qué te refieres? –preguntó Javier.

–A que quien dice «hoy estoy supercabreado porque un inútil se me ha cruzado en el camino y le he dado un golpe con el coche, fíjate qué faena me ha hecho» en realidad está haciendo responsable del golpe y del cabreo al «inútil que se ha cruzado», rechazando toda responsabilidad personal en el tema –respondió Andrea.

–Ya, «YO estoy cabreado y TODO es por culpa del OTRO», ¿es eso? –dijo Javier.

–Exactamente. Es como quien dice: «Es que me sacas de quicio», o: «Es que me pones muy nerviosa». Cada uno se saca solito de quicio o se pone nervioso, nada (o poco) tiene que ver con los demás. Nosotros somos los únicos responsables de nuestras actitudes y comportamientos –explicó Andrea.

–Bufff, desde luego no es lo que solemos hacer, ¿no? Somos unos «hachas» cuando se trata de encontrar algo o a alguien culpable de todo lo que nos pasa… Es cierto… Qué fuerte y qué interesante –reflexionó Javier.

–Sí, lo hacemos todos y a todas horas. Por eso es tan importante estar siempre atento y procurar rectificar si nos damos cuenta de que lo estamos haciendo. ¿Seguimos? –preguntó Andrea.

–¡Claro! –respondió Javier.

3.11 EN VUELO
(FASE 1: UNA NUEVA FORMA DE ACOGIDA.
¡EL ESTILO RELACIONAL DEL CLIENTE IMPORTA!)

−Me has dicho que te impactó cómo me saludó Robert −continuó Andrea.

−Sí, te dio un cariñoso abrazo, que me pareció a la vez muy respetuoso −respondió Javier.

−Y a ti, ¿recuerdas cómo te saludó? −preguntó Andrea.

−Me dijo hola, con corrección y discreción, pero no me dio la mano. ¿Eso está bien? A nosotros en la Concesión nos dicen que siempre tenemos que sonreír efusivamente y dar la mano con energía a todos los Clientes que entran por la puerta. Y a mí me cuesta un horror, no me parece sincero, la verdad… −reflexionó Javier.

−Ok, recojo tu duda. Si me permites, para responderte necesito seguir preguntándote. ¿A ti qué te pareció su forma de saludarte? ¿Te hizo sentir bien o te hubiera gustado otro tipo de saludo? −preguntó de nuevo Andrea.

−Lo cierto es que si me hubiera intentado dar un abrazo como el tuyo, me habría hecho sentir terriblemente incómodo, habría encontrado que no venía a cuento −dijo Javier.

−¿Y el apretón de manos, lo echaste de menos? −matizó Andrea.

−La verdad es que no… Yo llegaba un poco enfadado, no le conocía de nada, no sentía que tuviera la confianza suficiente con él para un saludo más «cercano», para que me tocara… Si me hubiera dado un apretón de manos potente y efusivo con una gran sonrisa, creo que habría pensado: «Vaya, otro como la Vendedora de la otra tienda» −confesó Javier.

−Así que, ¿te parece que podríamos decir que la primera impresión, el saludo y una apertura de la conversación de ventas ajustados son importantes? −resumió Andrea.

−Sin duda… −respondió Javier.

−Ok, volvamos al tema del saludo y la apertura de la conversación. Entonces, a ti y a mí nos hizo un tipo de saludo distinto y resulta que bastante ajustado a lo que esperaba cada uno de nosotros, ¿no? –puntualizó aún más Andrea.

–Sí, la verdad…, es como si nos hubiera «leído». También recuerdo el saludo a Ainara, mucho más efusivo. Y ella le decía constantemente algo así como «alucino sobre cómo me lees» –pensó en voz alta Javier.

–¿Y por qué o cómo crees que hizo lo que hizo Robert? –preguntó Andrea.

–No lo sé…, pero percibió de alguna manera que así nos haría sentir más cómodos… –respondió Javier.

–¿Y crees que lo hizo de forma casual, instintiva, o de forma plenamente consciente? –planteó Andrea.

–Pues no tengo ni idea, la verdad… –Javier se detuvo un segundo e inmediatamente le vino algo a la cabeza–. Aunque en la conversación que tuve al final con él me dijo que se había dado cuenta nada más verme entrar en la tienda de mi «tipología» como Cliente… ¿Tiene que ver con eso?

–¿Eso te dijo Robert? Jajaja, ¡qué crack! –rio Andrea.

–… Y que te preguntara a ti lo que significaba exactamente, dado que tú habías sido su maestra… –confesó Javier.

–Jajajaja, qué grande nuestro Robert. Además de brillante, me parece una persona de una generosidad enorme, la verdad… Pues sí, totalmente, tiene TODO que ver con las tipologías –respondió con énfasis Andrea.

–Pero, a ver, ¿no tiene más sentido que cada uno salude según como se siente? Yo creo que para ser honesto y sincero, uno debe mostrarse como es, debe ser auténtico, ¿no? Yo soy un tipo serio y me siento más a gusto y natural haciendo un saludo más serio, la verdad…

–¿Y si la persona que viene a tu Concesión es mucho más alegre, como Ainara, qué? ¿Crees que tu saludo serio funcionará con ella? –le preguntó de nuevo Andrea.

–No, supongo que no, claro… ¡De hecho, no me funciona, jajaja! Ya lo tengo más que comprobado: no suelo vender nada ni a uno solo de esos Clientes «dicharacheros» –reconoció Javier–. En cuanto los detecto, ¡siempre estoy tentado de pasárselos directamente a un compañero que se comporta como ellos!

–Exacto. Y lo mismo al revés: si un Vendedor, digamos, «dicharachero», como tú lo llamas, se comporta desde su «supuesta autenticidad» con un Cliente que entra que es, pongamos, como tú, mucho más serio, ¿cómo crees que va a ir la cosa?

–Pues fatal, está claro, ahora lo veo. Choque de trenes, incomprensión y rechazo mutuo total, así, de buenas a primeras –reconoció Javier.

–Lo has descrito con absoluta precisión. ¿Y por qué crees que nos ocurre eso? –preguntó de nuevo Andrea.

–Supongo que entendemos, reconocemos o nos gustan más las personas que se parecen más a nosotros, ¿no? –opinó Javier.

–En efecto. Jonah Lehrer, en un número de la revista *Wired* del año 2016, lo denominó «fenómeno de la atracción por lo similar» *(similarity-attraction effect)*: un observador tiende a valorar mejor a otra persona cuando esta se parece a él. En el caso que nos ocupa, cuando tenemos ante nosotros a una persona con comportamientos distintos a los nuestros, tendemos inconscientemente a maximizar en negativo aquellos que más nos chocan de ella. Es decir, nos focalizamos en lo que más rechazo nos genera del comportamiento de esa persona. Se trata de un instinto social un tanto arcaico, un mecanismo de pura supervivencia. Se cree que es el mismo que usa una gacela para asociarse a otra gacela y, en cambio, la impulsa a salir corriendo, aunque sea una recién nacida, si ve a un león, el cual, al ser diferente, puede representar una amenaza para su vida –explicó Andrea.

–¿Y entonces? Si es casi instintivo, ¿qué hacemos, podemos «luchar» contra eso? –preguntó Javier.

–De nuevo, aparece aquí la necesidad de ejercer una responsabilidad activa y consciente sobre nuestras emociones y sentimientos. En tu mano está la decisión final de si quieres aceptar sin más eso que envía tu cerebro emocional a tu cerebro racional de forma automática o sobreponerte a ello. Cuando hacemos un esfuerzo consciente por intentar comprender, valorar y aceptar lo que es distinto en el otro, de pronto se nos puede aparecer como válido. ¿No te ocurrió a ti eso con Ainara cuando decidió comprar un montón de chanclas para regalar a los niños nepalíes? –dijo Andrea, en un susurro para que su amiga no pudiera oírlo.

–Sí, ¿cómo lo sabes? –preguntó intrigado Javier.

–Lo noté en tu lenguaje no verbal. En ese momento, me pareció que dejaste de considerarla una loca para reconocerle su especial creatividad y sensibilidad. Fíjate cómo cambia la película: de «loca o chalada» a «persona brillante y generosa con los demás», ¿no? –puso sobre la mesa Andrea.

–Vaya, es cierto… Pero se me están escapando algunas cosas, como lo del cerebro emocional y el racional, qué viste en mi lenguaje no verbal… ¿Me las explicarás? –preguntó Javier, a la vez que apuntaba en su libreta.

–Sí, por supuesto, un poco más adelante, si me dejas –respondió Andrea.

–Claro. Entonces, ¿cómo deberíamos actuar para realizar un saludo inicial y una acogida adecuados para cada persona? –quiso saber Javier.

–El ejercicio que habría que hacer con un Cliente que entra por la puerta es el siguiente: en primer lugar, deberíamos hacer una **observación consciente** de cada persona, analizar de forma rápida las **claves de su estilo relacional o de su tipología como Cliente** y, después, realizar un **espejado**, es decir, casi «mimetizarnos» con su comportamiento, eso sí, sin imitación ni parodia. Es lo que los Clientes esperan. Detrás de eso hay un esfuerzo consciente, como decíamos, de **reconocimiento, aceptación y respeto por el otro** que nos conecta automáticamente con sus propios códigos de comunicación. Eso es exactamente lo que hizo Javier: te observó nada más entrar, se dio cuenta de cuál era tu tipología comportamental y ajustó su saludo y su forma de dirigirse a ti a lo que tú esperabas. Se espejó contigo.

–Y todo eso en fracciones de segundo… –dijo Javier, algo incrédulo.

–Efectivamente –confirmó Andrea–. Es más sencillo de lo que te pueda parecer ahora. Requiere, eso sí, de algo de entrenamiento.

–¿Y no significa un poco dejar de ser fiel a uno mismo y convertirse en un actor? –insistió Javier.

–¿Sentiste que no eras tú mismo cuando de pronto algo en ti te dijo que quizá Ainara no era tan loca como creías? –preguntó Andrea.

–No, en absoluto… Y es cierto que ahora me siento algo más abierto a mantener una conversación constructiva con ella –reconoció Javier–. Oye, ¿de verdad crees que yo voy a ser capaz de hacer todo eso que hace Robert en décimas de segundo? Mira que yo soy un zoquete emocional total, yo esas cosas no las pillo con facilidad…

–Por supuesto. Y es que, aunque ahora creas que no, resulta que todos somos a la vez seres emocionales y racionales. Solo que algunos son más conscientes de ello y otros lo somos menos… –confirmó Andrea.

–Y Robert es de los conscientes de ello, ¿verdad? –verbalizó Javier.

–Ha aprendido a serlo, sí. Todos podemos aprenderlo –respondió Andrea.

–¿Y por qué eso es tan crucial en las ventas? –reflexionó nuevamente Javier.

–Es el punto de partida clave. Cuando nos espejamos con alguien, transmitimos de forma no verbal el siguiente mensaje: «Soy de tu tribu, te reconozco y te acepto, puedes confiar en mí», que el receptor capta al instante, también de forma no verbal. **Sin esa interacción no verbal de espejado y aceptación implícita, no es posible una verdadera comunicación efectiva. Y tampoco, claro, ninguna conversación de ventas productiva.**

–Tiene que ver con lo que se ha dicho siempre de no prejuzgar, ¿verdad? –preguntó Javier.

–Bueno, cuidado, esa es una confusión habitual. Los seres humanos no podemos dejar de juzgar o de prejuzgar. Nunca. Es un mecanismo que viene «de serie» en nuestro cerebro. Y es un mecanismo en realidad altamente evolucionado y sofisticado, que sirve a la supervivencia. En su libro *Pensar rápido, pensar despacio*, Daniel Kahneman nos ofrece una panorámica metafórica, hoy comúnmente aceptada, de cómo trabaja nuestro cerebro. Kahneman, doctor en Psicología, pionero de la ciencia de la economía conductual junto a Amos Tversky y premio nobel de Economía en el año 2002, nos explica que nuestro cerebro se compone de dos sistemas, el Sistema 1, responsable del pensamiento rápido, y el Sistema 2, responsable del pensamiento lento. Para entendernos mejor, podemos llamar al Sistema 1 cerebro emocional y al Sistema 2, cerebro racional. Aunque ambos son mucho más que eso, por eso él prefiere hablar de Sistema 1 y Sistema 2. Pero nos sirve. Una de sus más extraordinarias aportaciones ha sido romper con la idea clásica de que la mente humana es fundamentalmente racional y su pensamiento es, así, sano. Y que las emociones, como por ejemplo el miedo, el amor, el odio, etc., son insanas y nos alejan patológicamente del pensamiento racional. Platón lo contaba así en su alegoría del auriga (el intelecto, la razón) que conduce un carro de caballos alados (las emociones que deben ser controladas por el auriga) y esa idea pervive aún hoy en la mente de muchas personas.

–Está mal visto dejarse llevar por las emociones, es verdad –dijo Javier.

–Afortunadamente cada vez menos, pero aún persiste esa idea de más de 2000 años de antigüedad –respondió Andrea.

–¿Me cuentas más acerca de cómo funciona nuestro cerebro? –pidió Javier.

–El Sistema 1 o cerebro emocional es responsable de, digamos, un funcionamiento rápido y automático, sin esfuerzo ni sensación de control consciente. El Sistema 2 o cerebro racional es responsable de todo aquello que requiere una actividad mental compleja y es lento y aparentemente consciente. El Sistema 1 no sabe encontrar la solución a la operación de 19 x 26. Sin embargo, 1 es el responsable de identificar de forma instantánea el origen, el propietario y el tipo de llanto concreto (de hambre, dolor, etc.) de nuestro hijo entre otros 20 niños para acudir en su ayuda. O de reconocer un ruido atípico en un callejón oscuro que nos haga salir corriendo. A todos esos funcionamientos automáticos los llamamos «prejuicios». En realidad, son un tipo de actividad de nuestro Sistema 1, «diseñado» para nuestra supervivencia y la de nuestros cachorros. Por eso, muchos autores, como Daniel Siegel, también lo llaman cerebro mamífero. Porque lo desarrollaron los mamíferos, esos animales que dan a luz crías que no son capaces de sobrevivir por sí mismas de forma inmediata y requieren una cantidad enorme de atención y cuidados. Un cerebro capaz de hacer eso debe de ser muy bueno gestionando las emociones de sus cachorros, porque ha de ser capaz de comprender lo que sienten y necesitan en todo momento.

–Caramba con el cerebro mamífero –reflexionó Javier.

–Daniel Siegel también nos explica, en su libro *El cerebro del niño*, que el Sistema 2 es el que evolucionó más tarde en el ser humano y que, a la vez, es el que más tiempo tarda en desarrollarse en toda persona. Por eso cuando somos niños tenemos muchas más respuestas con prevalencia de nuestro cerebro emocional. De hecho, al parecer el cerebro racional no está plenamente desarrollado en una persona hasta aproximadamente los 20-25 años y ello siempre que esa persona reciba estímulos de calidad que permitan su desarrollo. Nos referimos en gran medida al famoso córtex prefrontal, habrás oído hablar de él. Se localiza aquí, detrás de la frente –dijo Andrea tocándose con su dedo índice derecho.

–Qué sorprendente e interesante, Andrea. Estoy algo chocado, la verdad. Ahora entiendo lo que me decías de que todos somos «emocionales y racionales a la vez», aunque algunos nos empeñemos en creer que no es así y que todo es y debe ser 100 % racional –reconoció Javier algo apesadumbrado.

–António Damásio, eminente neurólogo, lo dejó completamente claro ya en su libro de 1994, *El error de Descartes*. En él nos contaba que a decir verdad solo podemos tomar decisiones gracias a la conexión de las emociones con el pensamiento racional consciente. Sus investigaciones, iniciadas en el año 1982, con su conocido paciente Elliot son apasionantes.

–¿Y eso? ¿Por qué? –preguntó Javier curioso.

–Elliot había sido operado con éxito de un tumor cerebral ubicado en su corteza orbitofrontal. Después de la operación, todas sus funciones intelectuales y motoras parecían intactas. Sin embargo, algo había cambiado en él: era incapaz de tomar decisiones. Hasta las más simples (como qué comer ese día o cómo vestirse) se convirtieron para él en auténticos problemas. Podía analizar durante horas la carta de un restaurante y decenas de factores adicionales (qué había cenado la noche anterior, la cantidad de proteínas de cada plato…) hasta poder decidir qué comer… Su vida entera se desmoronó: su mujer le dejó, perdió su trabajo… Y entonces fue a visitar al doctor Damásio –contó Andrea.

–¿Y qué descubrió en él el doctor Damásio? –preguntó Javier de nuevo.

–Pues el doctor Damásio descubrió que tanto Elliot como otros pacientes con lesiones cerebrales en la misma zona (la corteza orbito-frontal) habían dejado de ser capaces de procesar sus propias emociones –respondió Andrea.

–O sea, que ¿un ser humano sin emociones sería incapaz de decidir? –dijo Javier atónito.

–En efecto. Así que Platón, Descartes y tantos otros iban al parecer errados… El cerebro racional no existe para librarnos de las emociones, sino justamente para lo contrario, para procesarlas y darles cauce –dijo Andrea.

–Ostras, me resulta muy difícil de asimilar… Yo me tengo por una persona profundamente racional… –insistió Javier.

–Lo sé. Nos ocurre a muchos, a la mayoría. Pero, como nos cuenta Daniel Kahneman, los Sistemas 1 y 2 están siempre activos mientras permanecemos despiertos. El Sistema 1 actúa de forma automática y el Sistema 2 está habitualmente en un confortable modo de mínimo esfuerzo. El Sistema 1 hace de continuo sugerencias al Sistema 2: impresiones, intuiciones, intenciones y sensaciones. Si al Sistema 2 le parecen bien y las aprueba, se convierten en creencias y los impulsos en acciones voluntarias. Y ese es el funcionamiento del cerebro la mayor parte del tiempo: el Sistema 2 acepta las sugerencias del Sistema 1 con poca o nula modificación. Cuando el Sistema 1 encuentra una dificultad que no sabe resolver de forma inmediata, como 19 x 26, llama al Sistema 2 para que le sugiera un procedimiento más detallado y preciso para resolver el problema. Y entonces se produce un aumento de la atención consciente. El Sistema 2 es activado cuando asistimos a un acontecimiento que altera el modelo del mundo que el Sistema 1 mantiene.

–¿Me pondrías un ejemplo más del día a día? –preguntó Javier.

–Imagina que, interesado en un vehículo, entra en tu Concesión un señor con un cerdito vietnamita sujeto por una correa, como si llevara un perrito –dijo Andrea–. ¿Qué harías, cómo reaccionarías?

–Me haría la misma poca gracia que cualquier otro Cliente que entrara con un perro o con cualquier otro bicho… Pensaría que está un poco mal de la cabeza y supongo que le pondría la misma mala cara… –reconoció Javier.

–Ya, para ti resulta incomprensible que haya personas que traten a sus mascotas como si fueran miembros de su familia, compartiendo comida, besos o incluso cama. Y más incomprensible aún que se vayan a comprar un coche con ellos –comentó Andrea–. Fíjate, tu reacción estaría ordenada por tu Sistema 1. Y tu Sistema 2 habría aceptado lo que tu Sistema 1 le proponía, sin más, convirtiéndose en una creencia.

–Ya me cuesta relacionarme con las personas, como para hacerlo con otros animales… –dijo Javier.

–¿Se permite la entrada de Clientes con mascotas en tu Concesión? –preguntó Andrea.

–No he visto nunca ningún cartel que diga lo contrario. Y debo decir que a veces entran Clientes con niños que seguramente se portan peor que los perritos o los cerditos vietnamitas… –dijo Javier irónico.

–Jajaja, ¿me dejas que sea un poco provocadora? –preguntó Andrea.

–Vamos, que si te dejo ser como siempre, quieres decir… –contestó Javier, con un punto de malicia.

–Jajaja. Ok, *touchée*. Si nada impide en la Concesión que los Clientes acudan con sus mascotas (o con sus hijos, jajaja), ¿quién eres tú para decidir si está bien o está mal que un Cliente acuda acompañado de su cerdito vietnamita y permitirte a ti mismo recibirle con cara de pocos amigos? –preguntó Andrea.

–Ya, supongo que pienso que es un tema de higiene y de respeto hacia los demás y por eso me parece mal. Puede que haya otros Clientes a los que no les gusten… Y yo también tengo derecho a tener opinión, ¿no? –explicó Javier.

–¿Y si los propietarios de esas mascotas las tienen en perfecto estado higiénico y consideran también un derecho propio el ser respetados con ellas, por ejemplo a la hora de comprarse su futuro coche? ¿Crees que estarían coartando algún derecho fundamental tuyo o de otros Clientes? –volvió a preguntar Andrea.

–Hay un conflicto, es evidente –aceptó Javier.

–En el año 2011, el cómico americano Mark Malkoff se presentó con una cabra en la tienda Apple de la avenida Broadway con la Sesenta y Siete, en pleno Manhattan –relató Andrea.

–¿Con una cabra-cabra, viva? ¿En serio? –preguntó risueño Javier–. ¿Y qué pasó?

–Pues que además se sentó en una mesa, pidió una pizza por teléfono, se la llevaron y se la comió. Imagino que debió de estar no menos de media hora en la tienda. Lo grabó todo y lo subió a My Damn Channel y a otras webs –prosiguió Andrea–. ¿Crees que alguien le invitó a marcharse de la tienda o le recriminó sus acciones?

–No lo sé… Imagino que si me lo estás contando es que no… –respondió Javier.

–No, en efecto. ¿Y por qué crees que pudo hacer todo lo que hizo? –preguntó de nuevo Andrea.

–Bueno, Apple es una marca que se identifica con esos valores, con la tolerancia y el respeto a todo y a todos, ¿no? –aceptó Javier.

–En efecto. Según parece, a una tienda Apple (al menos en Estados Unidos) puedes ir con una cabra, pedirte y comerte una pizza o ir totalmente disfrazado de Darth Vader a comprarte un iPhone, o bien marcarte un baile con música de Pink a todo volumen con un grupo de amigos entre las mesas de los flamantes iPads y MacBooks –confirmó Andrea.

–Ya, según tú…, ¿qué derecho tendría un Vendedor de una tienda Apple a sentirse ofendido por esas expresiones y no atender como toca a cada Cliente, no? –dijo Javier.

–Eso es lo que parece que cree Apple. Obviamente, todos esos comportamientos son excentricidades, se salen de lo habitual, y a cada persona, a cada Vendedor, su Sistema 1 le enviará una impresión determinada al verlas, a cada Vendedor la suya. El tema es que desde el Sistema 2 puedes decidir en consciencia si aceptas o no esa propuesta y qué actitud tomas ante esas expresiones de conducta de los Clientes –dijo Andrea.

–Quieres decir con todo esto que todos tenemos prejuicios, que son inevitables. Los tenemos, van con nosotros. Pero que, desde la consciencia, activando nuestro Sistema 2, podemos decidir si los aceptamos o no, ¿verdad? –preguntó Javier.

–¿Te parece razonable? –preguntó Andrea.

–La verdad es que sí, totalmente. Caramba con la apertura de mente. Cuántas sorpresas –reconoció Javier–. Sí, ahora veo que eso es lo que hace Robert. Él tiene un sentido profundo del respeto por cada Cliente, que nace del reconocimiento y la aceptación de cada uno a través de la gestión consciente de sus emociones.

–Javier, no sabes lo mucho que me emociona oírte hablar en estos términos –reconoció Andrea mirando a Javier con cariño–. Y esa es la base para iniciar una relación de confianza con tus Clientes. Que es la siguiente gran clave en las ventas.

3.12 VELOCIDAD DE CRUCERO (LA TRIPLE C DE LA CONFIANZA)

–¿De verdad es necesario establecer una relación de confianza con los Clientes? ¿Por qué? –preguntó Javier–. Yo siempre he pensado que mis Clientes son mis Clientes y no tienen por qué ser mis amigos.

–De nuevo aquí hay que ser muy precisos, porque este tema es objeto de múltiples confusiones. Establecer una relación de confianza no significa ni entablar una relación de amistad ni ser el tipo más simpático del mundo con los Clientes. Durante mucho tiempo se habló de que la venta era un hecho relacional y de que, por tanto, era preciso establecer una «relación» con el Cliente para conseguir la venta. Y ahí entró de todo: invitaciones a comidas, barbacoas con las familias, fines de semana en barco, cenas a lo grande, congresos en paraísos tropicales, fiestas de todo tipo, copas, juergas… No hablamos de nada de eso en absoluto –respondió Andrea con seriedad y contundencia.

–Pues menos mal, porque odio todo eso –comentó aliviado Javier.

–Establecer una relación de confianza hoy en día pone su foco no tanto en la palabra *relación* como en la palabra *confianza* –explicó Andrea–. Si bien es evidente que para que exista confianza debe producirse una interacción entre dos personas, una conversación. Es decir, existirá una relación interpersonal, claro.

–Ya, pero ¿cómo voy a tener confianza con alguien, un potencial Cliente, que no conozco de nada? ¿O cómo va a confiar un Cliente en mí si no me conoce de nada? –preguntó nuevamente Javier.

–Qué apreciaciones tan precisas haces, Javier, gracias. ¿Te parece que de nuevo vayamos paso a paso? –dijo Andrea, totalmente encantada. Javier asintió con la cabeza–. En primer lugar, te propongo que intentemos comprender qué es exactamente la confianza. En segundo lugar, que analicemos por qué establecer una relación basada en la confianza es crucial en las ventas. Y en tercer y último lugar, que reflexionemos sobre si la confianza se tiene o no se tiene o si se puede construir. ¿Te parece? –propuso Andrea.

–Me parece. Disparo. ¿Qué es la confianza? –preguntó Javier lentamente, marcando cada palabra.

–Te podría responder con la famosa frase de Jack Welch, expresidente de General Electric, que respondió a esa pregunta diciendo: «Lo sabes cuando la sientes», pero sé que a ti esa respuesta no te va a servir, ¿verdad? –se aventuró risueña Andrea, guiñándole un ojo a Javier.

–Pues no, no me sirve, has acertado de pleno, jajaja –respondió Javier.

–Está bien. A ver así. La psicóloga social Laurence Cornu dijo que «la confianza es una hipótesis sobre la conducta futura del otro. Es una actitud que concierne al futuro, en la medida en que este futuro depende de la acción de otro». Se trata, por tanto, de una idea que estima que una persona será capaz de actuar de una cierta manera frente a una determinada situación. De acuerdo con la mayor parte de las teorías que la abordan, la confianza supone una suspensión, al menos temporal, de la incertidumbre respecto a las acciones de los demás. No saber qué es lo siguiente que va a pasar en cualquier situación es habitualmente una fuente de ansiedad para el ser humano. De este modo, dado que con confianza es posible suponer un cierto grado de regularidad y de predictibilidad, la seguridad aumenta. Cuando alguien confía en otro, cree que puede predecir sus acciones y comportamientos. La confianza, por lo tanto, simplifica y facilita las relaciones humanas y sociales. Todas, de cualquier tipo. En realidad, facilita el funcionamiento de la sociedad al completo, tal y como explica Stephen M. R. Covey en su libro *La velocidad de la confianza*.

–¿Otra vez el del principio 90-10? –recordó Javier.

–No, su hijo. Él, Stephen R. Covey, desgraciadamente murió en 2012, justo antes de cumplir 80 años. Pero su hijo, formado a su lado, ha recogido su testigo –puntualizó Andrea.

Javier se quedó callado durante unos segundos, para proseguir diciendo:

–Una hipótesis sobre la conducta futura del otro… –repitió en voz alta–. Creo que lo comprendo. Y me gusta eso de la velocidad de la confianza.

–Sí, es como una apuesta que hacemos con los demás. Que acelera la productividad de cualquier tipo de relación. Cada vez que establecemos un contacto con alguien, es como si apostáramos a que las acciones del otro se ajustarán a unas determinadas expectativas, las nuestras. Y si vamos ganando la apuesta una u otra vez, es decir, si acertamos, nos relajamos con esa persona, puesto que pasamos a tener la certeza de cómo va a ser su comportamiento futuro, la certeza de que no nos va a sorprender, de que no nos va a fallar haciendo algo inesperado y/o perjudicial, en función, claro está, de nuestro criterio personal –confirmó Andrea.

–Comprendo, por eso dices que es tan crucial en las ventas, ¿verdad? –preguntó Javier.

–En su libro *El poder de la presencia*, Amy Cuddy explica cómo, durante más de 15 años, junto a los psicólogos Susan Fiske y Peter Glick, ha estudiado la manera en que las personas se juzgan al conocerse por primera vez. Y, según sus investigaciones, lo primero que juzgamos en las personas son la confianza y la competencia. Y exactamente en ese orden, primero siempre la confianza –explicó Andrea.

–¿Y explica por qué valoramos en primer lugar la confianza? –preguntó Javier.

–Sí, claro. Ella dice que tiene todo el sentido desde un punto de vista evolutivo: para nuestra supervivencia es determinante saber si alguien merece nuestra confianza o no. ¡Y en especial si el ser en cuestión es competente y parece que tiene fuerza, potencia, garras fuertes o dientes enormes! –respondió Andrea.

–¡No vaya a ser que se nos coma!, ¿no? –añadió Javier contento de comprender.

–¡Claro! Si te fijas, la confianza es crucial en todos los ámbitos de nuestra vida. Hoy en día se considera un factor absolutamente clave en el éxito de cualquier interacción humana, ya sea en un marco B2B, B2C o C2C. **Sin confianza, no se producirán ventas exitosas y satisfactorias entre los Vendedores y sus Clientes, ni los equipos serán equipos de alto rendimiento que consigan logros excepcionales, ni las corporaciones serán entidades reputadas, con resultados y Clientes fieles** –dijo Andrea.

–Y, sin embargo, yo creo que no nos esforzamos por parecer confiables ante los demás, sino competentes, ¿no te parece? –preguntó una vez más Javier.

–Totalmente. Amy Cuddy también lo explica como una paradoja: esperamos que los demás sean amables (confiables) con nosotros, pero nosotros nos esforzamos en primer lugar por demostrar a los demás nuestra fuerza y lo buenos que somos (nuestra competencia) –respondió Andrea.

–Pues creo que justamente hoy en día la confianza en el mundo está bastante deteriorada… No confiamos en nuestras instituciones políticas, ni en los sistemas financieros, ni en los mercados… Ni siquiera en el futuro del planeta Tierra ni en el de la Humanidad, ¿no crees? –observó Javier.

–Probablemente esa es una de las grandes consecuencias que ha dejado esta enorme crisis que hemos vivido. Nos hemos cansado de sentirnos engañados y manipulados, de que nos mientan, de no saber ya qué es verdad, mentira o «postverdad», de que nos hayan contado que la culpa de toda esta crisis ha sido de nosotros los ciudadanos de a pie por haber gastado sin control y habernos endeudado más de lo que debíamos… **Por eso precisamente hoy más que nunca valoramos la responsabilidad, la honestidad, la transparencia, la sinceridad, la claridad, la conexión emocional personal** –prosiguió Andrea.

–Sí, todos mis compañeros en la Concesión que ya vendían antes de la crisis de 2008-2009, que la sufrieron y que siguen vendiendo hoy, dicen que el comportamiento del Cliente ha cambiado muchísimo en este tiempo. Todos coinciden particularmente en que **los Clientes se han vuelto muchísimo más desconfiados y exigentes** –explicó Javier.

–Sin duda. Mucho se han analizado los efectos psicológicos de las crisis económicas en las personas, y parece claro que uno de los efectos fundamentales de esta reciente crisis es lo que se llama el **empoderamiento del Cliente**. Hoy tenemos un Cliente que ha dicho basta, que está cada vez más y mejor informado, que está conectado, es adepto a la tecnología, pero que a la vez quiere ser independiente y dueño de sus propias decisiones y es consciente de sus derechos. Un Cliente que espera, en definitiva, una experiencia de compra 100 % profesional, excelente. Que no le «vendan la moto», ni le engañen ni le manipulen. Que es desconfiado a priori y vende muy cara su fidelidad –corroboró Andrea.

–¿Y que busca una venta basada en la confianza? –matizó Javier.

–Tú lo has dicho, Javier. Hoy más que nunca, los Clientes buscan fuentes confiables de información para tomar sus decisiones de compra. La confianza es, por tanto, una de las piezas clave para el éxito en la venta (aunque no la única) –confirmó Andrea.

–¿Y tú crees realmente que esa confianza se puede crear o construir en el tiempo que dura una visita a la tienda de mi Concesión? Soy escéptico, la verdad… –confesó Javier.

–Lo entiendo, y la respuesta es sí. La construcción se inicia desde el segundo 1. Solo hace falta saber cómo funciona esa construcción –respondió Andrea.

–Vale, ¿cómo se construye entonces? –preguntó Javier.

–Para comprender cómo construir la confianza, necesitamos entender qué elementos la componen y la alimentan –respondió pausadamente Andrea–. ¿Cuáles te parece que son?

–Hombre, yo creo que sobre todo hay que ser honesto y saber de lo tuyo, ser un verdadero profesional –respondió seguro Javier.

–Dos componentes clave, seguro. Sin embargo, tú eres todo eso en lo tuyo y, dime, ¿crees que construyes relaciones de confianza con los que tú llamas «dicharacheros»? –preguntó Andrea.

–No, está claro que no… Falta algo más, ya veo. Tiene que ver con el dichoso estilo relacional, ¿verdad? –reflexionó en voz alta Javier.

–Claro. Volvamos ahí de nuevo. Mira, yo, después de leer a muchos autores que han escrito sobre la confianza, como Stephen M. R. Covey o Rafael Echeverría, y estudiar y trabajar mucho el tema, he creado mi propio modelo sobre los componentes de la confianza. A ver qué te parece.

Y entonces Andrea cogió su libreta y le hizo a Javier el siguiente esquema:

CONFIANZA ▀

CONEXIÓN +

- Consciencia y observación consciente
- Espejado (implica respeto y aceptación) y ajuste de:
  · Comunicación verbal (escucha empática, pregunta potente y comunicación no violenta)
  · Comunicación no verbal (expresión facial, movimiento, posición de las manos, brazos, piernas, etc.)
  · Paralenguaje (tono, velocidad, volumen de la voz)

CREDIBILIDAD +

- Competencia, conocimiento demostrable
- Hablar desde los hechos, no desde las opiniones
- Coherencia
- Sinceridad
- Honestidad
- Transparencia
- Claridad
- Asertividad

COMPROMISO

- Interés sincero
- Responsabilidad
- Rigor en el cumplimiento de todas las promesas de servicio (contactos telefónicos, envío de emails o de información, plazos de entrega, etc.)

–Yo lo llamo **el mapa de la Triple C de la Confianza**. ¿Qué te parece, le ves sentido? –preguntó Andrea.

Javier se tomó un minuto para leer e interiorizar todos los conceptos y después respondió:

–Me parece muy coherente y estructurado. Me gusta. Y, oye, ¿todos los elementos tienen el mismo peso y entran en juego a la vez?

–Todos deben existir sin excepción para que la confianza se construya. Evidentemente, entran en juego en diferentes momentos… Está claro que el primer elemento es la conexión. **En el mundo de la venta *retail* de hoy en día y del futuro considero absolutamente clave la conexión vinculada al reconocimiento y espejado del estilo relacional de cada Cliente. Los elementos cognitivos de la venta actual son y van a seguir siendo en el futuro absolutamente cruciales**, a mi modo de ver –respondió Andrea.

–Pero, oye, ya sabes, a mí me gusta hacer de abogado del diablo… Tengo otra duda: si yo voy al súper a comprar media docena de huevos y un litro de leche, nadie va a establecer una relación de confianza conmigo. Pero compro igual. Y no me digas que eso es porque confío en mi súper, porque a veces si llego tarde del trabajo compro en el paki de al lado de casa, que no me inspira confianza corporativa alguna y encima los mismos productos me cuestan un 20 % más, pero me sirve para lo que me sirve, compras esporádicas y de urgencia –dijo Javier.

–Tienes toda la razón. Y es que, como ya has percibido, establecer una relación de confianza interpersonal tiene especial relevancia en la venta denominada consultiva y no tanto en la transaccional, que es la del súper. Ni tampoco, por cierto, en la venta por Internet –respondió Andrea.

–Venta consultiva y venta transaccional... ¿Me lo cuentas, por favor? –pidió Javier, que estaba disfrutando muchísimo con tanto conocimiento.

–Por supuesto, pero si te parece, en 5 minutos. Yo necesito una pausa para un pis y, de paso, unos frutos secos y un poco de agua, ¿te importa? –contestó Andrea.

–Jajaja, ¡claro que no! ¡Yo también necesito todo eso! Estoy tan concentrado que me había olvidado un poco hasta de atender a las necesidades fisiológicas de mi cuerpo –asintió Javier, levantándose de su sitio.

3.13 ABRÓCHENSE LOS CINTURONES, LLEGAN TURBULENCIAS (LA NECESARIA CONSULTIVIZACIÓN DE LAS VENTAS)

–Jolines, qué ojo hemos tenido para levantarnos en el momento justo, ¿no? –protestó Javier mientras llegaba a trompicones a su sitio, donde Andrea, ya sentada, hacía equilibrios con el café que había conseguido.

–Sí, y, como alguien dijo, «la fuerza de las turbulencias en un avión es siempre directamente proporcional a la temperatura de tu café» –respondió risueña Andrea poniendo las manos delante, como intentando protegerse para que no le cayera el de Javier encima al sentarse.

–Jajaja, ¡qué bueno! –rio Javier, algo nervioso–. No te preocupes, creo que seré capaz de mantenerlo dentro de la taza. ¿Seguimos? Me parece que será la mejor forma de que me olvide de estas turbulencias que me ponen tan nervioso. Íbamos por la venta consultiva y la transaccional…

–El concepto de venta consultiva, introducido por Neil Rackham en su libro *SPIN Selling*, ha sido uno de los más importantes en el mundo de las ventas de los últimos años y, en mi opinión, las ideas de su autor son hoy en día más importantes que nunca –explicó Andrea.

–¿Ah, sí? ¿Y eso por qué? –preguntó Javier curioso.

–Fue el primero en darse cuenta, o al menos en escribirlo, de que no todo se podía vender de la misma forma, es decir, se dio cuenta de que había diferentes tipos de ventas que requerían diferentes tipos de actuaciones –continuó Andrea.

–La venta del súper frente a la venta de… ¿por ejemplo, un coche? –preguntó Javier.

–Depende del coche. Pero sí, eso es. De un coche, de unas botas de trekking, de un traje, de un tratamiento capilar o estético, de un tratamiento médico para cualquier dolencia, de un asesoramiento jurídico, de unas vacaciones a medida, de un apartamento o de un proyecto de arquitectura –dijo Andrea–. ¿En qué crees que se distinguen una y otra venta, la consultiva y la transaccional?

–No sé… ¿En la complejidad de lo que se vende? –respondió dubitativo Javier.

–¿Serías capaz de concretar un poco más lo que significa para ti «complejidad»? –insistió Andrea.

–Bueno, comprar una docena de huevos es fácil, ¿no? Es lo que es y todo el mundo lo sabe. Y es más, todo el mundo sabe si prefiere ecológicos de tipo 0 o si no le importan esas cuestiones, prefiere pagar menos y coger un tipo 3. Es una decisión fácil. En cambio, para decidir comprar un coche, primero hay que pensar qué coche es más conveniente para la vida que llevo, con qué motor, qué tipo de combustible, qué tipo de acabado, con qué equipamiento concreto, a qué coste… Me parece más complejo porque hay muchas más variables a tener en cuenta. Creo que hay que saber más, requiere más esfuerzo, ¿no?

–De acuerdo. Y ese producto que tiene tantas variables sobre las que decidir… ¿por qué crees que las tiene? –preguntó Andrea.

–En el mundo de los automóviles, los prémium al menos, para que cada Cliente se construya SU coche, el suyo propio, su traje a medida –contestó muy seguro Javier.

–Sí, en efecto. Esa es la clave, exactamente. Existe alta complejidad cuando existe posibilidad de alto nivel de personalización del producto, servicio o solución, y cuando además requiere de un nivel de conocimiento que no es accesible, a priori, a todo el mundo (como una solución médica, o la construcción de un rascacielos o de un puente colgante) –confirmó Andrea.

–Lo que, claro, requiere un cierto nivel de especialización por parte del Vendedor o Vendedora –siguió Javier.

–Has dado justo en el clavo –respondió Andrea–. Simplificando, se denomina venta transaccional a toda aquella en la que el nivel de personalización del producto, servicio o solución es bajo y, por tanto, no requiere de un asesoramiento personalizado o de un conocimiento altamente especializado que nos ayude a tomar una decisión de compra. Es la compra en el súper de elementos empaquetados o estándar. Y este tipo de compras son muy susceptibles de ser realizadas por Internet, por razones evidentes. En ellas, como es obvio, el tema de la confianza se transforma: no podemos hablar de confianza interpersonal, sino, en todo caso, de confianza corporativa (en la compañía que fabrica el producto, en el producto mismo o en la plataforma o *marketplace* de compra).

–Entonces, podríamos decir que **la venta consultiva es toda aquella en la que el nivel de personalización del producto, servicio o solución es alto y requiere, por tanto, de un asesoramiento especializado que ayude a la toma de la decisión de compra**, ¿verdad? –se atrevió Javier.

–Completamente, Javier. El tema clave aquí está en dónde buscan hoy en día los Clientes ese asesoramiento confiable y especializado –dijo Andrea.

–¿A qué te refieres en concreto? –preguntó Javier.

–Desgraciadamente, venimos de años y años de venta persuasiva o agresiva, con altas dosis de presión sobre los Clientes, ventas basadas en la argumentación convincente e incluso, a veces, en promesas imposibles de cumplir o en el engaño… Para muchos, el libro de referencia para las ventas ha sido y sigue siendo *El arte de la guerra* de Sun Tzu. El Cliente era el «enemigo a vencer». Ventas fundamentadas, en definitiva, en el famoso ABC («*Always Be Closing*», el «siempre hay que cerrar»). Yo he llegado a oír frases como esta a algún director de ventas o jefe de tienda: «Cuando un Cliente entra voluntariamente a nuestra tienda es que tiene interés de compra de algún tipo, por pequeño que sea; por ello, jamás debe salir "vivo" de aquí, de un modo u otro haremos que compre algo sí o sí» –explicó Andrea.

–Bueno, me parece estar oyendo palabras literales de mi Jefe de Ventas, ¡la verdad! –confesó Javier–. Yo acabo de recibir un minicurso de media jornada sobre técnicas de cierre más agresivas.

–En fin, a estas alturas, imagina… –dijo Andrea cerrando los ojos y emitiendo un suspiro–. Es evidente que los Vendedores están para vender. Y eso no se nos debe olvidar nunca. Sin embargo, ámbitos como la automoción, la venta inmobiliaria, la venta de seguros o de productos bancarios han sido y siguen siendo coto de prácticas, digamos, extremas… Hemos descubierto hace no demasiado con estupor cómo a lo largo de estos últimos años directores de oficinas banca-rias sin escrúpulos han vendido «preferentes» a ancianos indefensos, abusando de la confianza que les tenían y a sabiendas de que estaban poniendo en serio riesgo sus ahorros de toda una vida y, en conse-cuencia, sus propias vidas... –prosiguió Andrea.

–Me parece completamente inmoral, la verdad –opinó Javier. An-drea asintió con seriedad.

–Las personas han dejado de creer en los Vendedores en sentido amplio, porque estos, como parte de esa maquinaria de las marcas cuyo objetivo es solo vender a toda costa, han perdido por com-pleto la credibilidad –reflexionó Andrea–. Yo los llamo Vendedores cocodrilo.

–Jajaja, de los que muerden siempre y a todo lo que se mueva, ¿no? Está claro, volvemos entonces de nuevo a la confianza –coincidió Ja-vier.

–Pues sí. Y con la crisis, la situación se ha extremado. Y todo ello ha abonado el terreno para dos efectos muy simples. El primero es que efectivamente las personas sienten que es más seguro y veraz consultar información sobre cualquier tipo de producto, servicio o solución directamente en Internet. De fuentes supuestamente «obje-tivas». Hasta para un diagnóstico oncológico. De ahí que los *bloggers*, *youtubers* y demás *influencers* hayan cobrado la dimensión actual. Se han convertido, por lo que parece, en los únicos asesores confiables, gracias a su independencia –explicó Andrea.

–Marketing de influencia, ¿no? Lo estudié, pero nunca creí que funcionara de verdad... –dijo Javier.

–Hay un caso actual muy destacado, el de Huawei, el gran fabri-cante chino de *smartphones*. ¿Conoces el caso? –preguntó Andrea.

–Pues no, la verdad. ¿Me lo cuentas? –dijo Javier.

–Como explica el profesor Enrique Dans, blogger y uno de los re-ferentes mundiales en lengua española en innovación e impacto de la tecnología en la sociedad y las empresas, el punto clave de la estrategia de Huawei para su crecimiento en Europa consistía en convencer a los *early adopters* de que la tecnología de sus productos no era una mera copia o una imitación de los productos de los gigantes Apple o Samsung. Ellos querían demostrar a Europa que eran verdaderos innovadores capaces de aportar novedades que ni los grandes gigantes podían ofrecer. Pero sabían que para llegar a esas personas las campañas de publicidad tradicionales, basadas en el concepto de «autoensalzamiento propio», no iban a resultar. Así que crearon el programa KOL *(Key Opinion Leaders)*, por el cual la compañía seleccionó a 80 líderes de opinión en medios sociales, expertos en innovación y tecnología, a los que invitar a diversos encuentros. Estos líderes de opinión no recibieron compensación económica alguna de Huawei, tan solo acceso privilegiado a información, lanzamientos y presentaciones exclusivas de productos y eventos internos. El acuerdo pasaba por respetar escrupulosamente la independencia de todos estos *influencers* y animarlos tan solo a compartir sus impresiones con sus seguidores –explicó Andrea.

–¿Quieres decir que no estaban pagados? No sé si creerlo… –dijo Javier escéptico.

–Un *influencer* no tiene nada más preciado para su labor que la independencia de su criterio, construido sobre la base de años y años de opiniones acreditadas y no interesadas en pro de una u otra marca. Un verdadero *influencer* profesional no se puede arriesgar a perder ese bien –respondió Andrea.

–¿Y cómo funcionó? –preguntó Javier.

–Uno de los primeros encuentros fue el congreso Huawei Connect, que se celebró en Shanghái en 2016 y que convocó a once reconocidos *influencers* que participaban en el programa KOL. Los mensajes de estas personas en Twitter, Instagram y Facebook alcanzaron a 4 millones de consumidores de todo el mundo (pertenecientes a su target objetivo de Clientes), incluyendo, claro, Europa –explicó Andrea.

–¡Qué barbaridad! –exclamó Javier.

–De este modo, Huawei consiguió mensajes valoraciones sobre su compañía y sus productos, no emitidas directamente por la propia marca, sino a través de expertos reputados y respetados, con un nivel de confianza enorme ganada a lo largo de años y años de independencia demostrada y con acceso a millones de potenciales consumidores cualificados –concluyó Andrea.

–Madre mía, cuánto poder en manos de estos *influencers*, ¿no? –preguntó Javier.

–Ciertamente… –confirmó Andrea–. Y ello ha abonado el segundo efecto de las ventas cocodrilo del modelo tradicional.

–¿El incremento de la venta por Internet? –se avanzó Javier.

–Efectivamente, Javier, lo has captado de inmediato. Lo podemos llamar efecto de transaccionalización o comoditización o despersonalización de las ventas, o, dicho de otro modo, «amazonización de las ventas» –respondió Andrea.

–Amazon ha sabido aprovecharse perfectamente de todo este caldo de cultivo, ¿no? –dijo Javier.

–Sin duda. Y hay que decir que lo ha hecho de forma absolutamente extraordinaria. Sería muy largo enumerar todas las virtudes y logros estratégicos y empresariales de Amazon, pero yo me quedo con 3 aspectos básicos:

- En primer lugar, una tecnología digital potente, fiable y, sobre todo, muy fácil de usar, al alcance de cualquiera. Comprar y hacerte enviar los productos es endiabladamente sencillo.

- En segundo lugar, una política de logística, distribución y «gestión de la factura de última milla» brillante. Su programa Prime es simplemente increíble. Yo compro libros a las 10 de la noche y a la mañana siguiente a las 9:30 tengo un mensajero llamando a la puerta para entregármelos. Impresionante. Además, si el producto no es el esperado, el procedimiento de devolución es supersencillo: otro mensajero vendrá a recogerte el paquete a la dirección y en el momento que determines. Sin moverte de casa o del despacho.

- Y en tercer lugar, una política de precios sin competencia. Amazon sacrifica márgenes en muchos casos porque su objetivo principal es el volumen, conseguir una base de Clientes gigantesca y una cuota de mercado sin igual. Eso le reportará los beneficios necesarios a través de sus múltiples posibles ventas y servicios cruzados.

—Y encima eso les ha hecho aparecer como Robin Hoods modernos, ¿no? —siguió Javier.

—En efecto, hay quien considera que Amazon ha dado en la línea de flotación de las empresas tradicionales con poca transparencia en la fijación de precios y con márgenes abusivos, ofreciendo a los Clientes una «sensación de comercio justo» —confirmó Andrea—. En definitiva, una experiencia de compra realmente buena para sus Clientes.

—Pero es algo diabólico, ¿no? Otros crean los productos con la inversión que ello supone, otros se ocupan del asesoramiento de los Clientes (las propias marcas, los *influencers*, etc.) y ellos los venden y se quedan con la base de datos de Clientes. Uff, me cuesta aceptarlo sin más —dijo Javier.

—Para mí no es algo que se les pueda criticar a ellos. En todo caso, creo que es un demérito de las marcas y de sus políticas históricas de ventas. Y sí, coincido contigo en que se pueden llegar a producir dinámicas realmente dramáticas: los Clientes pueden llegar a ir a las tiendas tradicionales (tras hacer *webrooming* antes), hacer incluso *showrooming* durante la visita (hay datos que indican que hasta un 60 % de los Clientes consulta por el móvil información en la web en la misma tienda para validar lo que el Vendedor le cuenta, consultar disponibilidad, etc.) y luego irse a casa y comprar el producto *online*, buscando la sensación y la garantía de una buena compra, de no ser estafado. El «Sr. Amazon» debe de estar encantado: los *influencers* e incluso las propias marcas en sus tiendas físicas hacen el trabajo informativo y de asesoramiento y luego ellos venden a menor coste esos mismos productos a través de su *marketplace*. Bueno, y si en América y Europa hablamos de Amazon, en China hay que hablar de Alibaba y en Japón de Rakuten. Ah, y no nos olvidemos del efecto *outlet* de infinidad de tiendas por Internet.

—¿Dónde está el límite? Libros, tecnología, distribución en general. Leí que Amazon está preparando la venta de sus primeros vehículos nuevos en España, ¿no? —preguntó Javier.

–Bueno, Opel ha realizado ya una operación piloto, una campaña para 20 unidades de características muy concretas, nada de vehículos a medida –explicó Andrea.

–¿Realmente Amazon va a acabar vendiendo todo en nuestras vidas? –insistió Javier.

–Bueno, ¿quién lo puede saber?… Lo que sí sabemos es que ha comprado la cadena alimenticia Whole Foods Market, entrando con fuerza también en el mercado americano de la gran distribución (con presencia, creo, en 42 estados). Pero para mí el tema no es necesariamente malo. Simplemente es. Y quizá lo que deberíamos pensar es qué hacer si queremos que las tiendas a pie de calle sigan teniendo futuro y atrayendo Clientes. Quizá haya un modelo de convivencia de ambos modelos de venta, en lugar de la competición, ¿no? Quizá la integración sea la clave…

–No lo sé, soy escéptico… No sé qué podemos hacer para luchar contra todo esto, parece una tendencia imparable –sentenció Javier.

–Tú lo dijiste, con Vendedoras como la de tu primera tienda de botas de trekking, sin duda… –respondió Andrea–. ¿La recuerdas?

–No consigo olvidarla, jajaja –dijo Javier haciendo un guiño a Andrea, como si se tratara de un amor fracasado.

–En realidad, si nos fijamos bien, ya hay muchas marcas haciendo cosas significativas en esta «batalla contra la amazonización» de las ventas –insinuó Andrea–. Y es que no hay que olvidar que, por ejemplo, en el negocio de la automoción, en el que tú estás, el 84 % de las personas sigue prefiriendo una compra persona a persona (según el informe *Autotrader's Car Buyer of the Future 2016*). En otros sectores los porcentajes pueden variar al alza (moda, atención médica) o a la baja (banca, tecnología), pero hay pocos en los que el porcentaje sea inferior hoy por hoy al 50 %. Ahora y en una previsión a 10 años vista.

–¿Y qué marcas están haciendo qué? –preguntó Javier.

–¿Qué te parece si nos fijamos en los dos gigantes del calzado deportivo en el mundo, Adidas y Nike? –preguntó Andrea.

–Caramba, habría jurado que justamente comprar unas Nike o unas Adidas era claramente «amazonizable». De hecho, te puedes comprar unas seguro en Amazon, ¿no? –respondió Javier.

–Sí, es cierto, algunos modelos. Y en multitud de tiendas por Internet. Precisamente por la amenaza esas marcas han puesto hilo a la aguja… –comentó Andrea.

–¿Y qué han hecho? –preguntó con genuina curiosidad Javier.

–Para empezar, crear una red de tiendas físicas exclusivas que, como imaginarás, significan inversiones extraordinarias. ¿Por qué crees que marcas como Adidas o Nike están creando en estos tiempos de «aparente amazonización imparable» esas tiendas increíbles que cuestan tanto dinero? ¿Por qué no se limitan a vender todo por Internet a través de estos operadores o *marketplaces* ya establecidos y punto? –cuestionó Andrea.

–Porque si lo hicieran perderían sus márgenes y, más importante aún, el contacto directo con sus Clientes, su base de datos de compradores, ¿no? –reflexionó Javier.

–Exacto, perderían su bien más preciado –confirmó Andrea.

–Y los *marketplaces* tendrían completamente en sus manos decidir quién vende y sobrevive en el mercado y quién no, orientando a los Clientes hacia unas marcas u otras en función de sus propios intereses… Realmente maquiavélico –comprendió Javier.

–Ni más ni menos –coincidió Andrea.

–Pero oye, si no me equivoco, en Estados Unidos ciertos productos Apple se venden o se vendían en algunas de las cadenas más conocidas del país, como Walmart, etc. Y encima hasta un 10 % más barato, ¿no? –volvió a insistir Javier, haciendo de abogado del diablo.

–Cierto, y sin embargo Apple tiene las tiendas con el mayor ratio de facturación por metro cuadrado del mundo. ¿Por qué? **¿Qué busca o qué puede encontrar un Cliente en una tienda física que no pueda encontrar en una compra por Internet?** –volvió a preguntar Andrea.

–Es la pregunta clave, ¿verdad? Déjame pensar… Ver y tocar el producto antes de comprarlo –respondió Javier.

–Ya, y como hemos dicho, un potencial Cliente podría ir a una tienda Apple, ver y tocar el producto como tú dices, y luego irse a casa y comprarlo por Internet un 10 % más barato que en la tienda. Sin embargo, solo un porcentaje pequeño hace eso. El porcentaje mayor compra en la tienda. ¿Por qué?

–Lo que decías antes, un porcentaje elevado de personas sigue prefiriendo comprar a otra persona –dijo Javier.

–La clave está en comprender por qué eso es así, ¿no te parece? –preguntó Andrea nuevamente.

–Claro, ya veo. Entonces, ¿qué tienen exactamente esas tiendas? ¿Me cuentas qué han hecho Adidas y Nike? –preguntó Javier.

–Si te parece, empezaré por Adidas, que en febrero de 2015 reinauguró su tienda en el paseo de Gracia de Barcelona con un nuevo concepto entonces único en España, la tienda HomeCourt, siguiendo el aura de la primera en el mundo, abierta en Pekín en 2014 –continuó Andrea.

–Anda, no lo sabía, en nuestra ciudad –respondió Javier.

–Sí, en el paseo de Gracia, bajando a la derecha. Un poco más arriba de la tienda Apple –precisó Andrea.

–Ubicación inmejorable, la verdad. El alquiler les debe de costar un ojo de la cara –respondió Javier.

–Jajaja, sin duda. Pero está claro que para ellos lo vale –aceptó Andrea.

–Coste *versus* valor, claro –reflexionó en voz alta Javier–. ¿Y qué tuvo de especial esa reinauguración?

–Fue muy poderosa, la verdad. La principal vía comercial de Barcelona quedó impactada. Por supuesto, Leo Messi estuvo en aquel acto (es el principal embajador de la marca). La reapertura se oficializó con un chut del astro del fútbol contra la puerta de entrada, provocando un increíble golpe de efecto, ya que al impactar el balón los cristales se resquebrajaron totalmente –explicó Andrea.

–Uaaaaah, ¡qué chulo!, ¿no? –exclamó Javier.

–Sí, mucho. Los allí presentes alucinaron –contó Andrea.

–Supongo que lo de los cristales era un montaje, ¿no? –preguntó curioso Javier.

–Sí, claro. Pero pareció muy real y cumplió del todo con su objetivo –respondió Andrea.

–Me imagino… ¿Y cómo es ese nuevo concepto de tienda? –preguntó Javier.

–Esa nueva tienda Adidas HomeCourt tiene unos 1000 m^2 de superficie de venta distribuidos en 3 plantas. La planta calle contiene la colección de hombre; la planta baja, la de mujer y niños. En todos los casos se incluyen las categorías clave de la marca hoy: fútbol, *running*, Original y diseñadores como Stella McCartney. Y, atención, en la planta de arriba se ha creado el Museo de Leo Messi. Y, por si eso fuera poco, hay dos salas extras, una polivalente para practicar deportes como yoga, hacer presentaciones, etc. y otra para Clientes VIP que visiten la tienda. Todo ello con una experiencia totalmente interactiva integrada: vídeos de la historia de la marca y de todo tipo de deportes y un *shoe bar*, una especie de mostrador interactivo en el que se pueden ver todas las referencias de la marca y efectuar la compra *online* en el mismo momento –describió Andrea–. ¿Qué crees que busca Adidas con este nuevo concepto de tienda?

–Bueno, es evidente que una experiencia de compra excepcional. ¡No he estado y ya he sentido la emoción solo con tu explicación… y me apetece ir! –exclamó Javier.

–Se trata ni más ni menos que de eso, **algo muy vivencial que conecte a las personas con la emoción**… –dijo Andrea.

–… Algo que una compra por Internet no es capaz de proporcionar…, ¡al menos de la misma manera todavía! –acabó Javier.

–Efectivamente… Al parecer, la tienda Adidas HomeCourt de Pekín (con más de 3000 m^2) emula exteriormente un estadio de fútbol y, al traspasar la puerta, la entrada a la tienda se hace a través de un túnel que evoca también cómo los jugadores salen al césped a jugar –explicó Andrea–. Adidas decía en su web algo así como que «el nuevo concepto HomeCourt transporta el espíritu del deporte a las tiendas, creando un lugar donde los Clientes puedan sentir la energía del juego, la excitación y la emoción del evento, el calor y el rugido de los fans».

–Impresionante, la verdad –reconoció Javier.

–Yo recuerdo perfectamente mi primera carrera de El Corte Inglés, en 2007. Después de la subida a Montjuic, entramos en el Estadio Olímpico por el túnel por el que habían entrado en 1992 los maratonianos y, al darme cuenta de ello, me puse a llorar. Las Olimpiadas de Barcelona 92, en nuestra ciudad, significaron mucho para mi generación y colocaron a Barcelona para siempre en el mapa del mundo. Di la vuelta al estadio llorando –explicó Andrea con los ojos vidriosos, volviendo a emocionarse con el recuerdo.

–Sí, tú siempre has sido una llorona –dijo de pronto Ainara–. Me acuerdo de ese día. Siempre me he preguntado cómo puedes ser una mujer tan fuerte, determinada y decidida, y a la vez taaaaaaaaaan llorona, jajajaja.

–Jajajajaja, ¡no sabía que estuvieras escuchando! Sí, tú estabas conmigo ese día –dijo Andrea, alargando la mano para estrechar la de su amiga a través del pasillo del avión.

–Ya veo, muy importante la conexión con las emociones humanas… Eso que a mí me cuesta tanto –dijo Javier, recuperando la conversación–. ¿Y Nike?

–La tienda del Portal de l'Àngel en Barcelona, inaugurada en 2014, en este caso por su embajador Pau Gasol, también es a día de hoy una de las mayores tiendas Nike Brand Experience de España y de Europa –explicó Andrea.

–¿Qué me dices? No tenía ni idea… –respondió Javier.

–Sí, ocupa por completo la planta calle de El Corte Inglés de Portal de l'Àngel. Tiene 1500 m^2 y en ella se pueden encontrar los últimos productos de Nike en todas sus categorías: fútbol, baloncesto, *running*, tenis, Jordan, Young Athletes, Skateboard, Women's Training y Men's Sportswear. Y, claro, como patrocinador oficial del Futbol Club Barcelona, no falta tampoco una zona dedicada exclusivamente a este club. Pero es que, además, ofrece también otros muchos servicios de valor para sus Clientes: desde el análisis del pie para elegir el calzado más adecuado al asesoramiento para planificar los entrenamientos, pasando por un Bra Fitting para las mujeres o una estación de ritmo Nike Plus+… –explicó Andrea.

–¿Qué es una estación de ritmo Nike Plus+? –preguntó Javier.

–Creo que es algo así como una lista de reproducción exclusiva de 100 canciones que se crea automáticamente haciendo coincidir las pulsaciones por minuto (BPM) de las canciones con tu ritmo de carrera objetivo, fruto de un acuerdo de Nike con Spotify. No me preguntes mucho más que no sé… –confesó Andrea.

–¿En serio han hecho eso? –dijo Javier incrédulo. Él, como maratoniano que era, creía estar al día de todo lo relacionado con el *running*.

–Hombre, podríamos decir que Nike ha popularizado el *running* y lo ha hecho de alguna manera suyo… Muchas cosas del universo Nike giran en torno al running –aportó Andrea–. Bueno, y eso sin contar que además ponen a disposición del Cliente una zona de personalización de sus propias zapatillas deportivas, creo que aquí limitadas a su modelo icónico Air Max.

–¿En serio? Jolines, yo soy *runner* y no sabía todo esto. ¿Qué quiere decir exactamente personalizar? –preguntó Javier.

–Creo que puedes cambiar el color de la suela, de los cordones, poner tu nombre u otro mensaje… No sé con exactitud. Pero significa hacer TUS propias zapatillas Nike –dijo Andrea.

–¡Qué fuerte! Pensaba que eso solo lo podía hacer Rafa Nadal –dijo emocionado Javier.

–Imagina, en su tienda Nike Town de Nueva York, la mayor del mundo con 4 plantas, la zona de la «customización» ocupa una parte importante de la cuarta planta, en lo que denominan el NIKEiD Studio, ahora Nike By You. Partes de una *blank canvas*, un modelo en blanco, creo que de entre 8 modelos posibles, y te la puedes personalizar completamente a tu gusto. Un servicio también disponible en su web –siguió Andrea.

–¡Flipante! –dijo Javier francamente asombrado.

–Marc y yo fuimos a Nueva York en noviembre de 2005 acompañando a un buen amigo que corría la maratón. Y, por supuesto, fuimos a visitar la Nike Town, una de las atracciones turísticas de la ciudad. Solo íbamos para verla…, pero claro, salí con unas zapatillas deportivas en la mano. Una experiencia completamente inmersiva e irresistible –contó Andrea–. Aún guardo esas zapatillas y les tengo un especial cariño.

–¿También lloraste? –volvió a intervenir Ainara con sorna, a lo que Andrea soltó una gran carcajada, pero sin contestar.

–Me lo imagino –empatizó Javier–. Alucino con la cantidad de cosas que se pueden hacer para seguir atrayendo a los Clientes a las tiendas físicas, estoy impactado. Se trata de ofrecer experiencias de compra que nada tengan que ver con comprar unas zapatillas en Amazon o en cualquier *outlet* o tienda *online*, claro.

–Así es, querido Watson. ¿Serías capaz de resumir las claves que incorporan esas tiendas físicas capaces de seguir atrayendo Clientes y de proporcionarles experiencias únicas? –preguntó Andrea.

–Bueno, en primer lugar, instalaciones excepcionales, por supuesto. Cada uno ha creado un «templo» de lo suyo. Si te dedicas a las zapatillas, pues tu tienda debe ser un templo del deporte. Y si te dedicas a los bombones, tu tienda debería ser el templo del chocolate –sentenció Javier, seguro–. Hablando de templos, hasta la Iglesia católica lo tuvo claro en la Edad Media: cuanto mayores y más espectaculares fueran sus catedrales, más feligreses tendrían. Hacían falta lugares solemnes y magníficos para que la gente se sintiera atraída a ellos y acudiera a rezar. Rezar en una de esas catedrales góticas en el siglo XII o XIII debía de proporcionar, desde luego, la mayor sensación posible de cercanía o conexión con la inmensidad divina. Y encima daban riqueza a todo el territorio. El increíble libro *Los pilares de la Tierra* de Ken Follett lo relata, en mi opinión, de manera magistral. Y creo que todas las religiones lo han tenido siempre igual de claro, ¿no?

–¡Qué gran ejemplo, Javier, me encanta! Estoy totalmente de acuerdo. Y no tiene por qué ser una inversión multimillonaria, pero lo que no es posible es tener una tienda, no invertir ni un euro en 10 años y pretender que los Clientes sientan algún tipo de atracción por visitarla. Tu tienda debe tener algo. Y ojo, quizá el encanto de tu tienda sea que tiene 100 años. Pues perfecto. En cualquier caso, debes cuidarla y mantenerla como un lugar mágico, asegurándote de que sigue siendo un sitio atrayente para tus Clientes. Aunque tengas una autocaravana ambulante, ¡que las hay y son extraordinarias! –apoyó Andrea–. ¿Qué más, Javier?

–Intuyo que mucha tecnología. En muchos sentidos, ¿no? Hemos hablado tanto de espacios multimedia de grandes pantallas que evocan tantas cosas, como de integración de funcionalidad *online* en las tiendas o como, imagino, el *big data* tan manido hoy en día –dijo Javier.

–¡Fantástico, Javier! Paso a paso. Espacio multimedia con vídeos, sin duda. Con personas, en movimiento. Espacios de realidad virtual donde ver y probar el producto. Aportan dinamismo, vitalidad, luminosidad. Nuestro producto o servicio en acción. Acuérdate de Robert y su tablet con sus vídeos. Hasta los pequeños comercios tienen algo que decir en esto.

–¿Encaja ahí también lo que está haciendo Zara con sus nuevas pantallas, que muestran vídeos a tamaño real de modelos vistiendo las prendas de ropa de la marca? –preguntó Javier.

–Completamente. Y ahora que hablas de Zara, el Grupo Inditex es un claro referente que está explorando fórmulas de integración entre el negocio físico y el *online*, en clara ofensiva a la amenaza de la «amazonización» del negocio de la moda. Cosas que están trabajando y han lanzado o están a punto de lanzar: la app Video Fit de realidad aumentada para las tiendas Stradivarius, una aplicación que permite a los usuarios escanear el código de barras de cada producto presente en las tiendas para poder percibirlo en movimiento, en vivo, en la pantalla de sus *smartphones* –respondió Andrea.

–Ostras, para ver cómo «queda» la prenda, antes incluso de ir al probador… –comentó Javier.

–Sí. Hay que pensar que el *Informe Mobile en España y en el mundo 2016* dice que el 46 % de los potenciales Clientes dicen usar sus *smartphones* mientras se encuentran en las tiendas físicas, practicando el denominado *showrooming*. Y en el caso de los *millennials* y generaciones posteriores, el porcentaje es incluso mayor –apuntó Andrea.

–Uaaaaah, ¡qué interesante! Y cuántas aplicaciones potenciales ofrece ese dato, ¿no? –prosiguió Javier.

–Efectivamente. Apunta a la necesidad de la omnicanalidad en la tienda física. Siguiendo con el Grupo Inditex, su ofensiva de servicios de valor *online* en la tienda *offline* también incluye, por ejemplo, posibilidad de compra *online*, bien en la web, bien en terminales en la propia tienda para *same day delivery* (si el pedido se hace antes de las 14:00) o *next day delivery* (para pedidos posteriores a las 14:00). En este sentido, sabemos que está trabajando en un sistema de entrega automatizado, sin pasar por caja y sin hacer colas. Todo ello aún está en banco de pruebas, a punto de implantarse a día de hoy. En la práctica, una pantalla táctil para el Cliente. Detrás de eso, un almacén con un sistema robotizado de casilleros dinámicos con capacidad para hasta 700 paquetes. O los probadores inteligentes, basados en tecnología 5G o de Internet de las cosas (IoT), que te permiten pedir otra prenda y otra talla sin salir del probador o solicitar sugerencias de prendas adicionales que combinen con tu elección original. O la posibilidad de incorporar Online Specialists en tiendas, adecuadamente identificados como tales, cuya función sería la de dar soporte y atención personalizada a los Clientes en relación con todo el mundo digital de la marca de la tienda, así como facilitar entregas, devoluciones, etc. en los puntos de recogida.

–Caramba, no dejas de sorprenderme, cuántas cosas están haciendo las marcas con redes de tiendas físicas –reconoció Javier.

–Bueno, es que Amazon tampoco se está quieto, claro… Se sabe que está trabajando, dentro de su línea Amazon Fashion, en la creación de un «probador virtual» o «espejo de realidad virtual» –explicó Andrea.

–Vaya, la batalla es silenciosa pero está abierta, está claro –dijo Javier.

–Sin duda –asintió Andrea.

–¿Y crees que realmente el *big data* puede aportar algo a las ventas, del tipo que sean? Sinceramente creo que el bombardeo a los Clientes con anuncios y ofertas o la publicidad contextual que se mete en todos sitios, consultes lo que consultes, no solo no funciona sino que genera rechazo en los Clientes –prosiguió Javier.

–Sinceramente, creo que el trinomio del *big data*, la inteligencia artificial (AI) y el tiempo real aportará cosas que hoy todavía no somos ni capaces de imaginar. Pero hay que hacerlo bien, está claro. De hecho, a día de hoy ya hay aplicaciones reales en funcionamiento focalizadas básicamente en dos grandes bloques de trabajo:

- En primer lugar, todo lo que tiene que ver con el conocimiento del comportamiento en el punto de venta, en la tienda. Ya es posible saber qué zonas de cada tienda son más visitadas o transitadas y cuáles no, cuánta gente se para y mira el escaparate, durante cuánto tiempo y focalizada en qué, cuál es el tráfico de exposición real de tu tienda. Y todo en tiempo real. Ello permite mejorar la experiencia de Cliente en función de factores tales como la decoración, el diseño interior y exterior, el escaparate, la música, etc.

- Y en segundo lugar, todo lo que tiene que ver con campañas de ventas, también en tiempo real. Cosas como ofrecer a un Cliente concreto un vale de compra o un descuento específico cuando pasa por delante de la tienda o a una cierta distancia considerada de proximidad, dado que es posible geolocalizarle por su *smartphone*.

–Madre mía, un poco *big brother*, ¿no? –sugirió Javier.

–Por supuesto, aquí seguramente la legislación deberá asegurar la transparencia como regla de juego clave. En cualquier caso, los conceptos fundamentales en el éxito de la aplicación de todo esto creo que son dos: relevancia y personalización realmente individualizada –prosiguió Andrea.

–A ver si lo entiendo. Quieres decir algo así como que lo que te llegue tiene que ser de verdad importante para ti y además tiene que ser eso, para ti, no para un grupo de personas parecidas a ti, no, solo para ti –resumió Javier.

–Completamente –respondió Andrea–. Personalización extrema o hiperpersonalización, la llama el antropólogo y futurista Brian Solis, experto en medios sociales y analista digital, que escribió en la revista *Forbes* sobre el imprescindible enfoque de las 5 W que toda empresa debería observar:

- Who: dirigirse únicamente a las personas que expresan intención, en lugar de lanzar el mensaje a todo un segmento o a todos los suscriptores de la marca. Es imprescindible no ser intrusivo. Aquí encaja también el tema de la relevancia.

- What: crear contenido altamente personalizado para cada persona, en lugar de mensajes genéricos.

- When: enviar los mensajes cuando los Clientes realicen acciones clave y cuando sean más propensos a responder, por ejemplo, como decíamos, cuando están paseando cerca de mi tienda.

- Where: enviar los mensajes únicamente a través del canal y dispositivo con el que el Cliente prefiera interactuar. Parece que el *smartphone* y los dispositivos *wearables* van a tener aquí un papel creciente.

- Way: aprender de verdad de qué forma prefiere cada cliente interactuar con la marca, si *offline*, *online* (y por qué medios) o de ambas formas.

–En cualquier caso, todo esto me suena un poco a ciencia ficción y al alcance solo de las grandes marcas, ¿no? –dijo Javier.

–Bueno, lo cierto es que estas prácticas se están imponiendo a pasos agigantados. Y ya existen *softwares* desarrollados a precios asequibles para las pymes. De hecho, en realidad, la gran obsesión de los desarrolladores de IT de estas tecnologías es que sean 100 % escalables, es decir, aplicables a cualquier tipo de compañía, con independencia de su tamaño. No, no, no creo que sea exclusivo para las grandes corporaciones, ni mucho menos. Yo creo, sin duda, que se democratizará y se convertirá en un *must* para todo tipo de negocios –respondió Andrea.

–Foco en las tiendas y en la tecnología, con todo lo que ello supone. ¿Qué más faltaría en el cóctel mágico? –preguntó Javier de nuevo.

–Anda, dímelo tú… Una pista… En esas tiendas-templo de varias plantas, ¿cabe mucho o poco producto? –dijo Andrea, guiñando un ojo a su sobrino.

–Muchísimo producto. Es cierto. Un catálogo gigantesco que crece sin parar. Supongo que se trata de diversificar, ¿no? –preguntó Javier.

–Se denomina realmente estrategia *long tail* (de larga estela o de larga cola) –matizó Andrea.

–¿Y en qué consiste? –preguntó de nuevo Javier.

–Bueno, como a ti te gustan mucho las matemáticas, te diré que el considerado padre de la distribución estadística *long tail*, el que la estudió desde los años 50, es Mandelbrot –explicó Andrea.

–¿El de los fractales? –respondió emocionado Javier, gran aficionado a las matemáticas capaces de explicar el universo–. Durante algún tiempo, en la carrera, estuve enganchado al estudio de los modelos matemáticos de geometría fractal, que daban explicación a diversas creaciones de la naturaleza, como los copos de nieve, el crecimiento autosimilar de algunas plantas, las nubes, las montañas…

–Jajaja, eres un *freaky* total, lo sabes, ¿no? –dijo Ainara de pronto.

–Lo sé, jajaja… ¡Y a mucha honra! –respondió orgulloso Javier–. Sigue, Andrea, por favor, que no nos distraiga esta dinamitadora de conversaciones ajenas –dijo guiñando un ojo a Ainara.

Andrea, sorprendida por el gesto de Javier, pensó que poco a poco esta pareja de antagónicos se iba descubriendo mutuamente…

–Pero fue Chris Anderson quien popularizó el concepto gracias a un artículo en la revista *Wired* de octubre de 2004, en el que descubrió al mundo que la estrategia *long tail* era en realidad el modelo económico seguido por compañías como Amazon o Netflix.

–Y se armó el lío, claro… –dijo Javier.

–Claro, fue revolucionario. Hasta entonces la idea que primaba era que los productos que había que vender eran los de mayor rotación. La regla de Pareto: el 20 % de los productos generaban el 80 % de la facturación. En definitiva, pocos productos de alto rendimiento –explicó Andrea.

–Tiene sentido, la verdad, para disminuir costes de almacenamiento… –empatizó Javier.

–Sí, hasta que Chris Anderson demostró que esas eran reglas de la distribución aplicables al mercado de masas tradicional, pero no a un mercado completamente atomizado en busca de la hiperpersonalización. Él demostró que, en el mundo de Internet, las ventas de baja frecuencia o escasa amplitud podían llegar a igualar, o incluso superar, el montante de las ventas de los productos de más éxito. Y como los costes de almacenamiento y distribución en Internet son pequeños, ya no era necesario focalizarse en unos pocos productos.

–¿Vender poco de muchas cosas puede ser igual a vender mucho de pocas cosas? –resumió Javier.

–Efectivamente. Se dio cuenta de que otra de las grandes fuerzas de Amazon era que podías llegar a encontrar cualquier cosa, cualquier libro que en una librería física no encontrarías o encontrarías con mucha dificultad. Y que ahí radicaba también una de sus grandes ventajas competitivas –confirmó Andrea.

–Así que las marcas se han lanzado a gestionar ingentes catálogos de productos… –dijo Javier.

–Claro. De una parte, esto dio lugar al mercado de nichos. ¿Cuántas veces te han hablado, en un nuevo lanzamiento, de un modelo de vehículo como de un «modelo de nicho»? –preguntó Andrea directamente a Javier.

–Sí, muchas veces. Modelos con los que siempre me preguntaba: «¿Realmente le vale la pena a la marca producir un vehículo tan específico, del que va a vender tan pocas unidades, con lo que cuesta crear y fabricar un modelo nuevo?». Ahora lo entiendo… –reflexionó Javier satisfecho, como cerrando un círculo mental en su cabeza–. Entre todos los segmentos de modelos de gran volumen de ventas se han ido creando sin parar modelos de nicho en una carrera sin fin. Qué fuerte.

–Con ellos, las marcas pueden llegar en efecto a segmentos de mercado con gustos minoritarios a los que no se tenía en cuenta, a los que antes no podían acceder y que pueden llegar a formar una larga cola de ingresos… –siguió Andrea.

–Apasionante, Andrea… –le dijo Javier a su tía.

–Pero no solo eso. Las marcas además han optado claramente por la personalización extrema de sus productos como arma adicional contra la amenaza de la amazonización. ¿O acaso no es cierto que los vehículos de tu marca tienen un catálogo de opcionales cada vez más amplio? ¿Y por qué crees que marcas como Nike tienen hoy en día más de 1000 modelos distintos en su catálogo y encima permiten a sus Clientes personalizar sus zapatillas deportivas? –continuó Andrea.

–Es la fórmula para convertir sus ventas en ventas consultivas sí o sí, ¿verdad? –dedujo Javier emocionado.

–¡Bingoooooooo! –respondió Andrea–. Es una forma de luchar para que sus productos no sean «transaccionalizables». Hoy en día, para comprarte las zapatillas deportivas que encajen a la perfección con TU actividad deportiva concreta y/o tu estilo de vida tienes que hacer casi un máster previo si te las quieres comprar por tu cuenta y no equivocarte… o bien ir a una tienda especializada de la marca en la que seguro podrás encontrar aquello que más te guste y mejor se adapte a TU vida y tus necesidades.

–Claro… Por tanto, a ver si lo he entendido: **instalaciones muy cuidadas, transformación digital con integración de lo _online_ y lo _offline_, realidad virtual, inteligencia artificial y _big data_, estrategia _long tail_ de producto para llegar a cuantas más personas mejor, y además consultivizar sí o sí tus ventas…** ¿Qué más falta? –preguntó Javier, totalmente metido en el tema.

–¿Qué ves tú en esa larga lista de cosas que has enumerado? –sugirió Andrea.

–No sé…, quizá mucho foco en instalaciones, tecnología y estrategia de producto, ¿no? Un poco lo de siempre… –dijo Javier.

–¿Te parece que falta algo? –preguntó Andrea.

–¿Personas? –contestó inseguro Javier, tras pensar unos segundos.

–¿Cuál es el último eslabón de la venta en la tienda? –volvió a preguntar Andrea, asintiendo con la cabeza.

–¿El tándem Vendedor/Cliente? –insinuó Javier.

–Exacto. Al final, en la venta de todas las marcas, vendan lo que vendan, en algún momento hay una interacción humana entre dos personas, el Vendedor o Vendedora y el Cliente. E incluso en la venta B2B hay un Vendedor o un equipo de Ventas creando o adaptando una solución a un equipo de compras o un área de una organización, compuesta también por personas en última instancia… Las marcas están invirtiendo cantidades ingentes de dinero en todo eso que tú has dicho (tiendas, tecnología y producto), que obviamente es imprescindible, pero parecen olvidarse de los Equipos de Ventas en muchos casos. **El Cliente reclama también una experiencia de compra distinta en su relación humana con los Vendedores.**

–La relación de confianza de la que hablábamos, ¿no? –cortó Javier.

–Claro. Y eso significa que hay que hablar necesariamente también de **proyectos de transformación real de la Cultura de Ventas, de los Equipos de Ventas** –respondió Andrea.

–Ya… ¿No crees que a la gente le parece que hablar de proyectos de transformación de personas es hablar de «fuegos artificiales» o del «sexo de los ángeles»? Yo veo que es algo demasiado intangible para muchos. Para mí el primero, lo confieso. Es mucho más fácil invertir en cosas tangibles, como tiendas, proyectos de digitalización o de desarrollo de producto –repuso Javier.

–Claro, y así también es mucho más fácil que la «amazonización» los devore sin que siquiera se enteren… –sentenció Andrea con tono irónico y duro–. Ocurrirá y no habrán visto ni aun llegar al «lobo». ¿De qué sirve una tienda espectacular con una experiencia digital o de realidad virtual flipante si al final de la compra te topas con un

Vendedor cocodrilo? Lo que la gente no sabe es que trabajar en otra Cultura de Ventas con sus equipos es tangible, requiere de una inversión relativamente pequeña y tiene, a cambio, una extraordinaria efectividad. ¡Y en muy poco tiempo!

–Jajaja, ¡tú barres para casa! –respondió Javier.

–Después de todo lo que hemos comentado, ¿no crees que tiene sentido lo que digo? –preguntó Andrea sin el más mínimo atisbo de agresividad.

–Sí, sí, todo el sentido del mundo, es la verdad… –reconoció Javier–. Pero tenemos un *management* en muchos casos anclado en el pasado.

–Anclado en la venta cocodrilo, sí. Y con un estilo de gestión de equipos y personas también ya obsoleto, que está convencido de que la gente se activa a base de presión y más presión por los objetivos. Pues están probablemente condenados, muertos y enterrados, sin más. Porque los Clientes ya no aceptan ni aceptarán nunca más que se les intente vender de esa manera, mediante presión, engaños y chantajes –sentenció Andrea–. Nos hemos cansado, todos, de que nos tomen el pelo. Hay un clamor creciente que dice ¡BASTA! Y que reclama otra forma de comprar, otro trato. El nivel de exigencia de los Clientes se ha disparado, efectivamente. Exigencia en cuanto a la profesionalidad esperada. A todos los niveles.

–Pues yo no quiero ser uno de esos Vendedores cocodrilo o Managers obsoletos… No seré uno de ellos… –y tras un silencio–: Yo sí conseguiré cambiar mi marca, te lo aseguro, créeme –dijo de pronto Javier, en un arrebato visionario, poco común en él–. ¿En qué consiste esa nueva Cultura de Ventas?

–El Cliente actual no busca solo especialistas en su producto, su mercado o su negocio (*job skills* o habilidades profesionales), con dominio de técnicas en confección y presentación de ofertas, técnicas de negociación, gestión de objeciones y cierre de ventas (*sales skills* o habilidades de ventas, que son las que tradicionalmente se han trabajado), sino personas que también sean especialistas en personas (*conversational skills* o habilidades conversacionales),

capaces de conectar completamente con sus necesidades y motiva-ciones de compra a través de la comunicación –dijo Andrea.

–¿La comunicación interpersonal juega entonces un papel clave en esa nueva Cultura de Ventas? –preguntó Javier.

–Completamente: tanto la comunicación verbal como la no verbal juegan un papel clave. Al igual que, como ya dijimos hace un rato, los elementos cognitivos de la Venta. Los nuevos Vendedores deberán ser capaces de desarrollar un conocimiento profundo de cada Clien-te, gracias al dominio de habilidades de comunicación interpersonal para comprender su estilo de comportamiento y sus expectativas en el ámbito de la relación personal, sí. Yo la llamo **la necesidad de la hiperpersonalización de la comunicación con el Cliente por parte del Vendedor o Vendedora.**

–Hiperpersonalización de la comunicación con el Cliente, caram-ba... –repitió Javier.

–Sí, comunicar con cada Cliente como él desea y no como indican los estándares de «café para todos» del proceso de ventas único e ina-movible de cada marca –dijo Andrea.

–¿Se trata de matar el Proceso de Ventas? –dijo alarmado Javier.

–No, ni mucho menos. El Proceso de Ventas es útil: proporciona orden, estructura y sensación de profesionalidad, de saber hacer. Se trata de ponerlo de verdad al servicio de cada Cliente, de forma per-sonalizada en cada uno de sus pasos –respondió Andrea.

–Ni más ni menos... ¿gracias a esas habilidades de comunicación personal? –dijo Javier.

–Sí... En definitiva, algo que yo llamo en su conjunto **Venta Posi-tiva** –concluyó Andrea.

–... Un concepto inventado por ti, que de forma simple definirías como... –dijo Javier.

–**La capacidad de combinar el conocimiento del producto con el nuevo conocimiento del Cliente para proporcionarle a este una experiencia de compra excepcional, única y 100 % personalizada y ajustada a sus motivaciones y a su estilo comunicativo (y no ajusta-**

da solo a las necesidades de la organización o la marca) –confirmó Andrea.

–Me gusta, **Venta Positiva**, suena bien –dijo Javier.

–Gracias, jajaja –respondió Andrea.

–¿Me ayudarás a desarrollar mi **Venta Positiva**? –preguntó humilde Javier.

–Jajaja, me encantará que recorramos juntos ese camino de descubrimiento –repuso encantada Andrea, repitiendo la frase a su sobrino.

–Paso a paso, en un trekking por las cimas del mundo, ¿no? –dijo Javier.

–Exactamente, Javier –confesó Andrea, mirando a su sobrino a los ojos con expresión afable.

Javier también la miró a los ojos con cariño y admiración, comprendiendo a la perfección la forma tan elegante y respetuosa con la que su tía se había propuesto ayudarle.

–¿Por dónde empezamos? –preguntó Javier con ilusión.

–¡Hace rato que hemos empezado! ¿Qué te parece si recuperamos a Robert después de este largo paréntesis para explicar el porqué de todo esto? –respondió Andrea.

–¡Jajaja, claro, cómo no, nuestro gran Robert! –asintió Javier.

–En efecto, veníamos de analizar la Fase 0 de la preparación de la venta y el primer contacto con él, del que habíamos deducido la necesidad de hacer una observación consciente del Cliente y espejarlo para iniciar la necesaria Conexión (la primera C) en la construcción de la Confianza, clave en una venta consultiva, ¿recuerdas? –dijo Andrea.

–Sí, lo recuerdo bien –respondió Javier.

–Ahora podemos ir a los cimientos de todo esto –conectó Andrea.

–Perfecto, la cosa va tomando cuerpo –dijo satisfecho Javier–. ¿Por fin conectamos con el dichoso estilo relacional de los Clientes?

—Por fin, sí, jaja —rio Andrea, consciente de la expectación que tenía su sobrino con respecto a este tema.

—¿Nos dará tiempo antes de aterrizar? —preguntó Javier inquieto, temiendo que la ansiada explicación quedara interrumpida.

—Bueno, creo que la revisión de los aspectos básicos sí podremos hacerla —confirmó Andrea con una amplia sonrisa.

—Pues al ataque, no veo el momento —dijo Javier ilusionado.

3.14 SERVICIO DE CATERING: ¿DESEA TOMAR ALGO? (LA TRIPLE A DE LA CONEXIÓN COMUNICATIVA)

–Eso, al ataque. Y me da igual lo que digas, Andrea, yo a esto me apunto sí o sí –dijo de pronto Ainara–. ¿Es lo de comprender cómo se comporta cada uno y cómo, en función de ello, aprender a conectar mejor con los demás, verdad? Ese cursito que nos has prometido tantas veces a Mar y a mí y que nunca nos has hecho, ¿no? –dijo mirando a Andrea con cara de reproche y una mueca divertida, sin perder nunca su tono jovial.

–Ahhhhh –dijo Mar de pronto, mientras se ponía de rodillas en su asiento girándose hacia atrás, con los brazos rodeando su reposacabezas y mirando hacia donde estaban Andrea y Javier–. Pues entonces a mí también me gustaría apuntarme, ¡por favor! ¿Podemos, verdad?

No hizo falta que Javier hablara: bastó con la leve y disimulada mirada de fastidio que le lanzó a su tía para transmitirle claramente su desaprobación ante la idea de que sus amigas fueran parte activa de la explicación. «Esto va a ser un caos», dijo para sí. Sin embargo, Andrea lo tuvo claro porque de pronto se dio cuenta de que sus amigas iban a ayudarle incluso más de lo imaginado. Así que, mirando a Javier con cara de «venga, confía en mí», dijo:

–¡Me parece una grandísima idea, chicas, genial! De hecho, resulta que vais a ser parte imprescindible en la explicación del modelo de comportamientos.

Javier respiró hondo para serenarse y decidió decir algo conciliador, dejando a la vez asentadas unas bases mínimas de trabajo:

–Ok, pero os pido por favor a todas que nos lo tomemos en serio, esto para mí no es un juego, lo necesito para mi trabajo.

Andrea, muy controlada, no dijo nada, pero pensó: «Para tu trabajo no, cariño, para tu vida entera». Ainara, por supuesto, no se pudo resistir y expresó lo que pensaba:

–Bueno, pues nada, venga, si el niño nos da su permiso, no hay nada más que decir –soltó sin dejar en ningún momento de sonreír–. Eso sí, Javier –dijo de repente poniendo cara más seria, pero algo juguetona–, espero que algún día entiendas que los juegos son una cosa muy, pero que muy seria –y le guiñó un ojo a Javier, quien, subiendo los ojos hacia arriba, pensó: «Lo que hay que oír, qué paciencia».

–No te preocupes, Javier, nos vamos a portar de maravilla. Para buenas alumnas, ¡nosotras! Ya lo verás, seremos las mejores –dijo Mar intentando suavizar la conversación.

–Oye, Andrea, ¿y al resto de la expedición no los invitamos a participar? –propuso Ainara, haciendo un gesto circular con la cabeza para referirse a los *bikers*.

–¡Marc, Alberto, Raúl! *¡Bikers!* ¿Os apetece conocer un modelo de identificación del comportamiento y el estilo de comunicación humanos? –preguntó Andrea, sacándole un auricular del oído a su marido para asegurarse de que la escuchase.

Los tres, como si lo hubieran tenido preparado, levantaron al unísono y sin mirar su dedo índice derecho y lo movieron de un lado a otro, sin articular una sola palabra, lo cual provocó una sonora carcajada del resto del grupo.

–Jajaja, ni que lo hubierais ensayado, sois tal para cual los tres. ¡Dios los cría y ellos se juntan! –soltó Ainara.

–Vale, estupendo, pues somos nosotros 4 –dijo Andrea frotándose las manos, pensando con cierta impaciencia cómo lo iba a hacer.

No había contemplado la posibilidad de explicar el modelo para 4 (incluyéndose ella misma), pero la verdad es que tenía mucho más sentido. Iba a ser mucho más enriquecedor para todos, y en especial para Javier. Y además encajaba a la perfección. Eso sí, tenía que pensar rápido cómo hacerlo con las limitaciones físicas impuestas por el espacio del avión y por cómo estaban sentados… Pim, pam, en un momento ya lo tenía claro: «Venga, Andrea, va a salir genial», se dijo.

–Vale, venga, ¿preparado, preparadas? –preguntó. Todos asintieron–. Lo primero que me gustaría que hiciéramos es sentar unas bases de funcionamiento entre los cuatro.

–Ok, empiezo yo, que ya sé de qué va –dijo Javier, ávido de asegurar el correcto devenir de la explicación–. Mirad. Propongo que demostremos interés, atención, que seamos participativos, pero con orden, con un poco de organización y seriedad, implicación y rigor. Es que si no yo me pongo un poquito nerviosito, la verdad –dijo justificándose, pero intentando ser afable.

–Fantástico, Javier. Ya veo cómo va, gracias –recogió Mar–. Yo propongo que prime el respeto entre nosotros, que no perdamos de vista nunca que somos personas civilizadas y educadas. Y, por encima de todo, amigos. No soportaría que esto acabara como el rosario de la aurora. ¿No pasará, no, Andrea? Oye, por cierto, ¿no nos tendremos que desnudar ni nada parecido, no? –expresó con cierta inquietud.

–Joooope, no sé si parece más un juicio severísimo o que nos van a llevar al matadero… ¡Vaya par de dos! Uno serio como un palo y la otra supercomedida y acojonada. Como decía Luis Eduardo Aute en su canción *De paso*, «quien pone reglas al juego se engaña si dice que es jugador, lo que le mueve es el miedo de que se sepa que nunca jugó». ¡Pues yo propongo que tengamos derecho a pasarlo bien y a disfrutar, caramba! –dijo Ainara, alzando la voz.

–¿Pero aceptas además lo que hemos propuesto Mar y yo, sí o no? –puntualizó Javier, preciso y sereno.

–Síiiiiiiii, lo acepto –dijo Ainara–. Eres un chico majo, pero un poquito cansino, ¿lo sabes, verdad, bonito?

–Sois buenísimos, de verdad, estoy por grabaros con mi móvil, jajajaja –rio Andrea encantada, observando cada interacción.

Se daba cuenta, eso sí, de que aunque la dinámica de presentación de los tipos comportamentales iba a dar mucho juego, los riesgos eran también altos. Y es que, a pesar de que aún no lo podía decir en voz alta, le sorprendía enormemente cómo cada cual respondía con precisión absoluta al comportamiento del estilo dominante que le era propio.

–Fantástico, chico y chicas. Si me dejáis, yo propongo apertura de mente –dijo Andrea, aportando también una propuesta de comportamiento para la dinámica.

–Me encanta, Andrea, qué bueno, algo que deberíamos aplicarnos cada día, ¿verdad? –dijo Mar, siempre tan receptiva y empática. El resto asintió.

—Genial, pues. ¿Algo más? —preguntó Andrea, mirando alternativamente a todos—. Vale, entonces vamos a ello si os parece. Voy a empezar de una forma que no es la que suelo aplicar en mis cursos, pero que creo que aquí nos servirá… Me gustaría que, entre todos, buscáramos adjetivos que definan a cada uno de nosotros 4. ¿Por quién empezamos?

—Venga, pues por mí —dijo Ainara sin más—. ¿Y yo qué tengo que hacer, me callo o puedo hablar e ir interviniendo sobre lo que me vayáis diciendo?

—Lo ideal es que escuches sin hablar, pensando profundamente en todo lo que se te diga. ¿Lo ves posible, Ainara? —preguntó Andrea.

—Lo intentaré —respondió Ainara, en un esfuerzo de contención.

—¿Nos pones un ejemplo, Andrea? —pidió Mar.

—Claro. Ahí voy: yo veo a Ainara con un comportamiento siempre positivo, optimista, alegre y soñador —dijo Andrea sin pensárselo dos veces. Podría haber dicho mucho más, claro, pero quería que fueran los demás los que hicieran el esfuerzo de pensar y poner sobre la mesa el comportamiento predominante de su amiga.

—Vale, ya lo pillo —dijo enseguida Mar—. Pues yo la veo impulsiva, espontánea, divertida, inventiva (a veces demasiado y se le va un pelo la olla), creativa, hipersociable (fliparíais con su agenda de contactos, debe de conocer a toda Barcelona y parte del resto del universo), capaz de mover el mundo con sus ideas, carismática, una tía genial, vamos, la salsa de cualquier fiesta —describió Mar, lanzando un besito por el aire a su amiga.

—Yo también os quiero, chicas —respondió Ainara.

—Eppp, chitón, no se puede hablar —le dijo Mar, muy metida en su papel de buena alumna—. Venga, Javier, ¿te animas?

—Pues yo además la veo dispersa, que va de rama en rama y a saltos por la vida, algo superficial, siempre queriendo ser el centro de atención y sin escuchar a los demás, solo a ella misma, una parlanchina —soltó Javier de pronto. Él, como siempre, no podía ser más claro. No ponía filtros.

–¡Hombreeeeeee, Javieeeer! –exclamó Mar mirándole con la cabeza ladeada y con las palmas de las manos juntas y en movimiento, en señal de ruego–. Andrea, ¿pero no tienen que ser solo cosas buenas? –y mirando de nuevo a Javier–: Que tenemos que estar juntos 15 días, hijoooooo, mide un poquito tus palabras, corazón –intentó suavizar.

–Siempre desde el respeto acordado, son válidos tanto adjetivos y descripciones de comportamiento positivos como no tan positivos o incluso negativos, todos pueden entrar –matizó Andrea–. Aunque ahora sé que no os lo parece, creo que Javier ha creído ser objetivo y riguroso, centrándose en lo que a él más le llama la atención… ¿Me equivoco, Javier?

–Así es, exactamente. No pretendía ofender. Es lo que yo veo, la verdad –reconoció Javier.

–Y yo, que la conozco bastante, estoy básicamente de acuerdo en todo –dijo de pronto Raúl, el marido de Ainara.

–¡El que faltaba, jajajaja! ¿Pero tú no habías movido el dedito diciendo que no participabas, rey? Pues eso, ni voz, ni voto –le dijo Ainara, desplegando todo su *show* habitual de gesticulación y con un tono de voz bastante alto. Eso sí, al acabar, le dio un sonoro beso en la mejilla a su marido.

–Perfecto, os recuerdo lo que he apuntado sobre el comportamiento observable de Ainara –dijo Andrea, revisando sus notas para centrar de nuevo la dinámica–. Lista de comportamientos positivos: positiva, optimista, alegre, soñadora, impulsiva, espontánea, divertida, inventiva, creativa, hipersociable, capaz de mover el mundo con sus ideas, carismática, una tía genial. Y como comportamientos negativos: dispersa, que va de rama en rama y a saltos por la vida, algo superficial, que siempre quiere ser el centro de atención y que no escucha a los demás, parlanchina. ¿Es eso? ¿Algo que añadir? –preguntó Andrea.

–Sí, yo quiero añadir algo más –dijo otra vez Raúl. Ainara se giró de pronto hacia él, expectante–. Además de todo lo dicho, Ainara tiene algo más: todo aquello que hace tiene un algo de mágico, especial, brillante y único. Y ahora ya me callo.

–¡Oléeeee, este es mi amor! ¿Veis por qué me casé con él? Ven aquí, solete mío –dijo Ainara cogiéndole la cara con las dos manos y dándole un sonoro beso a su querido marido.

–Gracias, Raúl. Apuntado queda –recogió Andrea–. Y levantó su libreta enseñando a todos el gráfico con cuatro cuadrantes en que había apuntado todas las descripciones de Ainara. Estas ocupaban un cuadrante concreto, en la parte inferior derecha del gráfico.

–¿Y ese esquema? ¿Nos lo explicarás? –preguntó Javier.

–Por supuesto. Si me lo permitís, al final de esta dinámica –respondió Andrea. Y como todos asintieron, siguió: Perfecto, ya tenemos a Ainara «adjetivada». ¿Por quién seguimos?

–¿Qué, Javier, tú o yo? –le preguntó Mar–. Aunque pensándolo bien, creo que deberías ir tú, la verdad, por lo gallito que acabas de ser… Quien está dispuesto a dar, tiene que estar dispuesto a recibir, de buen rollito, ¿eh? –propuso, «tirando la piedra y escondiendo la mano».

–Vale. Si, total, vamos a tener que hacerlo todos… Ningún problema –aceptó Javier con poca expresividad, como si no le afectara lo más mínimo el comentario.

–Perfecto, Javier, gracias –dijo Andrea–. Si os parece, vuelvo a empezar yo. Ahí voy. Yo veo en Javier un comportamiento marcado por su afán de claridad, le pone método a todo, se muestra analítico hasta límites insospechados y es amante de la precisión y el rigor. Y le encanta el conocimiento. Es un gran fan de todo lo «científico» porque está, al menos en apariencia, basado en hechos y datos irrefutables.

Javier escuchaba impertérrito, apenas sin demostrar reacción alguna.

–Ahora yo –dijo Mar–. Yo le veo formal, prudente y discreto, algo que le hace aparecer a veces serio, frío y distante en exceso. Con perdón, ¿eh?… Puedo estar equivocada, es solo mi impresión –se disculpó Mar. Javier tampoco reaccionó esta vez.

–Estupendo, ahora me toca a mí –dijo Ainara, guiñándole un ojo–. Pues yo le veo un tío que en su trabajo debe de ser muy competente, muy cumplidor, alguien que siempre hace las cosas bien hechas, el don perfecto en todo. El chico 10 que hace todo lo que hay que hacer. Pero, a la vez, me parece que tiene un comportamiento demasiado cuadriculado para la edad que tiene, como muy crítico con todo lo que venga de los demás, una de esas personas agoreras para las que nada parece estar nunca suficientemente bien, un poco negativo en exceso, como desconfiado, como peleado con la vida, que no sabe dejarse llevar y disfrutar de las cosas maravillosas que la vida le pone en bandeja. Y como con fobia a la gente… Y debo decir que también me he esforzado por ser objetiva, centrándome en lo que más me llama la atención de él –cerró Ainara, con tono irónico-divertido.

–Madre mía, Andrea… –dijo Mar asustada, moviendo la cabeza de un lado a otro–. ¿Quieres decir que esto va a acabar bien? Estos dos parecen fijarse solo en lo más negativo del otro…

–No te preocupes, Mar, todo va según el guion previsto –dijo Andrea en tono sereno–. Estamos asistiendo a un fenómeno que ahora mismo explicaremos, en 5 minutos, en cuanto acabemos con la «adjetivación» de los 4, ¿os parece?

–Bueno, si tú lo dices… –aceptó Mar.

–Venga, ¿os presento también el resumen de Javier? –dijo Andrea, retomando el control de la conversación.

Y, tal como había hecho con Ainara, Andrea enumeró los elementos de la lista de aspectos positivos y de la de aspectos negativos del comportamiento de Javier, mostrando de nuevo el esquema con los cuadrantes. Esta vez, las dos listas de Javier habían ido a parar al cuadrante diagonalmente opuesto al de Ainara, arriba a la izquierda del mapa.

–¿Lo veis? Estos son contrarios en todo, seguro… Bueno, imagino que ahora me toca a mí, ¿no? –dijo Mar, atemorizada–. Miedo me dais…

–¡Genial, Mar, gracias! Venga, ¿empiezo yo de nuevo? –propuso Andrea, y todos asintieron–. A mí Mar me transmite siempre serenidad, paz, bondad, comprensión, protección y calidez. Para mí es «nuestra mamá gallina», la que siempre está pendiente de todos nosotros sus polluelos y nos cuida. Quien pone paz y se preocupa si hay confrontación entre las personas. Y una amiga leal y fiel, a quien le puedes contar lo que sea, que siempre te escuchará, empatizará contigo y hará lo indecible por ayudarte en todo lo que pueda. A veces incluso llegando a sumergirse en el sufrimiento ajeno hasta hacerlo propio… Una sufridora nata, vamos.

–¿De verdad me ves así, cariño? –respondió Mar afectuosa y emocionada, tendiéndole una mano a Andrea desde su asiento para un leve contacto físico de agradecimiento.

–Sí… –respondió Andrea, con expresión afable y cariñosa y un leve movimiento de cabeza de arriba abajo.

–Sí, yo coincido plenamente –dijo Ainara–. Además, añadiría que demuestra una sensibilidad delicada y finísima sobre toda expresión artística, que muchas veces hasta a mí, que se supone que me dedico al ramo, me sorprende. Y es capaz de captar matices del comportamiento de otros que a mí se me escapan… Tiene como un sexto sentido para percibir lo que sienten y piensan los demás. Junto a esto, a veces tengo la sensación de que carga con la culpa del mundo entero sobre sus hombros y se comporta de manera más insegura de lo que cabría esperar. Eso la hace parecer como indecisa, poco valiente o miedosa ante todo… Demasiado frágil, a veces parece que se vaya a romper… Ah, y con una cierta tendencia al drama y a la dramatización, a no dormir por las noches de tanto dar vueltas a las cosas…

–Mira quién fue a hablar, la reina de la sobreactuación –le espetó Mar a Ainara.

–Hija, pero estamos claramente especializadas en géneros teatrales distintos, a mí me va más la comedia costumbrista o de enredo con final feliz y a ti el drama atormentado, cariño… –respondió ocurrente y rápida Ainara. Mar no supo qué decir…

–Lo ratifico al 100 % –dijo de pronto Alberto, el hijo de Mar, sin moverse de su sitio–. La expresión favorita de mi madre cuando voy a hacer algo nuevo, sea lo que sea, es «sobre todo ten cuidado, cariño, por favor…».

–Es que, cariño, se te ocurren unas cosas que no veas, a cuál más arriesgada, eres mi único y precioso bebé –respondió Mar acariciando suavemente la cabeza de su hijo, en un gesto maternal de protección, una vez más–. Estoy flipando, chicas, me voy a poner a llorar –reconoció Mar–. Nunca imaginé que en este viaje y en este vuelo fuera a descubrir tantas cosas y tan intensas de mí misma... Me habías dicho, Andrea, que no nos íbamos a tener que desnudar, pero esto se podría decir que es un desnudo en toda regla... Del alma, no del cuerpo, que casi es peor...

–¿Quieres que lo dejemos, te sientes incómoda? –preguntó suavemente Andrea.

–No, no, ahora tengo curiosidad por saber adónde nos llevará todo esto –contestó Mar algo compungida.

–¿Y tú, Javier? ¿Tienes algo que comentar del comportamiento visible de Mar? –preguntó Andrea.

–Lo cierto es que a Mar no la conozco tanto. Hemos interaccionado muy poco. Apenas la reunión de tu casa y hoy –dijo Javier pensativo–. Sin embargo, destacaría su dulzura y suavidad extremas. Aunque con un exceso de sensiblería para mi gusto, la verdad. Y me parece que demasiadas veces, con tal de que no haya voces u opiniones discordantes en nada, llega a ceder demasiado... y hasta a parecer complaciente en exceso. Rozando la hipocresía. Corta discusiones ajenas que a mí me parecen interesantes por miedo a que haya algún «herido» o mínimo enfado... La veo incapaz de discutir jamás con nadie por nada, a veces parece no tener opiniones propias y que se deja influenciar por todo y todos... Y no sé si eso es bueno o no lo es tanto... –se preguntó Javier.

–¿Podríamos decir que se muestra conciliadora y que a la vez rehúye todo conflicto? –preguntó Andrea.

–Sí, es lo que a mí me parece, la verdad –respondió Javier.

–Si me dejáis, si me dejas, mamá, querría añadir algo más –volvió a intervenir Alberto.

–Vaya con los mirones –dijo Ainara–. Así es muy fácil, guapos, «participo desde la barrera, pero no me implico y así seguro que no me duele nada»... Mucha jeta tenemos los 3 *bikers*, ¡haciendo de gallinas y no de cerdos!

–¿Perdón? No he pillado lo de las gallinas y los cerdos... –dijo Javier curioso.

–¿No conoces el famoso aforismo de Richard Pratt, el multimillonario australiano? –dijo Ainara risueña. Andrea sabía que era uno de los favoritos de Ainara y esperaba ávida a que lo contara...

–Pues no. De hecho, no había oído en mi vida hablar del tal Richard Pratt... –reconoció Javier abiertamente.

–Pues es el señor que dijo: «¿Sabéis cuál es la diferencia entre compromiso e implicación? Pues muy sencillo: pensad en un plato de huevos con beicon. En él, ¡la gallina está implicada y el cerdo está comprometido!» ¡Firmemente comprometido, añadiría yo! –y estalló a reír encantada a carcajada limpia–: ¡JAJAJAJAJA!

–¡Jajajajaja! Es buenísimo, la verdad. Estoy 100 % de acuerdo. Estos están haciendo de gallinas... ¡Y nosotros de cerditos! –reconoció Mar. Javier asintió con una sonrisa leve, sin decir nada, sorprendido una vez más por la chispa de Ainara.

–¡Jajaja! Venga, ¡dispara, «gallina» Alberto! –le dijo finalmente Ainara al hijo de Mar.

–Yo querría destacar también el detallismo increíble de mi madre –explicó Alberto–. Es la persona más cuidadosa y perfeccionista que yo conozco. Creo que no debe de haber casa más limpia y ordenada que la nuestra. Cada cosa tiene que estar en su sitio exacto y en perfecto estado de revista. Ni debe existir un jardín mejor organizado, equilibrado y cuidado. Ni una flor seca ni una hoja en el suelo. Ni unos pósters y presentaciones, cuando va a congresos como ponente, más y mejor trabajados. Y, claro, mantener todo eso así debe de consumir una cantidad de energía considerable...

–¡Ay, sí, por Dios! –reconoció Ainara–. Las veces que hemos compartido habitación en viajes, y han sido muchas, ¡me ha generado un estrés que ni os imagináis!

–¡Y tú a mí, bonita! Con todo tirado siempre en una especie de montaña «en torno» a la zona de tu maleta –respondió Mar–. Luego, claro, mi maleta siempre está hecha en 2 minutos (y no se me pierde nada) y, en cambio, para ti hacer la tuya es un infierno… ¡Y eso si acabas encontrando todo!

–Como dijo Voltaire, «lo perfecto es enemigo de lo bueno». ¡Y mucho menos rápido! Cuando en en cada viaje la veo doblar en tres las braguitas usadas para ponerlas en la bolsa de la ropa sucia es que me meo, jajajajaja –soltó de pronto Ainara, ocurrente–. Lo siento, cariño, ¡es que eres la bomba, de verdad!

Todos, incluidos los *bikers*, soltaron una sonora carcajada. También Mar. Quería con locura a su adorada Ainara, era imposible que se enfadara con ella y no podía resistirse a sus bromas.

–Claro, es mucho mejor vivir en el caos total, ¿verdad? –se defendió Mar.

–¿Mejor que recrearse doblando las braguitas sucias? Cariño, ¡el universo es caos! Yo simplemente estoy alineada con la entropía creciente del universo. No deberías resistirte a ello, te van a salir muuuuuuuchas arrugas… Mira yo qué cutis y qué cuello tengo… –sentenció Ainara, estirando su cuello cual jirafa, con expresión burlona.

–Gracias, Alberto, está claro que tu aportación final ha sido definitiva –dijo Andrea. Él, desde su asiento, levantó su mano derecha con el símbolo del ok americano–. ¿Os parece que repasemos las dos listas de Mar?

–Si no hay más remedio… –dijo esta.

Y de nuevo Andrea repasó para todos las dos listas completas. En el caso de Mar, ambas aparecieron en el cuadrante inferior izquierdo del mapa. Y cuando las hubo consensuado, dijo:

–Bueno, pues solo falto yo por adjetivar. ¿Quién empieza?

–¡Pues yo, claro, que no me puedo estar callada, jajaja! –dijo Ainara–. Andrea es para mí la energía y la pasión hechas persona. La fuerza de la voluntad, el poder de la determinación. Resolutiva, valiente, convincente, directa. Donde pone el ojo, pone la bala. Totalmente orientada a conseguir los objetivos que se marca. Cuando enciende el turbo, no hay quien la pare. Eso sí, es tan poderosa y despide tanta energía a su alrededor que puede arrollar todo lo que se ponga por delante sin ni siquiera enterarse –cerró Ainara lanzando un guiño a su querida amiga.

–Y que lo digas… Recuerdo cuando llegaba a la oficina por la mañana y sin preguntar ni «cómo estáis» y ni dar los buenos días, así, sin más, soltaba a bocajarro: «A la sala de reuniones todos, tenemos que ver cómo va el tema X inmediatamente» –apuntó Mar.

–¿En serio? –dijo de pronto Javier–. Pues yo no la veo para nada así, la verdad. Sí en cuanto a lo de decidida, que siempre tira por el camino de en medio. Pero por lo demás…

–Es que seguramente tú ya la has conocido en consciencia cuando te la dimos ya arregladita, jajaja –explicó Ainara–. Quiero decir que de pequeño probablemente no percibías según qué cosas. Y nosotras la «arreglamos» hace como unos 15 años. Tú tenías… pues eso, unos 15. En plena edad del pavo. No te debiste ni de enterar, corazón.

–Pues el arreglo funcionó de verdad… Ahora lo cierto es que yo la veo mucho más serena, más pausada que eso, mucho menos estresada por la inmediatez de todo y… bastante menos autoritaria y mandona –dijo Javier.

–Síiiii… Hombre, además me dedico justamente a todo esto, estoy muy «trabajadita». Aun así, confieso que debo hacer un esfuerzo consciente cada día para bajar las revoluciones de mi motor… –reconoció Andrea.

–Debo decir que en casa a veces se le olvida el esfuerzo consciente y aparece de pronto la «dominator con látigo» que lleva dentro, jajaja. Suerte que ya me lo sé y tengo las herramientas para controlarla –dijo riendo Marc también de pronto.

–Ya estamos con los artistas invitados… –dijo Ainara.

–Sobre todo era el tono… No es que fuera maleducada, que nunca lo ha sido. Es que era como impersonal, como un robot que iba a lo que iba y nada más importaba… –dijo Mar, recordando sensaciones pasadas.

–«Hola, soy el señor Lobo, soluciono problemas» –dijo de pronto Ainara, intentando poner voz grave de hombre–. ¿Os acordáis de la escena de *Pulp Fiction*? Pues Andrea podría haber hecho de señor Lobo sin problema, jajajaja.

–Síiiiii, una peli un poco demasiado violenta para mí, pero reconozco que sublime… –conectó Mar–. Me acuerdo de que cuando el señor Lobo explica a Vincent y a Jules cómo tienen que limpiar del coche los restos de la persona a la que acaban de volar los sesos, les dice inmediatamente: «Muchachos, a trabajar», y Vincent le responde: «Por favor, ¿vale?», recordándole que se le ha olvidado decírselo, jajaja.

–Sí, y el señor Lobo le dice: «Entérese, amigo, no tengo que decir por favor, solamente lo que debe hacer. Y si posee algún instinto de conservación, más vale que lo haga y cagando leches. He venido a ayudar y, si mi ayuda no es apreciada, que tengan suerte, caballeros». Qué peliculón, me acuerdo de los diálogos de memoria de las veces que la he visto, ¡jajaja! –explicó Ainara–. Y este diálogo hubiera podido ser de Andrea totalmente, ¡jajaja!

–Hombre, no sé si tanto, pero vamos, como ejemplo de cierta arrogancia y vehemencia sirve –defendió Marc mirando con cariño a su adorada esposa, que se mantenía callada con una sonrisa en la boca.

–¿Y tú cómo la soportabas? –preguntó de pronto Javier a Marc.

–Muy fácil, hay truco: somos completamente iguales, tal para cual, jajaja –admitió Marc–. Y debo reconocer que ella me ha ayudado a evolucionar también a su lado, comprendiendo muchas cosas de mi comportamiento y de mi impacto en los demás.

Andrea apretó la mano de su marido todavía sin decir nada, plenamente consciente de que sus amigas tenían toda la razón. Gracias a ellas, que le explicaron con suma amabilidad todo esto cuando tuvieron que participar en un 360º para ella, cambió su vida. Según Andrea, a mejor. Le ayudaron a ser persona, y nunca se lo podría agradecer bastante. Le encantaba que Javier lo estuviera oyendo todo directamente de ellas y que aprendiera que cambiar, o al menos modular, el comportamiento predominante o natural era del todo posible. Eso sí, había que hacer una escucha plenamente consciente y aceptar el *feedback* sin oposición, sin lucha, desde la más profunda humildad.

–Bueno, pues ya tenemos también mis dos listas –dijo finalmente Andrea–. Y mostró al resto su libreta, con sus propias listas en el cuadrante superior derecho. Mapa completo.

–¿Tú y yo igual de opuestas que estos dos? –preguntó Mar a Andrea, señalando a Javier y a Ainara.

–Pues sí. Y, por ello, probablemente seas la persona que más me ha ayudado a crecer y mejorar en los últimos años, junto con mi hija Gabriela –le respondió Andrea con expresión cariñosa y agradecida.

–Bueno, a ver un momento… Vamos a suponer que este mapa somos nosotros 4… ¿Qué tiene esto que ver con el modelo completo de comportamientos que nos ibas a explicar? –preguntó Javier.

–Pues es que resulta, por casualidades de la vida, que cada uno de nosotros representa o encarna justamente uno de los 4 estilos comportamentales, relacionales o de comunicación que existen, según el modelo Bridge de Ferran Ramón-Cortés y Álex Galofré, que explican en su libro *Relaciones que funcionan* –respondió Andrea.

–¿Y solo hay 4 tipos de comportamientos comunicativos entre los humanos? Es decir, ¿se supone que todas y cada una de las personas de este avión, y más aún, del mundo se podrían enmarcar en uno de estos 4 estilos comunicativos? ¿De verdad?… Sinceramente, me parece un poco reduccionista y excesivamente simplista. Creo que los seres humanos somos muy complejos y que, además, todos somos distintos, únicos. Si no me cuentas algo más, esto la verdad es que me resulta chocante y poco consistente… –expresó Javier escéptico y con cierta dureza en tu tono.

–Entiendo lo que dices, Javier. Y es una respuesta razonable ante lo que hemos visto, sin duda. Está claro que necesitamos alguna explicación adicional, ¿verdad? –preguntó Andrea.

–Más de una… –volvió a insistir Javier secamente.

–Mente abierta, Javier, mente abierta… –dijo Mar–. Cuéntanos más, Andrea, por favor.

–Como bien ha dicho Javier, y como nos cuentan Ferran y Álex en su libro, hoy en día está comúnmente aceptado que todos somos distintos y percibimos y reaccionamos de forma diferente a una misma realidad. Y es que, tal y como nos han explicado, entre otros, Richard Bandler y John Grinder, creadores de la programación neurolingüística o PNL (modelo que explica cómo funcionan la mente y la percepción humanas y cómo procesamos la información y la experiencia, así como las diversas implicaciones que todo ello tiene), todos somos fruto de un mix entre nuestros condicionamientos físicos (nuestra particular configuración física, nuestros 5 sentidos transductores de la realidad, nuestra estructura y desarrollo cerebral, etc.) y nuestros condicionamientos, digamos, ambientales (recuerdos, experiencias, entorno sociocultural, educación, etc.), cuya combinación marca nuestros valores, creencias y expectativas y, por tanto, nuestro comportamiento aparente como la pequeña cúspide visible de un complejo y profundo iceberg –explicó Andrea.

–Me gusta la metáfora del iceberg –reconoció Mar.

–También conocida como Pirámide Neurológica de Robert Dilts –confirmó Andrea.

–Y que confirma que todos somos seres únicos e irrepetibles –insistió Ainara.

–Efectivamente. Y esa es la causa de que entre los seres humanos se produzcan pequeñas o grandes incomprensiones… No hay más que levantar la vista y echar un vistazo al mundo –respondió Andrea, con pesadumbre.

––… Plagado de conflictos humanos, guerras, confusiones… –asintió Mar.

–Aquí os planteo una cuestión: si fuéramos capaces de comprender nuestro estilo relacional o comunicativo y el estilo de nuestros interlocutores, ¿creéis que tendríamos una oportunidad de entendernos mejor con los demás? –preguntó Andrea.

–Toma, claro –respondió Javier–. Pero acabamos de reconocer que todos somos distintos. De forma que conocer el estilo particular de comunicación de cada persona para adaptarnos a ella es simplemente imposible.

–Es verdad, Javier. Por ello, y aceptando esa premisa, desde los filósofos griegos hasta nuestros días de la mano de Ferran y Álex, los seres humanos han intentado identificar rasgos comunicativos comunes que se repitan con frecuencia en todos nosotros y que sugieran unas pautas reconocibles, con las que todos nos podamos sentir razonablemente identificados –explicó Andrea.

–¿Reconociendo en todo caso la individualidad de cada persona? –empatizó Mar.

–Por supuesto. Mirad, todos los seres humanos somos diferentes físicamente, ¿verdad? Salvo quizá los gemelos univitelinos, no encontraremos dos personas iguales en el mundo entero. Sin embargo, todos tenemos dos brazos, dos piernas, cabeza, cara, ojos, nariz, boca, orejas… Y desde tiempos inmemoriales la antropología se ha esforzado también por estudiar una serie de rasgos físicos, así como biológicos y culturales, que nos permitieran clasificar a las personas en grupos étnicos, cuyos miembros contarían con características comunes que los diferenciarían del resto de la humanidad, ¿no? –preguntó Andrea. Javier asintió pensativo con un leve movimiento de cabeza–. Desde mi antirracismo profundo, os recordaré que, según las clasificaciones ya obsoletas y superadas de siglos pasados, la población mundial se dividía en 4 razas principales. Hoy en día, según un estudio de 1998 publicado en *Scientific American*, en el mundo se estima que hay en torno a 5000 grupos étnicos distintos. Teniendo en cuenta que somos unos 8000 millones de personas en el mundo, alguien podría decir que tanto la una como la otra son clasificaciones simplistas y reduccionistas…Y probablemente lo sean, porque al parecer está demostrado que no existen razas ni grupos genéticos puros (afirmado por Rebecca L. Cann en su artículo *ADN mitocondrial y evolución humana*). Sin embargo, la antropología moderna sigue empeñada en buscar patrones comunes entre los diferentes seres humanos, que al parecer existen, pese a la individualidad de cada persona –prosiguió Andrea.

–Es evidente, Andrea –confirmó seria Mar, ahora en su papel de médico–. Sigue, por favor.

–Pues mira, justamente un colega tuyo, Hipócrates, considerado el padre de la medicina moderna, fue uno de los primeros, allá por el siglo V a. C., en tratar de identificar diferencias de «temperamento» de las personas, con arreglo a su teoría de los cuatro humores. Identificó cuatro de ellos: el temperamento colérico, el melancólico, el sanguíneo y el flemático. Si bien Hipócrates usó esta clasificación fundamentalmente para trabajar sobre la salud de sus pacientes, algunos pensadores la expandieron para que fuese capaz de explicar también las tendencias conductuales y mentales. Destacó entre ellos Galeno de Pérgamo, un médico y filósofo griego (en el Imperio romano), nacido en el siglo II d. C. –explicó Andrea.

–Qué listos fueron los griegos y los romanos, de verdad, cuántas cosas les debemos –comentó Mar.

–Sin duda. Pero no fue hasta el siglo XX cuando Carl Jung, médico psiquiatra y psicólogo suizo, en su libro *Tipos psicológicos*, de 1921, sentó la base formal y empírica de la mayor parte de los modelos actuales del comportamiento humano, a través de sus conocidos pares dicotómicos de la personalidad. Conceptos de uso común en la actualidad como el «inconsciente colectivo», los «arquetipos», los «complejos» de la personalidad, el concepto de «introversión» o «extraversión» o la distinción entre las «funciones racionales» del ser humano (pensar y sentir) y las «irracionales o emocionales» (percibir e intuir), son todos aportaciones que se deben a él –prosiguió Andrea.

–Sí, hombre, es uno de los tres grandes, junto a Freud y Adler, me acuerdo de la carrera… –dijo Mar–. Qué interesante…

–Carl Jung definió 8 tipologías de la personalidad. Y a partir de sus aportaciones, muchos autores posteriores han definido sus propios modelos, basados todos en sus enseñanzas y más o menos simplificados o modificados. Ferran y Álex han creado su propio modelo, el modelo Bridge, basado en los aprendizajes de Carl Jung y sus propias observaciones –explicó Andrea.

–¿Y qué fiabilidad tiene ese modelo Bridge? –indagó Javier.

–Pues el modelo Bridge ha ayudado a comunicarse mejor a más de 18 000 personas en 14 países del mundo en los últimos 10 años. En mi caso particular, yo lo he puesto en acción en más de 100 organizaciones distintas con resultados extraordinarios –confirmó Andrea.

–Ok, aunque sabes que para mí la psicología no es una ciencia, te daré el beneficio de la duda –confirmó Javier.

–Gracias, Javier. Sé el importante esfuerzo que estás haciendo. Si me dejas, además quiero pedirte por favor que tengas en cuenta que, por ejemplo, la medicina, la biología, etc. también son consideradas ciencias y sin embargo son totalmente empíricas y con preceptos no siempre demostrables matemáticamente, pero sí contrastables con la experiencia… –le recordó Andrea–. La psicología es considerada hoy en día una ciencia social empírica, aunque a ti no te parezca una ciencia.

–Ok, lo valoraré… Bueno, y ¿qué más dice entonces ese modelo Bridge? –preguntó Javier.

–Pues el modelo establece efectivamente 4 estilos de relación o de comunicación entre las personas, en los que todos nos podemos enmarcar –explicó Andrea. De pronto, se agachó para coger su mochila de debajo de su asiento y sacó de ella varios libros–. Mirad, no sabía si se iba a dar la situación o no, pero por si acaso me he traído varios ejemplares. Tomad, tengo justamente tres –dijo, tendiendo un ejemplar de *Relaciones que funcionan* a cada uno.

–¿Y nosotros las gallinas no tenemos un ejemplar? –preguntó de pronto Alberto.

–Jajaja, yo te lo paso cuando me lo lea, cielo –le dijo Mar.

–No mires hacia otro lado, Raulito, que tú también te lo vas a leer en cuanto yo me lo acabe, jajaja –dijo risueña Ainara–. Y tú, Marc, no te hagas el loco, que me parece que también te va a tocar…

–Ya se lo sabe de memoria, qué te crees, jajaja –respondió Andrea. Marc se giró levemente y, con expresión burlona, le guiñó un ojo travieso a Ainara.

–Soy alumno aventajado, reina –contestó finalmente Marc.

–Muchísimas gracias, Andrea, qué detallazo. Me parece una lectura de lo más sugerente para el viaje, gracias de verdad –dijo Mar con una amabilidad extrema.

Todos empezaron a ojear el libro de un modo u otro, cada uno fiel a su estilo. Ainara echó un vistazo rápido e inmediatamente dijo:

–Bueno, prometo leerlo. Pero no pretenderás que lo haga ahora, ¿no? ¿Nos harás una explicación breve y divertida del modelito, verdad?

–Jajaja, claro. Ahora mismo, en cuanto me deis el ok para seguir –respondió Andrea.

–¡Ooookkkkkkkey, vamos a ello, pues! –respondió Ainara, acompañando su voz con sendos gestos de ok con las manos–. ¿Todos listos? –todos asintieron.

–Pues bien –prosiguió Andrea–, el modelo, como hemos dicho, distingue 4 estilos, que implican cuatro formas muy diferentes de comunicarse y relacionarse con los demás.

–¿Puedo hablar? –cortó de pronto Ainara.

–Hombre, ¡claro! –respondió Andrea.

–Es que antes lo he pensado, se me ha ido de la cabeza y ahora me ha vuelto y no quiero que se me vuelva a escapar… Es que a mí me has colocado en un estilo, pero creo que también me identifico con cosas de las que te hemos dicho a ti… e incluso con algo de lo que le hemos dicho a Mar. De lo de Javier mucho menos… –explicó Ainara.

–¡Es verdad! Ahora que lo dices, a mí también me ha pasado –se asoció Mar–. Yo también me identifico con algunas cosas de las que le hemos dicho a Ainara, e incluso con alguna de las de Javier, fíjate qué curioso…

–Es natural porque, y aquí viene la primera sorpresa, todos y todas tenemos todos los estilos relacionales presentes en nuestro comportamiento, en mayor o menor medida. Si entre los cuatro estilos, digamos, han de sumar el 100 % de nuestro comportamiento aparente, cada uno de los cuatro tiene su propio porcentaje. De este modo, todos tenemos una distribución de estilos única. Lo que ocurre es que en la mayoría de los casos tenemos un estilo natural, primario o predominante que es el que utilizamos sin pensar, en «piloto automático», por defecto, para relacionarnos con los demás, y determina, por tanto, cómo nos suelen ver los otros –explicó Andrea.

–Entonces, ¿puede haber alguien que los tenga todos presentes por igual? –preguntó Javier de pronto.

–Yo he tenido casos de personas con dos estilos al 26 % y otros dos al 24 % –respondió Andrea.

–Entonces, ¿el objetivo cuál es realmente? ¿Es tenerlos todos con una contribución del 25 %? –preguntó Javier de nuevo.

–No necesariamente. No hay distribuciones de estilos buenas o malas. Lo importante, como veréis, no es en realidad saber qué porcentaje tienes de cada estilo, sino ¡llegar a ser capaces de poner en acción el estilo relacional que toca en cada situación y con cada interlocutor! Y de forma plenamente consciente. Y el primer requisito para ello es comprender cuál es la forma que tenemos cada uno de comunicarnos y relacionarnos con los demás –respondió Andrea.

–Autoconocimiento… –dijo Mar en voz alta, pero pensando más bien para sí.

–Pero, ¿hay una forma de saber qué porcentaje de cada estilo tenemos cada uno? –insistió Javier.

–Por supuesto, el modelo incluye un test electrónico que permite obtener ese resultado –explicó Andrea.

–¿Y haremos ese test? –preguntó Ainara.

–Cuando lleguemos a Katmandú y tengamos cobertura os lo enviaré a vuestro mail para que lo respondáis –confirmó Andrea.

–¡Qué emoción, por favor! –dijo Mar–. Voy a volver a casa nueva, cielo –dijo mirando a su hijo Alberto.

–Los cuatro estilos vienen definidos por dos ejes dicotómicos, que se corresponden con dos características fundamentales de nuestro comportamiento: el primer eje es el racional-emocional y el modelo lo identifica por la forma en que tomamos las decisiones. El segundo eje es el reflexivo-activo y el modelo lo identifica con nuestro ritmo vital –siguió explicando Andrea.

–A ver, a ver, no sé si lo he entendido… ¿Nos lo explicas un poco más? –cortó Ainara.

–Claro. Según acabo de comentar, el primer eje, el racional-emocional, diferencia a las personas por el modo en que toman sus decisiones –dijo Andrea, dibujando un eje vertical, con la palabra *racional* arriba y la palabra *emocional* debajo–. Es decir, distingue a las personas que toman sus decisiones basándose en datos, hechos e informaciones «objetivas», de aquellas que lo hacen basándose en sus sentimientos y los de otras personas de su entorno. Si hablamos de la compra de un vehículo, por ejemplo, las personas más racionales miran, comparan características y finalmente dicen: «Me he comprado este vehículo porque es una marca consolidada, la relación-calidad precio es la mejor, porque su consumo es de X y sus emisiones de Y, la garantía y la durabilidad del vehículo es Z, etc.». Las personas emocionales son las que dicen: «Me he comprado este coche porque simplemente me gustaba, llevaba mi nombre», o: «Me he comprado este coche porque es el ideal para toda la familia, e incluso para nuestro perrito».

–Pues entonces yo soy emocional claramente –dijo Ainara, recordando su actitud de compra habitual.

–Y yo, sin duda, siempre pensando en los demás, ¿verdad? –dijo Mar.

–Y yo de los racionales, también está claro –reconoció Javier–. Y tú también Andrea, ¿no?

–Totalmente. Fijaos que en realidad las personas más racionales están más orientadas a la tarea y a los objetivos y eso las hace parecer frías y distantes. Y en cambio las más emocionales están claramente orientadas a las personas y eso las hace más cercanas –profundizó Andrea.

–Alucinante… –dijo Mar, pensativa.

–El segundo eje es el reflexivo-activo y el modelo lo identifica con nuestro ritmo vital –dijo Andrea, dibujando un segundo eje horizontal que cruzaba por encima del eje vertical, escribiendo la palabra *reflexivo* a la izquierda y *activo* a la derecha–. Este eje diferencia a las personas que prefieren escuchar y pensar antes de hablar, de aquellas que parece que piensan y hablan a la vez. En este caso, el eje marca ritmo vital o, dicho de otro modo, la velocidad. Los reflexivos prefieren vivir en la calma y los activos en la velocidad hiperespacial. Yo también digo que los reflexivos gustan de «mirar atrás» antes de decidir qué nuevo paso dar y los activos solo «miran hacia adelante». O que los reflexivos miran «hacia adentro, a su mundo interior», mientras que los activos «miran siempre hacia afuera».

–Yo soy de las que piensan y hablan a la vez, no hay duda, jajaja –reconoció Ainara–. Ayyyyy, ¡qué bien me iría ser capaz de callarme alguna vez algo de lo que pienso!

–Jajaja, en cambio yo soy claramente del otro extremo. Lo miro, lo observo, lo mido todo antes de hablar, no vaya a ser… –reconoció Mar.

–Yo también soy claramente reflexivo. Necesito mi tiempo para pensar las cosas con detenimiento… y prefiero escuchar antes que hablar, la verdad –dijo también Javier.

–Como veis –dijo Andrea señalando su papel–, estos dos ejes configuran un mapa con cuatro estilos posibles: 1. Racional-reflexivo, 2. Racional-activo, 3. Emocional-reflexivo y 4. Emocional-activo. Con el fin de hacer el modelo más intuitivo y poder jugar metafóricamente con él, cada uno de los estilos se identifica con un elemento de la naturaleza: tierra, fuego, agua y aire. Así, tierra representa el estilo racional-reflexivo, fuego el estilo racional-activo, agua el estilo emocional-reflexivo y aire el emocional-activo. De este modo –añadió Andrea buscando en *Relaciones que funcionan*–, el modelo Bridge nos ofrece el siguiente esquema:

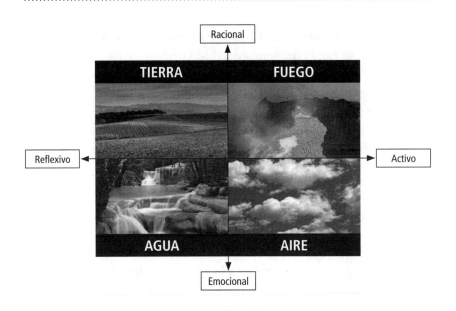

–TIERRA. La tierra es firme, estable, sólida y tangible. Y a veces puede ser también algo áspera y reseca. Así, las personas con estilo predominante tierra tienen preferencia por vivir en la realidad tangible y demostrable, por «aterrizar» las cosas, y les gusta vivir con los pies firmes en el suelo.

–Ese es Javier, no cabe duda –dijo de pronto Mar–. Así que *tierra* va arriba a la izquierda, donde tú habías escrito sus dos listas de adjetivos o rasgos positivos y negativos.

–¿Javier? –preguntó Andrea.

–Sí, lo cierto es que lo que dices me cuadra bastante… Pero es tan genérico…, como los horóscopos del periódico. Leas lo que leas (que yo no los leo, está claro), te encajan… –respondió Javier.

–Crítico, negativo y escéptico a morir los habíamos puesto ya como adjetivos, ¿verdad? ¿Y cabezota, lo habíamos puesto? –dijo Ainara estirando el cuello desde su sitio para verle directamente y señalando los papeles de Andrea con la mano a través del pasillo–. Pues te parecerá el horóscopo, cariño, pero te describe como un libro abierto, bonito. De buen rollo, pero igual deberías darle dos vueltas, cielo… Mira, me gustaría preguntarle a tu novia qué opina al respecto…

De pronto, Andrea recordó que no había comentado a sus amigas que Javier y su novia de siempre lo habían dejado. De hecho, había decidido no explicarles nada de su plan con él para evitar comportamientos forzados, poco naturales, que Javier pudiera detectar. Miró expectante a su sobrino y le vio cabizbajo, serio, pensativo. No le dijo nada. De pronto, Javier levantó la cabeza y miró primero a Andrea y luego a Ainara, sereno, diciendo pausadamente:

–Tienes toda la razón, Ainara. Ella, sin duda, estaría totalmente de acuerdo. Siempre me recrimina lo frío que soy, que no le cuento nada de lo que me preocupa o me pasa, que me lo guardo todo y no suelto prenda. Y supongo que sufre mucho con todo ello, que cree que no confío en ella lo suficiente como para contárselo… Y se queja también de lo crítico que soy con todo y de lo excesivamente claro que puedo ser cuando digo las cosas… Y, por cierto, también me dice que soy demasiado intolerante y que no siempre tengo por qué estar en posesión de la verdad absoluta... Y todo siempre con una discreción y una dulzura extremas. Se parece bastante a ti, Mar, la verdad...

Mar, que en un segundo había captado toda la situación, dijo también con mucha calma y delicadeza, haciéndose plenamente cargo de la situación:

–Gracias, Javier, qué honor. ¿Sabes? A veces, de la manera más insospechada, la vida te da de pronto oportunidades para recuperar, reconducir o hacer crecer relaciones con otras personas y, en especial, con las personas más queridas.

–¿Qué me he perdido? –dijo Ainara–. ¿Ya he metido la pata, verdad? –y, mientras hablaba, de pronto también se dio cuenta de todo–. ¿Por qué Mar lo sabía y yo no? –le recriminó a Andrea, que no dijo nada, dejando que todo fluyera, a ver adónde iba a parar...

–Yo no sé nada de nada, torbellino, solo he escuchado y observado profundamente lo que ha ocurrido, eso que tú deberías aprender a hacer, cariño... –le dijo Mar a Ainara.

–Lo siento mucho, Javi –le dijo nuevamente Ainara, con sincero tono de disculpa–. No sabía nada, cielo. No pretendía...

–Lo sé, lo sé, de verdad, no te preocupes –respondió Javier–. De hecho..., gracias. Tu comentario ha sido un pequeño jarro de agua fría que me ha hecho despertar de golpe... A lo mejor es lo que me hace falta...

Andrea sabía que en esos momentos a Javier se le estaban pasando por la cabeza tantas y tantas cosas de los últimos meses... Sus malos resultados en el trabajo, su relación con Laura, con sus padres...

–Todo esto puede, en efecto, removernos por dentro... –recogió Andrea–. Conocerse y, sobre todo, reconocerse no es tarea fácil... No ha habido momento en la historia en la que el ser humano no se haya dado cuenta de ello. Galileo Galilei dijo que la mayor sabiduría posible era conocerse a uno mismo. Y creo que fue Tolstói el que dijo que «todo el mundo piensa en cambiar a la humanidad, pero nadie piensa en cambiarse a sí mismo». Parece imprescindible recorrer un camino de auto-descubrimiento. De todo lo bueno y también de lo mejorable que todos tenemos. Yo pienso sinceramente que debería ser una materia obligatoria desde niños, en la escuela. La de problemas que nos ahorraríamos. Y es que solo cuando somos capaces de comprender en consciencia cómo actuamos y cómo nos perciben los demás, podemos tomar el control sobre nosotros mismos y sobre nuestros comportamientos y sentimientos y mejorar así nuestras relaciones con el mundo entero.

–Mirar el mundo con otros ojos, nuestro famoso camino de descubrimiento –recordó Javier.

–Sí, señor. Y tú ya estás en él… con todas nosotras –confirmó Andrea.

–Y estoy contento de verdad. Soy plenamente consciente de que todo esto me va a hacer crecer como persona y como profesional, de verdad. ¿Podemos seguir ya, por favor? –rogó Javier, algo incómodo, pero con sinceridad y ganas de aprender.

–¿Seguimos, pues? –preguntó a todos Andrea.

–Sí, por favor –respondió por todos Mar.

–FUEGO. El fuego como elemento es calor, energía y fuerza. Y, fuera de control, el fuego puede quemar, dañar o destruir. Las personas en las que predomina el estilo fuego son apasionadas, francas y valientes, y les gusta el reto y la confrontación. El estilo fuego tiene muy claro lo que quiere y será impaciente en busca de su consecución. Puede ponerse muy nervioso si ve indecisión o ineficiencia en su interlocutor –explicó Andrea.

–Tú eras esa…, pero ¿lo sigues siendo? –preguntó Mar.

–Lo era, sin duda. Y se me sigue escapando cuando pierdo consciencia, es decir, cuando por ejemplo estoy muy cansada. Si en esas situaciones no hago un esfuerzo consciente por autogestionarme, se me escapa. Aunque también es cierto que, en circunstancias normales, ahora me siento mucho más natural y a gusto con personas del resto de estilos, porque las comprendo y las acepto. Todo eso se puede aprender.

–Los fuego son de gritar y pegar broncas, son los más coléricos, soberbios, arrogantes, vehementes y chulos, ¿verdad? –preguntó Mar.

–La definición clásica de un cabrón, vamos –apuntilló Ainara.

–Sí, la verdad, suelen encajar con esa idea. Eso sí, es preciso tener en cuenta que los fuego no ven su lista, digamos, de comportamientos improductivos o «negros», solo ven su lista «blanca»… No se sienten agresivos, sino decididos y con fuerza. No se sienten bruscos, sino sinceros y claros. Y así sucesivamente con todos sus comportamientos. Y eso mismo le sucede a cada estilo con sus dos listas –confirmó Andrea con expresión neutra.

–Quieres decir que no son, o que no somos conscientes del impacto que tenemos en los demás –prosiguió Mar.

–Efectivamente, muy pocos lo son o lo somos… –confirmó Andrea–. Y sobre todo porque, además, el impacto que producimos en el resto tampoco es siempre el mismo, sino que depende a su vez del estilo de la persona que tengamos delante.

–Qué fuerte… Pero, oye, tú ya no gritas nunca. Es más, cuando hablas conmigo o con Javier, bajas el tono de voz y hablas más despacio –observó Mar.

–Se llama observación consciente y espejado. Es la clave inicial para conectar con el código de comunicación de cada persona –le dijo Javier–. ¿Verdad, Andrea? –le preguntó de pronto a su tía.

–*Voilà*! Tú lo has dicho, sí señor –dijo Andrea, contenta de ver que Javier había hecho un click y había incorporado los conceptos aprendidos.

–¿Y conmigo hablas más alto y más rápido? Tú eres un bicho malo, mi niña… –dijo divertida Ainara.

–Pero no solo eso, ¿no? Hay más cosas para conectar con el estilo relacional del otro, ¿verdad? –preguntó Javier.

–Sí, en efecto. Si seguimos, todo llegará… –dijo Andrea.

–Qué interesante esto de la comunicación humana, la verdad. Estoy pensando que tiene aplicación en todos los ámbitos de la vida, empezando por mi consulta. Si fuera capaz de captar el estilo relacional de cada uno de mis pacientes en un segundo, podría comunicarme con todos ellos de forma más eficaz, ¿no es eso? –reflexionó Mar.

–Es eso exactamente –confirmó Andrea.

–¿Y se supone que vamos a ser capaces de identificar el estilo de las personas en 1 segundo, de verdad? –preguntó de pronto Ainara.

–Pues sí –confirmó Andrea.

–¿Y cómo? –insistió Ainara.

–Espeeeera, impaciente. No hemos acabado los estilos todavía. Vamos a dejar que siga y lo veremos seguro, ¿verdad, Andrea? –intervino Mar.

–AGUA. El agua como elemento natural es serena, fluida, se adapta y sortea con habilidad los obstáculos. Y también puede detenerse y estancarse ante ellos. Las personas de estilo agua tienden a ser sensibles, compasivas, de gran serenidad y empáticas. Aunque cuando su compasión es muy alta, pueden verse ahogadas por la emoción y tener dificultad para mantener su independencia de pensamiento y acción. En una situación compleja pueden tender a derrumbarse, pues en general están vinculadas emocionalmente a lo que sucede –explicó Andrea.

–¿Sabéis que no elegí ser cirujana, como soñaba desde pequeña, porque, entre otras cosas, me di cuenta de que no soportaría que se me muriera ningún paciente en la mesa de operaciones? –confesó Mar.

–¿De verdad, mamá? –preguntó de pronto Alberto.

–Sí, cariño… –prosiguió Mar–. Y además ahora os voy a contar algo que nadie sabe, pero que es rigurosamente cierto. Y os pido por favor que no me interrumpáis, o no podré seguir. Cuando aprobé el MIR, con nota suficiente para escoger casi cualquier especialidad, tuve una crisis vital muy importante… Me di cuenta de que yo había soñado toda mi vida con ser médico por mi afán de ayudar a las personas. Lo había tenido siempre claro y lo había conseguido. Pero llegado el momento de elegir especialidad, todo mi entorno esperaba que eligiera cirugía cardiológica, neurológica, ginecológica u oncológica. Es decir, una de las especialidades supuestamente de «gran prestigio». Y cuando elegí especializarme como médico de familia, mi padre, el prestigioso cardiólogo, dejó de hablarme durante meses. Mi entonces novio, luego marido y posteriormente ex tampoco lo entendió en absoluto. Nadie lo entendió, me sentí completamente sola. Por más que intenté explicarles que yo quería ser médico de personas y no especialista en enfermedades, creo que nunca me entendieron. Mi hermano, también cirujano, claro, me empezó a llamar «la inciensos», cuando de hecho no soporto su olor. Creo que nunca fui capaz de explicarles que yo, como médico de familia, me quería comprometer más con las personas que con un grupo de enfermedades concreto. Quería estar disponible para cualquier problema de salud de personas de cualquier edad y sexo. Yo considero que tengo una visión amplísima de la medicina y me intereso siempre por comprender el contexto de cada enfermedad, de cada paciente. Mi área de conocimiento abarca a cada persona como un todo. Cada contacto con mis pacientes es una ocasión ideal para poner en marcha medidas de prevención o educación sanitaria o incluso nutricional y de hábitos de vida. Yo tengo en cuenta, no solo los aspectos fisiológicos de la enfermedad, sino también los ambientales y sociales del paciente. Tengo pacientes a los que visito desde hace más de 25 años, a ellos y a gran parte de sus familias, a las que dedico mi vida y mis mejores esfuerzos, acompañándolos para procurarles la mejor calidad de vida posible. A mí no me mueve ni el prestigio social, ni el dinero, ni los lujos. Me mueve y me ha movido siempre notar que mi quehacer tiene una significación profunda. Pero me he sentido, o he dejado que me hicieran sentir siempre, como un bicho raro por ello, como si fuera poca cosa por pensar así. Ahora me doy cuenta de que mi entorno era muy tierra y muy fuego y que siempre me han juzgado según sus criterios… Comprender y que otros comprendan que no poseen los únicos criterios necesariamente válidos es como una revelación para mí… Andrea, todos, no sabéis lo agradecida que os estoy… –concluyó Mar.

Tras lo cual, Andrea, Ainara y su hijo Alberto se levantaron a la vez para abrazarla, ante lo que ella se puso de inmediato a llorar, hondamente emocionada. Una vez Mar se sosegó, Andrea añadió:

–Mar, gracias por todo esto que nos has dado. Cuánta generosidad. Atreverse a mostrarse vulnerable me parece la mayor valentía posible. Gracias, cariño. Ah, y, por si te sirve, creo que nosotras –y miró a Ainara– siempre lo hemos entendido y valorado.

–Sí, la verdad, Mar. Gracias –dijo Javier–. Cuánto sobre lo que pensar profundamente. Me doy cuenta de cuánto daño nos podemos hacer las personas de formas tan sutiles. Vaya con los «estilos relacionales». Oye, ¿vivimos en un mundo de tierras y fuegos, Andrea?

–Es una gran pregunta, Javier. No tenemos cifras exactas a nivel mundial, pero parece evidente que nuestra cultura occidental actual es hija del racionalismo de Descartes, «pienso, luego existo». Desde tiempos de Platón y sus aurigas, ya lo habíamos hablado tú y yo, Javier, ha prevalecido la corriente de pensamiento que valora la racionalidad por encima de la emocionalidad. Hoy en día, gracias a los últimos avances en neurología y psicología, sabemos que las funciones racionales y emocionales, los Sistemas 1 y 2, ¿recuerdas?, son en igual medida cruciales para el funcionamiento de un cerebro sano y, por tanto, para el funcionamiento de cada persona y, por ende, de la sociedad. Las personas sumamente emocionales, orientadas por completo a los demás, como Mar, han sido tradicionalmente vistas como débiles, como faltas de ambición, sin fuerza ni determinación. En realidad, es posible decir que sus criterios son de otro tipo, su concepto de «éxito vital» es diferente. Cumplen una extraordinaria función social y probablemente sin ellos, no sé…, quizá viviríamos en la guerra total –reflexionó Andrea.

–¿Podríamos decir que las multinacionales sin escrúpulos que solo buscan mejorar sus resultados económicos por encima de todo son muy «fuego»? ¿Y la ONG «agua»? –preguntó Ainara.

–Supongo que en cierto modo sí… Parece probable que, aunque pueda haber personas de todo tipo de estilos relacionales en cada una de esas organizaciones, la cultura organizativa predominante puede ser como tú dices… –respondió Andrea.

–Bueno, y nos faltan los aire, ¿no? –dijo Ainara.

–AIRE. El aire es un elemento libre, liviano y fresco. Y puede ser también disperso y volátil, muy intangible. Las personas de estilo aire suelen ser curiosas, expresivas, de gran entusiasmo por naturaleza y con necesidad de socializar. Son directas, como las de estilo fuego, pero en este caso su estilo es social y emocional. Esto significa que ante un ataque o una situación de conflicto pueden en un primer momento hundirse, para después reaccionar exageradamente y a veces precipitarse en sus intervenciones –dijo Andrea–. Así nos lo cuentan Ferran Ramón-Cortés y Álex Galofré en su modelo.

—Es la descripción literal de Ainara, ¿no os parece? –dijo Mar–. En general alegre y divertida, aunque con un punto de ciclotimia. Siempre he pensado que el famoso poema de Jack Kerouac estaba pensado para mujeres como ella –y levantando su mano derecha al airé recitó–: «Brindemos por las locas, por las inadaptadas, por las rebeldes, por las alborotadoras, por las que no encajan, por las que ven las cosas de una manera diferente. No les gustan las reglas y no respetan el statu quo. Las puedes citar, no estar de acuerdo con ellas, glorificarlas o vilipendiarlas. Pero lo que no puedes hacer es ignorarlas. Porque cambian las cosas. Empujan adelante la raza humana. Mientras algunos las ven como locas, nosotras vemos el genio. Porque las mujeres que se creen tan locas como para pensar que pueden cambiar el mundo son las que lo hacen».

—Ohhhh, *amore*, eres un cielo total. Me chifla ese poema, me identifico totalmente con él, sí –respondió Ainara–. Libertad es mi palabra favorita. Y transgresión. ¿Estoy loca, Andrea?

—Hombre, Ainara, cariño, no soy especialista en el tema, pero me atrevería a decir, sin miedo a equivocarme, que no. Los aire, en su afán de libertad, conectan mucho con el temperamento, digamos, bohemio, alternativo. Muchísimos artistas de todo tipo, escritores, pintores, actores, cantantes, etc., tienen claramente estilo relacional aire. Está muy vinculado a la creación, al arte, a todo lo diferente y único…

—¿Pero ves también cómo además yo tenía razón con lo de dispersa y volátil? –recordó Javier.

—Ya, corazón, pero es que tú solo ves lo peor de mí… –le respondió Ainara.

—Y os había prometido que explicaríamos justamente eso que ocurre entre Javier y Ainara. Resulta que, atención, nuevo elemento impactante del modelo: los estilos antagónicos, es decir, diagonalmente opuestos en el modelo, se entran siempre por su lista «negra» de características –dijo Andrea.

—¿Quieres decir que yo soy incapaz, así de saque, de ver nada positivo en Javier, que solo puedo ver su lista de comportamientos «ineficaces o negativos»? –preguntó Ainara.

–Efectivamente. Y Javier, como tierra, se fijará en, y le chocarán por encima de todo lo demás, los rasgos de tu lista «negra» de aire porque son totalmente contrarios a sus rasgos básicos de comportamiento, por la propia construcción del modelo –confirmó Andrea.

–Madre mía, el conflicto está servido en el mundo entero, ¿no? –apunto Mar.

–En efecto, Mar. Es una de las bases fundamentales de la incomunicación y las miopías humanas –sentenció Andrea–. Es por ello, junto a quizá temas vinculados con las feromonas, etc., que se nos escapan, que hay personas con las que conectamos directamente, casi sin haber intercambiado ni dos palabras, y otras con las que nos pasa todo lo contrario sin saber por qué. ¿Cuántas veces nos ocurre que alguien entra por la puerta, dice media palabra y así, sin más, ya pensamos: «Madre mía, qué pereza de tío, menudo plasta»?

–Entonces, ¿conectamos de forma natural con nuestros iguales y chocamos con nuestros antagónicos de estilo relacional? –preguntó para confirmar Mar–. ¿Sabes que me acabo de dar cuenta de que mi ex era fuego? –dijo de pronto Mar.

–Es verdad, un fuego capullo,ególatra y endiosado para el que el centro del mundo es él y nada más que él –dijo de pronto Ainara.

–Hombreeee, Ainara, por favor, yo creo que no hace falta decir todo eso. Tiene un carácter fuerte y poderoso, pero compartí con él muchos momentos felices y un hijo maravilloso… que además está aquí presente oyendo todo lo que dices –dijo Mar, haciendo una mueca a Ainara para que moderara su lenguaje respecto al padre de su hijo.

–No te preocupes, mamá, que soy adulto. Mi padre tiene muchas virtudes y también defectos, como todos. Y, desde luego, la humildad y la discreción no forman parte de sus virtudes –confirmó Alberto.

–Pienso que quizá, de haber sido conscientes los dos de todo esto de lo que estamos hablando, nuestra relación habría podido evolucionar de otra manera… –reflexionó Mar con cierta melancolía.

–Quién sabe… Yo trabajé con una pareja de hombre fuego y mujer agua a punto de separarse que discutían por todo y sin saber por qué... Y es cierto que, al tomar consciencia de sus propios estilos relacionales, desde la comprensión y la aceptación de sus particularidades, pudieron reconducir su relación... –explicó Andrea–. Yoko Ono y John Lennon, por ejemplo, eran un caso claro de pareja fuego (ella) y agua (él). Según parece, ambos comprendían y aceptaban su rol en la relación (ella dominante, impulsora, él cuidador de la familia) y les funcionaba. Pero ello requiere de algo de lo que hablaremos en un momento.

–¡Me habéis hecho pensar de pronto en la canción *80 veces* de Rozalén! –dijo de pronto Ainara, haciendo gala de su capacidad de *hyperlink*, saltando de un tema a otro con extrema facilidad–. La canción dice: «No me creo que no seas capaz de echarme de menos, esa facilidad para tachar recuerdos, que no te gusten los besos». ¿Rozalén habla sin saberlo de un fuego?

–Jajaja, ¡qué buena eres! –contestó Andrea–. Podría ser. Aunque también podría hablar de un tierra.

–¿Y no les gustan los besos? –volvió a preguntar Ainara.

–En general, los estilos racionales, tierra y fuego, son bastante reacios al contacto físico. En el caso de los tierra, el tema es muy extremo, todo lo contrario de los estilos emocionales, con los aire a la cabeza, que necesitan constantemente contacto. Los aire, para hablar contigo, necesitan tocarte –explicó Andrea.

–Ostras, qué fuerte, es verdad, a mí me pasa. Yo soy supertocona. ¿Ves, Javi, como sois unos raritos? –dijo Ainara risueña.

–Raritos por qué. A mí lo que me parece raro es que los aire, así de buenas a primeras, no paréis de tocar a la gente y esperéis que a los demás nos parezca normal –respondió Javier impasible.

–¿Lo veis? Incomunicación humana debida a las diferencias de estilo relacional –dijo Andrea–. Imaginad que Javier va a una tienda, de lo que sea, a comprar y, de buenas a primeras, el Vendedor o Vendedora le sonríe efusivamente y le toca el brazo para darle la bienvenida. ¿Qué creéis que pasará?

–¿Qué pasará, Javier, nos lo dices tú? –dijo Ainara.

–Que me iré a otra tienda, sin duda, saldré de allí corriendo –confirmó Javier.

–¿En serio? Madre mía… ¿Y si es un médico que te ha de atender? –preguntó Mar.

–Pues si tengo que volver otro día, intentaré cambiar de médico, está claro –volvió a responder Javier.

–Muy fuerte, la verdad, alucinante –respondió Mar–. O sea, no basta con ser cordial y educado. Tú puedes pensar que lo estás haciendo todo correcto, pero si el que te entra por la puerta es de un estilo relacional contrario al tuyo, estás muerto. ¿Y estamos condenados? ¿Eso no se puede cambiar?

–Sí, por supuesto que sí. Estáis dando los pasos para hacerlo. La clave está en conectar con el estilo relacional del otro. Sintonizar su «frecuencia» de comunicación. Y para ello hace falta lo que yo llamo **la Triple A de la Conexión Comunicativa** –anunció Andrea, cogiendo nuevamente su bolígrafo, haciendo el siguiente gráfico en su libreta y explicándolo a la vez:

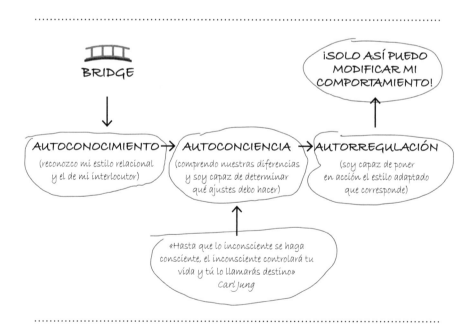

–Qué chulo, Andrea, estoy fascinada –reconoció Mar–. Acabamos de hacer la parte de autoconocimiento y de autoconciencia, ¿verdad? Y entiendo que ahora nos vas a hablar de lo demás, ¿no?

–Efectivamente. Si os apetece, ahora propongo ver cuáles son las pautas básicas de reconocimiento del lenguaje no verbal: la microexpresión facial, el paralenguaje y el lenguaje corporal de cada estilo –propuso Andrea–. Un breve resumen, claro. Yo normalmente invierto no menos de 2 jornadas completas para revisar todo lo que estamos hablando aquí a la velocidad del rayo.

–Venga, por favor, sigue, qué impaciencia –reconoció Ainara.

Andrea pasó a resumir brevemente las pautas comunicativas tanto de lenguaje verbal como de lenguaje no verbal propias de cada estilo. En cuanto acabó…

–O sea, que es verdad que con un simple vistazo, en 1 segundo, puedo reconocer de manera bastante precisa el estilo relacional de cualquier persona –dijo Javier, profundamente impactado.

–¿Acaso dudabas de ello? –le respondió Andrea guiñándole un ojo una vez más. Y viendo que las azafatas del avión iniciaban por los pasillos del avión un servicio de catering, les propuso un juego–. ¿Queréis probar a ponerlo en acción?

–¿Cómo, con quién? –preguntó Ainara curiosa.

–Acaban de salir las azafatas con los carritos ofreciendo bebidas. ¿Seríais capaces de determinar el estilo relacional de la que se acerca por nuestro pasillo y la del pasillo del lado de Raúl? –propuso Andrea.

–Madre mía, qué difícil –dijo enseguida Mar.

–Concentración, por favor, vuestro tiempo de observación empieza ¡YA! –dijo Andrea, observando ella también a la primera azafata que se acercaba por su pasillo.

Todos de pronto guardaron silencio y comenzaron a observar a la primera azafata que se acercaba por el pasillo de Javier y Ainara, fijándose cuidadosamente en qué decía la azafata, cómo se movía, la expresión de su cara al interactuar con los pasajeros, cómo servía los cafés…

Esta primera azafata avanzaba lentamente repitiendo «servicio de catering, bebidas», sin mirar en concreto a ningún pasajero. Al pasar junto a Alberto, el carrito chocó con su pie, que sobresalía ligeramente hacia el pasillo. La azafata, sin inmutarse, le dijo: «Su pie caballero».

Una vez hubo pasado de largo, Andrea entró de nuevo en acción:

–¿Y bien? ¿Estilo relacional de esta azafata? –preguntó.

–Estilo «seca», la verdad –respondió de inmediato Ainara–. Mírale la cara, pobrecita, está claro que hoy no debe de ser su día…

–Pues a mí me ha parecido profesional, clara y a lo suyo. No veo necesidad alguna de que se tenga que hacer la simpática –opinó Javier.

–Jo, pues a mí me ha parecido impersonal, fría y distante. Ha atropellado el pie a Alberto y en vez de pedir perdón ha dicho: «Su pie caballero», ¡como recriminándole encima que tuviera ahí su pie! Y a mí ni siquiera me ha mirado a la cara al darme el café. Y ya no hablemos de una leve sonrisa, nada. Madre mía, ¿cómo pueden poner a una persona así en un trabajo con tanto trato al Cliente? No me lo explico, la verdad… –intervino Mar.

–Así pues, ¿estilo relacional? –volvió a preguntar Andrea.

–Tierra seca y árida claramente –sentenció Ainara.

–Sí, supongo que sí –asintió Javier.

–Jope con los tierra… –dijo Mar.

–Atención, que llega la del otro pasillo, ¿preparado y preparadas? –alertó Andrea.

La azafata del otro pasillo avanzaba también lentamente, preguntando en este caso en inglés «*do you want a coffee or a tea?*» y mirando alternativamente y con una sonrisa a un lado y a otro a diferentes personas. Cuando servía un café, lo hacía con delicadeza y atención, con una ligera reverencia a la persona, enfundándose en una sonrisa aún mayor y diciendo «*your tea, sir*» o «*your coffee, madame*». Una vez hubo superado la altura de sus asientos, Andrea de nuevo preguntó:

–¿Y bien, qué os ha parecido esta azafata? ¿Estilo relacional?

–Hombreeeee, esta mucho más monaaaaaa, ¡qué diferencia! –dijo inmediatamente Ainara.

–¿Ves?, nunca llueve a gusto de todos por igual… Pues a mí me ha parecido falsa, excesiva e innecesariamente amable, llegando a ser empalagosa –respondió Javier.

–Qué fuerte, todo depende del cristal desde el que mira cada uno. Yo, claro, la he encontrado cercana, cálida, educada, respetuosa, amable y detallista –confesó Mar.

–Por tanto, ¿estilo relacional? –volvió a preguntar Andrea.

–Era Mar reencarnada en azafata inglesa con 7 kilos y medio de maquillaje y rouge –soltó de pronto Ainara.

–Jajaja, sí, no me queda otra que estar de acuerdo, una agua total –reconoció Mar.

–Yo también estoy de acuerdo. Especialmente en el tema del maquillaje y el rouge –reconoció Javier, lanzándole una mirada cómplice a Ainara.

–Sois unos auténticos y totales cracks, ya lo tenéis pillado –dijo Andrea.

–Bueno, no sé si tanto –respondió Mar–. Creo que esto hay que practicarlo mucho…

–Tenemos un largo y maravilloso viaje por delante para hacerlo, ¿no? –dijo Ainara, con su positivismo habitual.

Andrea estaba francamente satisfecha. Lo cierto es que la explicación del modelo no podía haber sido más natural gracias a la intervención de todos. Y se daba cuenta del profundo impacto que todo ello estaba teniendo sobre Javier, que ahora escribía sin parar en su libreta, consciente de que estaban a punto de aterrizar en Doha.

3.15 DOHA DUTY FREE (LA HIPERPERSONALIZACIÓN DE LA COMUNICACIÓN CON LOS CLIENTES EN ACCIÓN)

–Madre mía, qué aeropuerto más enorme han construido aquí, esto no era así cuando yo venía hace años –dijo Mar.

–Sí, esto ha cambiado una barbaridad –convino Andrea.

–He leído en la Wikipedia que llevan en crecimiento continuo desde hace más de 10 años. Ahora mismo se estima una capacidad de unos noventa y tantos millones de pasajeros, con lo que sería el segundo mayor aeropuerto en tráfico de pasajeros del golfo Pérsico después de Dubái, en Emiratos Árabes.

–La verdad es que es bonito, con tanta agua por todos sitios, transmite frescura… Pero qué derroche en un país desértico como este, ¿no? –reflexionó de pronto Mar.

–Justamente. Según parece, el concepto que hay detrás de su diseño es el de oasis. Muchos de sus edificios están basados en el agua, hay cataratas, techos ondulados imitando las olas del mar… y supuestamente un plan de reutilización constante del agua para plantaciones agrícolas cercanas –explicó Javier.

–Tendrán wifi gratuito, ¿no? –preguntó Ainara.

–Sí, yo ya estoy conectado –dijo Marc inmediatamente.

–Caramba, qué rapidez –respondió Ainara–. ¿Cómo hay que hacer?

–Yo también. Tienes que meter el número de tu billete electrónico para iniciar la sesión –respondió Javier.

–¿El número de mi billete electrónico? –repitió Ainara, poca amiga de centrarse en este tipo de detalles.

–Sí, mira, es este… –dijo Javier señalándole con el dedo el código en su tarjeta de embarque.

–Ok, deberíamos centrarnos un poquito –intervino de pronto Andrea–. Hemos llegado con un ligero retraso, de manera que tenemos algo menos de 2 horas de tránsito. Pero el embarque aquí suele empezar bastante antes de la hora del vuelo. Deberíamos localizar nuestra puerta de embarque y luego buscar un sitio cercano para comer algo rápido, ¿os parece? Si tenemos que coger un tren para cambiar de terminal y esas cosas, se nos pueden ir tranquilamente 20 minutos o más hasta llegar a la puerta, no nos podemos despistar...

–Mami, que se te escapa el fuego –le dijo Marc cariñoso.

–Sí, es posible, pero tiene toda la razón –empatizó Mar–. A ver, busquemos un panel de salidas de vuelos.

Y mientras todos se dirigían a uno cercano, Andrea vio cómo Javier ponía una mueca extraña mientras miraba su móvil.

–¿Todo bien, Javier? –le preguntó.

–¿Cómo? Ah, sí, sí, todo bien. Es que me están entrando todos los whatsapps ahora que tengo wifi y he visto algunos de lo más absurdos... –respondió Javier.

–¿Puedo preguntar por qué? –dijo Andrea.

–Oh, sí, claro. Resulta que un compañero de trabajo se jubila el 15 de septiembre y le vamos a hacer una fiesta de despedida... –explicó Javier.

–¿Y qué te parece absurdo de eso? –preguntó nuevamente Andrea.

–Le quieren hacer un vídeo de todos. Hasta ahí, bueno... Pero es que como este hombre siempre va con sombrero, han pensado que todos nos hagamos una foto con un sombrero para el vídeo y la enviemos. ESO me parece absurdo. Y algunos ya han enviado la suya. Puedes suponer... Imágenes de lo más variopintas, por decir algo suave... De verdad que la gente a veces parece que no tiene sentido del ridículo... –sentenció intransigente Javier.

–¡Pues a mí me parece una idea genial! –intervino de pronto Ainara.

–Evidentemente, no podía ser de otra manera... –ironizó Javier.

Andrea vio de pronto una nueva oportunidad para continuar con el aprendizaje de Javier.

–Se me acaba de ocurrir algo para continuar con el trabajo que hemos iniciado en el avión –les dijo a ambos–. Un pequeño juego. Un juego en el que os vais a tener que ayudar los distintos estilos. ¿Qué os parece?

–Uff, no sé, estamos cansados… ¿Ahora? ¿Y te lo ha inspirado lo del vídeo del sombrero? Miedo me das, Andrea… –dijo Javier.

–¡Yo me apunto sin dudarlo ni un segundo! –respondió Ainara.

–¿Qué, Javier, te animas o no? –volvió a preguntar Andrea.

–… Bueeeeno, vale. Pero, por favor, no me hagas hacer el ridículo –pidió Javier.

–Ok, el tema es que nos hemos centrado en describir el comportamiento básico de cada uno de los estilos y en las pautas de reconocimiento en función del lenguaje verbal y no verbal. Pero no hemos profundizado sobre cómo debemos adaptar nuestra comunicación con cada estilo para que esta sea efectiva, para que haya conexión.

–Es cierto… ¿Quieres decir que a cada estilo le gusta que se comuniquen con él de una manera concreta? –respondió Ainara, conectada con la conversación y ávida de juego.

–Así es, esa es la clave, Ainara –respondió Andrea.

–Entonces, ¿estás diciendo que si yo fuera capaz de comunicar con un aire siguiendo, digamos, las pautas de comunicación que le gustan, podría generar una comunicación efectiva y conseguir, por ejemplo, venderle un coche? –preguntó Javier.

–Obviamente, en la venta intervienen más elementos, pero sí, permitiría el establecimiento de una comunicación productiva y el inicio de una relación de confianza –confirmó Andrea.

–¡Genial, me gusta! ¿Y qué tenemos que hacer entonces? –preguntó Ainara.

–¿Qué estáis ahí cuchicheando, me estáis dejando fuera? –intervino de pronto Mar con el gesto torcido.

–Ha surgido de pronto, Mar, no te pongas tiquismiquis ni te hagas ya la ofendida. Vamos a hacer un juego para aprender a adaptar nuestra comunicación a cada estilo –le explicó Ainara a Mar.

–Yo también quiero, ¿puedo? –pidió Mar.

–¡Claro! Mirad, Javier ha recibido un whatsapp de sus compañeros de trabajo pidiéndole que se fotografíe con un sombrero estas vacaciones para hacerle un vídeo a otro compañero que se jubila. Se me ha ocurrido recoger esa idea para realizar una dinámica. Aquí va: Javier, necesito que, siguiendo las pautas de lenguaje no verbal que hemos trabajado, identifiques un aire que lleve sombrero aquí en el aeropuerto, te dirijas a él para que te lo deje y te haga él a ti una foto con el sombrero puesto –explicó Andrea.

–Madre mía… Y ¿tiene que ser justamente con un aire? –protestó Javier.

–Pues sí, porque es con quienes tienes mayores dificultades de comunicación –respondió Andrea.

–No sé por dónde empezar, la verdad… –confesó Javier.

–A ver, ¿qué os parece si nos sentamos aquí? –propuso Andrea señalando unos asientos. Ya sentados todos, siguió–: ¿Qué os parece si le ayudáis las dos? Yo propondría en primer lugar que le ayudéis a establecer cómo tendría que dirigirse a él o ella, cómo debería adaptar su comunicación. Y aquí, claro, Ainara, tus ideas van a ser claves como aire que eres –propuso Andrea.

–Vale, Ainara –dijo Javier–. ¿Cómo os gusta a los aire que se comuniquen con vosotros?

–Pues, hombre, a mí al menos me gusta que se comuniquen conmigo de forma alegre, positiva y vibrante. No sé, de forma natural y expresiva, de buen rollo, vamos –dijo Ainara–. Así que ya te puedes ir guardando esa frialdad y negatividad tan tuyos, bonito.

–Ferran y Álex en su libro dicen que los aire conectan más con las emociones generadas en la interacción que con los contenidos concretos del mensaje –complementó Andrea.

–Eso, ¡exacto! –refrendó Ainara.

–Y en cuanto a la velocidad, el tono de la voz, etc., ¿qué pensáis? –preguntó Andrea.

–Yaaaa, lo entiendo, tengo que acelerar mi ritmo vital, mi discurso, subir el tono de voz y darle énfasis a lo que digo, ¿no? Me irían bien unas clases de teatro… –dijo resignado Javier.

–Aquí delante mismo en la terminal tienes tu escenario –le dijo Andrea suavemente–. Aquí nadie conoce a nadie, ni corres el riesgo de perder una venta… Como mucho, te juegas una mala cara de alguien…

–Vaaaale, de acuerdo. ¿Y ahora, a quién elijo? –preguntó nuevamente Javier.

–Ahora se trataría de que observarais a las personas con sombrero que vayan pasando por delante de nosotros y que identifiquéis a un aire por su lenguaje no verbal –propuso Andrea.

–¡Cóoooomo me gusta esto, estoy emocionada! –respondió Ainara–.

–Caramba, Andrea, esto es verdadera puesta en acción en la vida real –confirmó Mar.

Todos se pusieron a observar atentamente a la gente que pasaba. Un aeropuerto como aquel, en Oriente Medio, eje de conexión entre Europa y el Sudeste Asiático y en plena época estival, permitía observar a todo tipo de personas y estilos relacionales, de las más diversas etnias y culturas del mundo. No habían pasado ni 3 minutos cuando Ainara dijo:

–¡Lo tengo! Mirad, ese tipo que va por allí… –dijo señalando a un hombre alto, rubio, vestido literalmente como si fuera un cowboy, que caminaba deprisa y moviendo mucho los brazos.

–¡Por favor, Ainara, pero si parece Cocodrilo Dundee! ¡Y no tiene ni un solo dedo libre de anillos! –protestó Javier.

–Pues eso, cariño, de los míos totalmente. Da gracias que no haya elegido uno tipo Maui de *Vainana/Moana* con melena rizada bien larga y el cuerpo tatuado íntegramente –le dijo Ainara.

–A saber lo que lleva este debajo de la ropa… –siguió protestando Javier.

—Se lo puedes preguntar sin problema… Te lo dirá e incluso te lo enseñará todo aquí en medio, jajaja –rio con sorna Ainara, que estaba disfrutando de lo lindo.

—Venga, Javi, ¡a por él!, te va a salir genial, cielo, ya lo verás. Solo se trata de conectar con su lista blanca de comportamientos –le animó Mar.

Javier se levantó por fin, lanzando un sonoro suspiro y mirando de reojo a su tía. Su mirada incluía una mezcla de reproche y burla simpática. Había aceptado entrar en el juego y de bastante buen grado, para lo que era él.

Mientras, Andrea, Mar y Ainara le observaban desde sus asientos sin perder detalle. Cuando Javier consiguió interceptar al hombre en cuestión, ambos estaban a suficiente distancia como para que ellas no oyeran su conversación, pero lo bastante cerca para ver cómo evolucionaban.

El lenguaje no verbal de Javier estaba en sintonía con el del hombre: gesticulaba expresivamente con sus manos y reía a carcajadas con él. Lo cierto es que, tras una ligera caída inicial del tono, parecían dos amigos íntimos que se hubieran encontrado después de años sin verse y que disfrutaran animadamente del encuentro.

Al cabo de unos 5 minutos de conversación, las mujeres vieron cómo el hombre cedía su sombreo a Javier, que se lo ponía respetuoso e impresionado con cara risueña. Las tres disfrutaban con la escena, riendo y comentando cada acción, intentando, eso sí, que no fuera demasiado evidente para no interferir en ella. Para su sorpresa, el hombre no solo le hizo una foto a Javier, sino que un instante después se puso a su lado e hizo un *selfie* de los dos juntos. Poco después se despidieron con un fuerte abrazo y sonoras palmadas en la espalda, como amigos íntimos, y ambos siguieron su camino.

Javier, que regresaba orgulloso y sonriendo abiertamente con un signo de victoria en su mano derecha, fue acogido con vítores, aplausos, una coordinada ola y un abrazo final de las tres observadoras.

—Vale, vaaaale, no me toquéis más, que ya sabéis que no me va nada tanto toqueteo gratuito –dijo él risueño, haciendo la cobra.

–¡Pero si ya te hemos curado, niño! –respondió Ainara abrazándole aún más fuerte y dándole un sonoro beso.

–Bravo, felicidades, Javier. Desde aquí te hemos visto espectacular. ¿Te parece que comentemos y analicemos lo que ha ocurrido? –preguntó Andrea.

–Ok, pero aún estoy interiorizándolo, la verdad, ha sido muy intenso para mí, me siento agotado, necesito sentarme –respondió Javier.

–Jajajaja, es normal –convino Andrea, haciéndole sitio para que se sentara–. Venga, ¿con qué te quedas de todo lo que has hecho?

–No sé… Bueno, creo que mi aproximación ha sido buena. Le he dicho, en inglés, claro, y con todo el buen rollo del que he sido capaz, que me disculpara, que no le quería molestar, pero que me había fijado en su sombrero y que era tan especial, tan único, que no había resistido la tentación de preguntarle de qué era y de dónde procedía… –explicó Javier.

–Brillante, Javier, le has tocado la fibra alabando un símbolo externo con el que él, como aire, va diciéndole al mundo lo único y diferente que es. Has conectado con su necesidad de reconocimiento, bravo –explicó Andrea.

–Sí, en ese momento ha hecho un gesto como diciendo: «Uahh, alguien que se da cuenta de lo especial que es lo que llevo en la cabeza merece mi respeto y aprobación», y me ha metido en su club de amigos. Se ha emocionado incluso. E inmediatamente me ha dicho muy solemne: «Es un sombrero de piel de tiburón blanco, el más grande que hayas podido imaginar nunca, una tiburona de hecho, de más 7 m de longitud, que cacé yo mismo en aguas de mi Australia natal» –explicó Javier.

–¡Madre mía, que no era Cocodrilo Dundee, sino un Shark Killer, vaya hombre! –dijo Ainara de pronto, apesadumbrada, en contra de la caza y la pesca indiscriminadas de tiburones en el mundo por el negocio del tráfico de aletas.

–No, no, espera, la historia no acaba ahí… –prosiguió Javier–. En ese momento a mí se me ha debido de escapar algún gesto de sorpresa o de ligera desaprobación, porque él me ha dicho: «*Yes, I know, I know...*». Yo he intentado responder discretamente y le he dicho: «Sí, verá, mi tía Andrea es una gran amante del buceo y desde pequeño me explicó que los tiburones no son esos asesinos de humanos que Spielberg nos presentó en su famosa película, sino parte crucial de la cadena trófica y del equilibrio de la naturaleza en su conjunto; y que, por supuesto, no comen personas, sino peces y habitualmente peces muertos o enfermos. Sin ellos, probablemente la vida en la Tierra tal y como la conocemos no existiría».

–Ouufffff, cuánto te has arriesgado, ¿noooooo? –exclamó Mar–. ¡Ahí te ha salido tu tierra a tope!

–¡Síiiii, totalmente, y me he dado cuenta, he sido plenamente consciente de ello! –respondió Javier entusiasmado–. Pero él ha respondido genial, la verdad. Vais a alucinar. De pronto me ha dicho: «Y está claro que tu tía te ha enseñado bien. Yo me ganaba la vida como cazador de grandes tiburones blancos, creyendo que le hacía un gran favor a la humanidad con mi labor, hasta que vi la película *Sharkwater* de Rob Stewart… y mi vida cambió por completo. De hecho, le busqué para conocerle personalmente y lo conseguí. Gracias a él y a todas sus enseñanzas ahora me dedico justamente a la preservación de los tiburones en el mundo. De alguna manera quiero pensar que formo parte de su legado… No sé si sabes que murió en enero de 2017 en un fatal accidente mientras rodaba para su nueva película *Sharkwater Extinction*. ¡Me siento responsable de seguir con su trabajo!

–¡Yo fliiiiiipo, Javier! ¿Y no nos has avisadooooooo? ¡Pero tío, ya te vale! –explotó Ainara.

–Qué historia tan preciosa, Javier, qué bonito haber formado parte de eso, ¿no? –dijo Mar emocionada–. Sigue, sigue, por favor, ¿y entonces qué?

–Entonces *le-he-tocado* –confesó Javier, vocalizando lentamente y disfrutando de la expectación que estaba creando, mientras Andrea le miraba con una sonrisa orgullosa.

–Jajajajajajaja, ¡quéeeee crack eres! –dijo Ainara.

–¿Qué quieres decir con que le has tocado? ¿Ha sido cuando le has puesto la mano en el antebrazo? –preguntó Mar.

–Sí, la verdad es que le he visto tan emocionado que he sentido la necesidad de transmitirle con mi mano que lo entendía todo y que estaba con él. Y le he contado que conocía la película y que la había visto al menos 20 veces, con mi tía y luego sin ella. Que me apasionaba. He entrado en algunos detalles y hemos hablado animadamente de algunas escenas. Y le he dicho cuánto sentía la muerte de Rob Stewart (cosa que es totalmente cierta) y que me parecía que con su trabajo en efecto honraba su memoria y contribuía positivamente a salvar el mundo –explicó Javier.

–Impresionante, Javier, de verdad –dijo Mar.

–Justo después me ha dicho que dudó sobre si tirar el sombrero a la basura, pero que el mismo Rob Stewart le dijo que lo llevara para mostrar al mundo precisamente lo que no tenía sentido hacer con los tiburones… Y me ha ofrecido tocarlo… y ahí ya me he lanzado y le he preguntado si me podría hacer una foto para poder explicar tan increíble historia a mi tía y a mis amigos y que me creyeran –continuó Javier.

–Y de ahí ya las fotos y la despedida, ¿no? –aceleró Ainara, impaciente. Y las tres volvieron a dedicarle un sonoro aplauso.

–Espectacular, Javier –reconoció Andrea–. ¿Repasamos la Triple C? Ha habido muchísima consciencia y un gran nivel de espejado verbal y no verbal, así que muy buena *conexión*. Por otra parte, aunque te has dirigido a él con una historia inventada, lo cierto es que ha habido bastante *credibilidad* por tu parte en relación con la historia de los tiburones. Y también ha habido un cierto nivel de *compromiso*, yo he visto interés sincero por su historia, ¿no? *Feedback* superpositivo, Javier, felicidades. Y eso que ha sido tu primera dinámica real. ¿Tú cómo te sientes?

–Gracias, Andrea, de verdad. ¿Cómo me siento? Pues sorprendido… Aunque me cuesta, lo cierto es que por momentos hasta me he sentido bien con él, no sé, como conectado y a la vez como dueño de mis reacciones y hasta de las suyas… Supongo que eso es la autorregulación en acción… ¡Ahora sé que puedo hacerlo!… También con mis Clientes, supongo…

–Totalmente, Javier: te acabas de dar cuenta de que solo es posible activar la Triple C de la Confianza cuando pones en acción tu autorregulación, ¿no es cierto? –respondió Andrea.

–Efectivamente, ahora lo conecto todo… –reconoció pensativo Javier.

–Cuánto me alegro, Javier, ¡muchas felicidades de verdad! –le reconoció Andrea.

–¿Y ya está? ¿Nada que mejorar? –preguntó Javier de pronto.

–Primero siempre hacemos la ronda del *feedback* positivo y luego del *feedback* de lo mejorable, porque si no todos tenemos tendencia a poner sobre la mesa solo lo que hemos visto peor. Venga, ¿qué crees que hubieras podido hacer mejor? –le preguntó Andrea.

–Pues no lo sé, ¿me lo dices tú? –dijo Javier.

–Si te lo digo yo, no sirve. Para que te sirva, debes pensar tú en consciencia en ello. Es útil volver a repasar mentalmente lo sucedido… –explicó Andrea.

–Pues no caigo, la verdad… ¿Quizá hablar más?… –volvió a decir Javier.

–Hablar más… ¿Cómo, Javier, hablar de qué? –insistió Andrea.

–No sé, creo que, aunque lo he intentado, sobre todo ha hablado él… –dijo Javier.

–¿Y crees que eso es incorrecto? –preguntó Andrea.

–Bueno, a los Vendedores nos enseñan que tenemos que dominar la conversación y eso se hace hablando y conduciendo al Cliente adonde tú quieres, ¿no? –respondió Javier.

–Esa es una creencia muy implantada en el mundo de la venta, efectivamente, aunque yo no la comparto. Hablaremos de ello en profundidad más adelante. Ahora, déjame preguntarles a las chicas: ¿qué pensáis vosotras que podría haberle salido mejor? –dijo Andrea mirando a sus amigas.

–Yo creo de verdad que lo ha hecho todo perfecto –dijo Mar, entre cuyas dificultades naturales se encontraba justamente la de dar (y recibir) *feedback* negativo sin interpretarlo como una crítica o ataque personal.

–Sí, yo estoy de acuerdo, «gruñoncete», en que te he visto muuuuy aire, en serio. Y si tuviera que decir algo que pudiera haber hecho mejorar tu entrevista, creo que diría que podrías haber profundizado más en él. No sé, yo creo que le hubiera preguntado cómo llevaba a cabo su labor de preservación de los tiburones, si tenía alguna organización concreta, dónde realizaba su labor, etc. Y yo le hubiera pedido un mail o una web o un blog donde seguirle… Y cómo podía contribuir a su causa… En fin, ese tipo de cosas… –dijo Ainara. Javier la miró fijamente, sorprendido y mostrando un claro reconocimiento en su mirada.

–Sí, Ainara, tienes toda la razón, gracias de verdad por hacérmelo ver. Me he desentendido de él, ¿no? Me he quedado en lo anecdótico y ya he pasado enseguida al sombrero –se dio cuenta Javier.

–Bueno, yo no estaba allí, pero por lo que has contado, lo ha parecido un poco, sí. Pero como punto de mejora. De verdad que te he visto genial como aire, en serio, felicidades –le dijo Ainara.

–Gracias a ti de verdad. ¿Sabes? Hasta me estás empezando a caer bien y todo… –dijo socarrón Javier.

–Jajajajaja, vas a acabar adorándome, bonito, ya lo verás, jajajaja –confirmó Ainara, encantada con el cambio de actitud de Javier hacia ella.

–Fantástico, de verdad, ¡todos! Estoy totalmente de acuerdo con vosotros. En todo. Mejorable la dimensión del compromiso demostrando aún más implicación con esa persona y sus intereses particulares. Y un detalle crucial que ha comentado Ainara: preguntar más. Hablaremos de eso largo y tendido más adelante, Javier. **Porque no es lo mismo hablar más que preguntar más.**

–Perdón, justo una pregunta se me viene a la cabeza –interrumpió de pronto Javier–. ¿La dimensión del compromiso también debería haber existido con, por ejemplo, un tierra al que no le va que entre en su ámbito personal? ¿Ellos también necesitan la dimensión del compromiso?

–¡Qué gran pregunta! La respuesta es sí y, verás por qué. El tema es que no se trata de preguntar necesariamente cosas personales, sino de conectar y demostrar verdadero interés por aquello que es importante para esa persona (con su particular estilo). Si hubiéramos tenido un tierra conservacionista, habría disfrutado en el caso de que le peguntáramos por datos concretos de su labor, cosas como cuántos tiburones se estima que se matan anualmente de forma indiscriminada, cuánto ha disminuido la población de tiburones en los últimos 10 años, cuánto tiempo calculan que nos queda hasta tu total extinción, qué acciones concretas llevan a cabo para su preservación, etc. –explicó Andrea.

–Ok, lo entiendo. Compromiso con aquello que le importa a cada persona… –repitió Javier en voz alta.

–¿Te ha servido la experiencia, Javier? –preguntó Andrea.

–Muchísimo, Andrea, más de lo que sinceramente hubiera podido imaginar. Muchísimas gracias… ¡a las tres! Y ahora, ¿podríamos comer algo, por favor? –dijo Javier suplicante.

–Síiiii, yo también, me siento completamente hipoglucémica –confesó Mar–. Pero oye, ¿nosotras no vamos a poder probar?

–¿Y por qué no? Os invito a que busquéis todos a vuestro estilo antagónico con sombrero y que consigáis vuestra propia foto… –les dijo Andrea guiñándoles un ojo.

–¿Así, sin más? –insistió Mar.

–Necesitas formalizar cómo hacerlo, ¿verdad? **Lo que hemos hecho funciona en 3 pasos: en primer lugar, es preciso tener claro cómo le gusta a cada estilo que se comuniquen con él; en segundo lugar, debéis aplicar lo aprendido en cuanto a reconocimiento de pautas de lenguaje no verbal para identificar al objetivo, y, en tercer y último lugar, el paso a la acción, reencuadrando a la persona, es decir, aceptando conscientemente y en positivo su lista blanca, quitando el foco de su lista negra**. Ah, y, por supuesto, *feedback* de lo positivo y de lo mejorable al final entre todos.

–Y tú nos observarás, ¿no? –dijo Mar.

–Claro, interviniendo lo mínimo, ya sabes, solo para asegurarnos de que no hay grandes desviaciones –confirmó Andrea.

–¡Madre mía, yo soy la que lo tengo más chungo, yo le pido su sombrero a un fuego y me pega! –exclamó Mar, insegura y atemorizada.

–¡Anda, anda, anda, ya estás en plan víctima quejica! Todos tenemos dificultades que nos parecen insalvables con nuestros contrarios. ¡Pero mira el niño, lo ha bordado! Y si él ha podido, nosotras también. Mar, al ataque y déjate de excusas –le respondió Ainara.

–A mí, mientras me dejéis observar con una hamburguesa en las manos, todo me parece bien –sentenció Javier, muy relajado y feliz con sus grandes logros.

–Ya que está claro que nos hemos propuesto dejarte nuevo, podrías ya de paso comer un poquito mejor, con menos comida procesada, ¿no? Es que somos en gran parte lo que comemos, ¿verdad, doctora? –le dijo Ainara a Javier, mirando a Mar.

–Sin duda, Javier, más de lo que imaginamos –respondió Mar.

–Vaaaaale, os haré caaaaaso –aceptó Javier.

3.16 DOHA-KATMANDÚ, VOLANDO AL PAÍS DE LOS HIMALAYAS (FASE 2.1: LA INVESTIGACIÓN DE NECESIDADES NO BASTA, ¡INVESTIGACIÓN DE MOTIVACIONES!)

–¿Vamos sentados igual que en el otro trayecto? –preguntó Mar, bostezando, mientras avanzaban poco a poco en la cola de embarque–. Es por saber si voy a poder dormir sobre el hombro de mi hijo o me voy a tener que buscar otro...

–Vamos igual, en dos filas contiguas, sí. Y aunque alguno tenga la tarjeta de embarque cambiada, creo que igualmente podemos sentarnos como nos apetezca. El caso es que ocupemos los asientos que nos han asignado, pero con qué distribución es cosa nuestra, ¿no? A mí personalmente me gustaría seguir sentado igual... O al menos junto a Andrea. Me gustaría poder seguir hablando con ella... –confirmó Javier con una energía inusual en él.

–¿No estás cansado, cielo? No te sientas obligado, ¿eh? Tenemos 15 largos días por delante –le dijo Andrea cariñosamente.

–No, para nada, de verdad... ¿Quizá tú sí lo estás y quieres dormir? –le dijo Javier a su tía, de pronto al considerar también esa posibilidad.

–No, no, en absoluto. Estoy disfrutando mucho contigo y si podemos seguir me parece genial. Eso sí, propongo que en cuanto uno de los dos sienta sueño, lo diga y paremos, ¿ok? –respondió Andrea.

–Claro, es un vuelo de 4 horas y media. Igual tenemos tiempo para un poco de todo... –respondió Javier.

–Pues a mí no me pilláis despierta, estoy muerta de sueño... Oye, ¿os puedo pedir que no avancéis con lo de los estilos? –pidió Ainara.

–Eso, por favor..., que yo también necesito dormir –dijo Mar con un susurro de voz.

–No os preocupéis, ahora vamos a pasar a la siguiente fase de la Venta y no creo que este vuelo nos dé para mucho más que para plantearla... –confirmó Andrea.

Ya sentados con la misma disposición que en el trayecto anterior, Javier, en voz baja, pidió a Andrea:

–¿Crees que podríamos resumir lo que llevamos visto? Han sido tantas cosas... ¡Suerte que lo tengo todo grabado en mi móvil y apuntado en mi libreta!

–Claro –respondió Andrea, en voz baja.

–Habíamos visto las fases iniciales ya, ¿verdad? –dijo Javier.

–Sí. ¿Te atreves tú con un breve resumen de ellas? –preguntó Andrea.

–Lo intento. En primer lugar, hemos hablado de la Fase 0 de la venta, que supone garantizar que el entorno y las herramientas de ventas estén en perfecto estado de revista, así como la preparación de uno mismo, no solo en lo relativo a la imagen personal, sino especialmente en cuanto a la necesaria predisposición positiva a través un ejercicio constante de autorresponsabilidad personal sobre actitudes y comportamientos propios. El principio 90-10 de Stephen R. Covey, ¿verdad? –soltó Javier del tirón.

–Caramba, Javier, dudo que yo lo hubiera podido resumir mejor. ¿Y la siguiente fase? –siguió Andrea.

–En segundo lugar, hemos trabajado la Fase 1 de la Venta –respondió Javier.

–... También llamada de Acogida del Cliente, que no le habíamos puesto nombre –matizó Andrea.

–Con la acogida hemos hablado de la observación consciente del lenguaje no verbal del Cliente, que nos llevará a un saludo espejado, acorde con su estilo relacional, con todo lo que ello implica: reconocimiento, aceptación y respeto por el otro. El espejado permite «sincronizarse» con el Cliente en lo que respecta a la expresión facial, el movimiento corporal, el ritmo y el tono de la voz. Y todo esto como clave fundamental para la conexión que inicia la relación de confianza que es necesario establecer con el Cliente, basada en la Triple C (Conexión, Credibilidad y Compromiso) –remató Javier seguro.

–Bravo, Javier, gran trabajo –reconoció Andrea impresionada. Quedaba claro que Javier se estaba tomando muy en serio el aprendizaje.

–... De ahí que hayamos hablado de la confianza en profundidad, de los estilos relacionales o tipologías de los Clientes, que en realidad son la puerta de entrada a la conexión, y de la necesidad de la *consultivización* de las ventas como mecanismo de defensa ante la masiva *amazonización* o *transaccionalización* de estas –siguió Javier.

–Veo que lo has interiorizado. Ahora viene la que para mí es la fase más importante de la venta… ¡y la que peor hacen el 90 % de los Vendedores! –anunció Andrea.

–Caramba, redoble de tambores –dijo Javier expectante.

–¿Te parece que volvamos de nuevo a nuestro Robert? –preguntó Andrea. Javier asintió.

–Ahora veo que también tendría que haberle grabado a él en acción, pero en vídeo y repasarlo una y otra vez –reconoció Javier.

–Jajaja, sí. Grabarle y «deconstruir» todo su trabajo. ¿Recuerdas qué hizo inmediatamente después de la acogida y los saludos? –preguntó Andrea.

–Investigó mis necesidades. Me preguntó en qué podía ayudarme, ¿no? –dijo Javier, algo dubitativo.

–Sí, exacto. Esa es la **Fase 2 de la venta**. Pero me gustaría analizar lo que hizo en detalle, si te parece. Y es que, aunque yo ya le había dicho que buscabas unas botas, él te hizo esa pregunta tan abierta directamente a ti. ¿Por qué crees que hizo eso en lugar de preguntarte algo del estilo «en qué botas has pensado» o «qué idea de botas tienes», o de llevarte sin más a ver las botas como hizo la Vendedora de la otra tienda? –precisó Andrea.

–Pues no lo sé bien…, déjame pensar… ¿Para que dijera yo mismo lo que iba buscando? –tanteó Javier.

–Claro. Y en ese momento además te siguió observando conscientemente. Confirmó para sí tu estilo relacional. ¿Y tú qué le dijiste, lo recuerdas? –prosiguió Andrea.

–Que buscaba unas botas que no me destrozaran los pies para hacer el trekking de los Annapurnas –respondió Javier seguro.

–Fíjate cuánta información más le diste tú al responder –enfatizó Andrea. Javier asintió–. Y entonces ¿qué hizo? ¿Te llevó a ver todas las botas aptas para un trekking en los Annapurnas y que fueran cómodas? –preguntó Andrea.

–No, en absoluto. Y eso me sorprendió. En mi Concesión, yo también pregunto en qué puedo ayudar a mis Clientes y siempre me dicen que vienen buscando un coche, claro. Y entonces les pregunto en qué coche habían pensado. Algunos me dicen que no saben, pero la mayoría hoy en día me dicen un modelo concreto y entonces inmediatamente pasamos a la exposición para que vean ese modelo. ¿Eso entonces está mal?

–Aquí no decimos que nada esté mal ni bien, solo reflexionamos sobre adónde nos lleva cada opción y qué consecuencias tiene –matizó Andrea–. Veamos adónde nos lleva eso que haces, si te parece. ¿Qué suele ocurrir luego? –preguntó Andrea.

–Pues le pregunto por sus necesidades concretas: motorización en la que ha pensado, tipo de combustible, tipo de cambio, acabados, opcionales que desea, si va a entregar coche a cambio o no… Vamos, ¡lo normal y habitual! Y no me lo salto nunca, ya sabes que yo soy de seguir siempre los procesos –respondió Javier convencido.

–¿Y después? –prosiguió Andrea.

–Pues le enseño un coche que cumpla con lo que busca o el más parecido posible que tenga, le explico detallada y muy profesionalmente las bondades del producto (lo describo en profundidad, vamos), si tengo uno igual o parecido de prueba pues lo probamos, y luego ya pasamos a mi mesa, le presento la propuesta económica al Cliente, le explico posibles fórmulas de financiación o de compra flexible e intento cerrar la operación. Y si no lo consigo a la primera, pues acuerdo con él una nueva cita para volver a hablar del tema, una vez lo haya pensado –resumió Javier.

–Como siempre se ha hecho, ¿verdad, Javier? –dijo Andrea mientras recordaba su breve entrevista con la Clienta descontenta con Javier que ella misma había interrogado a la salida–. ¿Y adónde te suelen llevar estas conversaciones con los Clientes?

–Pues a hablar del tema económico, claro. Toda venta de automoción acaba con una negociación económica sí o sí, eso está claro. Hay excepciones, pero pocas. Nos deberían dar más herramientas para saber negociar mejor, la verdad. Creo que ahí debe de estar la gran clave para incrementar los ratios de cierre –respondió él.

–Ya veo… El guion de la actuación de Robert contigo se parece bastante al tuyo con tus Clientes, aunque con algunas diferencias, ¿verdad? –volvió a preguntar Andrea–. ¿Qué crees que hizo distinto?

–Él efectivamente no me preguntó por el producto que yo buscaba. No me preguntó qué tipo de botas quería… Supuso y acertó que yo no sabía nada de botas de trekking, o se lo dije yo, no recuerdo… Pero la gente sí sabe de coches, es distinto –respondió Javier, intentando demostrar sus razones.

–Según el *Automotive Buyer Influence Study* de 2016, solo el 38 % de los Clientes sabe exactamente el coche que quiere. El resto, un 62 %, sabe solo algo (que quieren SUV o todocamino, un maletero grande, un coche urbano para ciudad que consuma poco, un híbrido, etc.). Así que esa presunción de que todo el que se va a comprar un coche sabe con total precisión qué coche quiere me temo que no es cierta. Como no es cierta tampoco esa asunción en muchos otros ámbitos de negocio. De hecho, prácticamente en ninguno. Ni cuando compramos ropa, ni una joya, ni cuando queremos invertir, en casi nada… Incluso aunque en principio parezca que sí. De hecho, además, hay otro dato, para mí extraordinario, del informe *Autotrader's Car Buyer of the Future 2016* que dice que el 43 % de los Clientes que van a las Concesiones espera APRENDER en sus visitas. Buscan asesoramiento experto (cuidado, ¡no necesaria y solamente de producto!) y que se les presenten perspectivas en las que no habían pensado antes. Y de tú a tú con otro ser humano: el mismo estudio nos dice que el 84 % de las personas prefieren comprar un coche a otra persona, con interacción real, no virtual –informó Andrea.

–Caramba, no conocía esos datos. ¿Se supone que son ciertos y fiables? No me fío de los estudios estadísticos de hoy en día –cuestionó Javier. Él valoraba mucho los datos y, cuando no le favorecían, solo le quedaba ponerlos en duda.

–Bueno, están basados en entrevistas a miles de Clientes y son algunos de los informes más reputados que hay en el mundo de la automoción –confirmó Andrea–. Ahora bien, si quieres puedes decidir no darles credibilidad y seguir pensando que lo que tú crees es lo cierto, eso ya es cosa tuya y estás en tu total derecho...

–«Nunca están los hombres más cerca de la estupidez que cuando se creen sabios», ¿no? –respondió Javier, asintiendo con los ojos cerrados.

–Ostras, qué frase tan chula, ¿de quién es? –dijo Andrea.

–Pues creo recordar que de Mary Shelley, la escritora inglesa. La oí una vez y me impactó... Si es que las mujeres podríais salvar el mundo si los hombres os dejáramos, ¿verdad?... –dijo Javier–. En fin, de acuerdo, te doy al menos el beneficio de la duda.

–Jajaja, gracias, ¡qué benevolente, señor Tierra! –respondió Andrea, sabedora de que los tierra raramente daban su brazo a torcer en una discusión–. Verás, está demostrado que **si un Vendedor se enfoca solo en lo que vende (un producto o un servicio), inevitablemente terminará en una discusión con el Cliente acerca de las características, funciones y precio del producto o servicio. En cambio, si se enfoca en lo que el Cliente de verdad está comprando (imagen, estética, estatus, movilidad, practicidad, comodidad, etc.), terminará discutiendo de lo que al Cliente realmente le interesa y la conversación de ventas se podrá centrar en el valor agregado que el Vendedor o Vendedora le pueda brindar al dar solución a esos intereses. Y esto es muchísimo más efectivo para las ventas.** Además, es la única oportunidad que tiene un Vendedor de que la conversación de ventas no acabe inevitablemente en una mera discusión económica.

–Enfocarse en lo que el Cliente de verdad está comprando... ¿Mis Clientes no compran coches? –repitió Javier.

–¿Crees de verdad que alguien que entra a comprar un vehículo de tu marca solo busca «un coche» o un transporte que le lleve de un lugar a otro? ¿Por qué elige tu marca y no otra? ¿O por qué solo va a mirar un conjunto de marcas y no otras? ¿O crees que quien se compra unos determinados zapatos después de buscar en varias tiendas, o un vestido o un abrigo concreto, solo busca una prenda que tape su cuerpo desnudo y le dé calor o que le permita andar sin clavarse las cosas de la calle? ¿O crees que quien compra los tomates más baratos que encuentra en el supermercado y quien compra unos tomates ecológicos y de proximidad en un comercio del barrio a 4 veces el precio de los del súper compran por las mismas razones? –preguntó Andrea.

Javier reflexionó en profundidad, dándose perfecta cuenta de lo que Andrea estaba intentando hacerle ver.

–Está claro que no… Compramos para dar satisfacción a otro tipo de inquietudes más íntimas y complejas, ¿no? Cada vez que compramos algo, lo que sea, estamos comprando en realidad algo que va más allá… –convino Javier.

–Efectivamente, **compramos para dar satisfacción a nuestras motivaciones internas** –confirmó Andrea–. De hecho, mira, te cuento y a la vez te voy a hacer un esquema de cómo funciona la toma de decisiones (incluidas las de compra) en el cerebro humano.

–De nuevo la clave está en comprender cómo funciona nuestro cerebro… –empatizó Javier.

–Pues sí. Verás, parece que toda compra se inicia con una o varias **motivaciones internas**. Algunos autores también las llaman **metas motivacionales** –dijo Andrea mientras dibujaba en su libreta–. Ellas explican POR QUÉ necesitamos comprar algo. O, si quieres, el PARA QUÉ, la finalidad última y verdadera de nuestras compras. Eso que nos empuja a comprar. Esa motivación genera en nuestro interior un **deseo**, también llamado **meta focal**. El deseo representa el QUÉ voy a hacer para dar satisfacción a esa motivación interna, el objetivo concreto que yo me marco. Y, finalmente, el deseo toma cuerpo en forma de acción, que se explica con un CÓMO, llamado también **meta instrumental** y que se verbaliza o se hace patente mediante la **necesidad** expresada en el ejercicio de la compra. Y te pongo un ejemplo mientras te lo acabo de dibujar.

–Sí, por favor, creo que lo entenderé mejor –rogó Javier.

–Imaginemos que de pronto me digo: «Uff, siento que me hago mayor, me veo cada vez más arrugas y me da la sensación de que me estoy dejando y cada día estoy un poco más torpe… Esto tengo que arreglarlo». Todo ello forma en mí una motivación: necesito verme y sentirme mejor y que los demás también me vean así –explicó Andrea.

–Bien, tu motivación interna es sentirte más guapa para sentirte imagino más querida o más valorada, como necesidad de reconocimiento, ¿no? –respondió Javier.

–Por ejemplo. Y entonces me sigo diciendo: «Llega el verano y esto lo tengo que arreglar. Para empezar, me sobran kilos. Tengo que adelgazar al menos 4 kilos antes del verano» –siguió Andrea.

–Bien, ese es tu qué, tu objetivo, tu meta focal, ¿verdad? –acompañó Javier.

–Correcto. Y entonces me digo: «Ya sé cómo lo voy a hacer. Al final yo sé cómo funciona mi cuerpo y por mucha dieta que haga no me basta. Más que hacer dieta, tengo que comer bien y además tengo que complementarlo con algo de deporte. Así que voy a ir a ver a una nutricionista y, como no tengo tiempo nunca de ir al gimnasio, me voy a comprar una bici estática. Sí, eso es. Ya está. Así aprovecharé cualquier rato muerto que tenga en casa. Se acabaron las excusas que hacen que nunca haga deporte» –continuó Andrea.

–E ir a ver a la nutricionista y comprarte la bici estática son tus metas instrumentales, tu cómo lo vas a hacer –conectó Javier.

–Correcto. Me voy a centrar en la compra de la bici estática, ¿vale? –propuso Andrea.

–De acuerdo, adelante –convino Javier.

–Al día siguiente me conecto un momento a Internet y navego un poco. Miro, por ejemplo, la web del Decathlon, miro El Corte Inglés, miro Amazon… Y me hago una idea aproximada de lo que hay, de precios, de terminología, de características… Y una tarde de esa semana, que tengo un rato libre al acabar el trabajo, me voy al Decathlon, porque creo que sé lo que quiero, pero comprar así sin más una bici estática, yo que no tengo ni idea de bicis estáticas, pues no… –dijo Andrea.

–Así funcionamos todos un poco con muchas cosas, ¿no? –reconoció Javier.

–Más o menos, sí. Viene a ser un resumen sencillo y rápido de los pasos iniciales del Customer Journey Map en una compra hoy en día –confirmó Andrea.

–¿*Customer Journey Map?* –repitió Javier.

–Sí, es el nombre que se le da al «recorrido» o conjunto de actuaciones, no necesariamente todas físicas, que los compradores realizamos hasta llevar a cabo una compra, desde que aparece la motivación inicial hasta que efectivamente compramos algo –explicó Andrea.

–Bien, ¿y entonces? –preguntó Javier.

–Entonces he decidido que me voy al Decathlon a mirar y que me cuenten. Yo, a todo esto, he visto una bici estática en su web, de color naranja, que me resulta bonita, que parece pequeña (no tengo mucho espacio en casa para meterla) y que vale 280 €, que a mí me parece un dinero «razonable» que me puedo gastar para una bici estática. Como ves, me lo estoy inventando todo. No tengo ni la menor idea de lo que vale una bici estática –explicó Andrea–. ¿Me sigues?

–Sí, perfectamente –respondió Javier.

–Llego al Decathlon y vamos a imaginar que me atiende el Vendedor o Vendedora A, con el que tengo el siguiente diálogo:

- Yo: «Buenos días, ¿me podría ayudar, por favor?».

- Vendedor A: «Claro que sí, ¿qué necesita?».

- Yo: «Busco una bici estática».

- Vendedor A: «Bien, las tenemos por aquí al final, ¿me acompaña? ¿Ha visto alguna o tiene alguna idea?».

- Yo: «Pues sí, en vuestra web he visto una de marca XX, de color naranja, bastante compacta que valía 280 €».

- Vendedor A: «Sí, es esta de aquí. Una solución muy correcta y con un muy buen precio».

- Yo: «Sí, ¿cree que es una buena compra?».

- Vendedor A: «Sí, totalmente, gama media, buenas prestaciones, rodamientos RRR, tecnología TTT…, una compra garantizada totalmente, no se equivocará. Si le gusta, no lo dude».

- Yo: «Vale…».

- Vendedor A: «¿Se la lleva entonces?».

- Yo: «Pues sí… ¿Me la podéis enviar a casa?».

- Vendedor A: «Por supuesto, ¿me acompaña al ordenador, que le hago el albarán de venta? Con él, va a la caja, paga y se lo envían» –simuló Andrea.

–¿Envían a casa en el Decathlon? –se sorprendió Javier.

–No tengo ni idea, me lo he inventado. Venga, ¿qué te parece el Vendedor o Vendedora A? –preguntó Andrea.

–Bueno, correcto, ¿no? Le ha dado a la Clienta lo que buscaba… –responde Javier.

–Vale. Ahora vamos a imaginar que en vez del Vendedor o Vendedora A, me atiende del Vendedor o Vendedora B, al que le digo: «Buenos días, ¿me podría ayudar, por favor?». «Claro que sí, ¿qué necesita?» «Busco una bici estática». –dijo Andrea.

–Hasta aquí todo igual que con el anterior –confirmó Javier.

–Sí, pero entonces el diálogo con el Vendedor o Vendedora B es el siguiente:

- Vendedor B: «Ok, una bici estática, entiendo, ¿le importa que le haga unas preguntas? Es para comprender exactamente lo que necesita y poder ayudarle de la mejor manera posible».

- Yo (quizá un poco extrañada): «No, no me importa, de acuerdo. Pero yo ya he visto una en su web que creo que es la que quiero. Es la marca XX, de color naranja, bastante compacta, por 280 €».

- Vendedor B: «Ok, perfecto. Si no le importa, ¿qué uso tiene previsto darle a la bici, es decir, con qué regularidad, con qué intensidad tiene usted previsto usarla? ¿Está usted preparando algún tipo de prueba deportiva?».

- Yo: «No, no, qué va, no preparo ninguna prueba, qué más quisiera, no tengo tiempo. No, justamente la quiero porque no consigo nunca ir al gimnasio y quiero aprovechar los ratos muertos que tenga en casa para, al menos, activar mi cuerpo un poco de cara a complementarlo con una dieta. Que llega la operación bikini y una necesita sentirse más guapa en verano, ¿no?».

- Vendedor B: «Ok, por supuesto, entendido, ¿podríamos decir que uso esporádico entonces?».

- Yo: «Si consigo hacer 3 horas a la semana, ¡me daré con un canto en los dientes».

- Vendedor B: «Jajaja, genial, sí, qué difícil se nos hace encajar el deporte en nuestra vida diaria, con lo importante que es, ¿verdad? Pues que sepa que hay una tendencia creciente de gente que se monta un «minigimnasio» en casa, como intuyo que usted pretende, para ganar tiempo al tiempo».

- Yo: «¿En serio? Vaya, no me lo imaginaba, la verdad. ¿Y qué más debería tener el gimnasio casero?».

- Vendedor B: «La bici está muy bien para la parte cardio, tonificación de piernas y como calentamiento. A partir de ahí, lo razonable es incorporar, por ejemplo, gomas, pesas, una pelota, un bosu, etc., que permitan un entrenamiento funcional multiarticular y compuesto, siempre con un objetivo concreto de lo que se quiera mejorar. Es el considerado «entrenamiento mágico» hoy en día. No se focaliza en un grupo muscular concreto, sino en varias partes del cuerpo. Es más divertido, variado y parece que proporciona mejores resultados y más perdurables».

- Yo: «¿Y usted me podría asesorar sobre qué comprar en función de lo que yo quiera mejorar?».

- Vendedor B: «Por supuesto, ese es mi trabajo. ¿Le parece que pasemos primero a las bicis y luego al resto de elementos?».

- Yo: «Claro, muy bien».

- Vendedor B: «Bien, aquí tenemos las bicis estáticas. A ver, me ha dicho que la de marca XX le parecía bastante compacta, ¿le puedo preguntar en qué espacio tiene previsto tenerla?».

- Yo: «Pues mire, aún no lo sé porque no he tenido nunca y todavía no he pensado bien dónde la voy a poner, si en la terraza o en mi despacho… No sé».

- Vendedor B: «En cualquier caso, ¿tiene espacio amplio o encajaría mejor si fuera plegable?».

- Yo: «¡Vaya!, no lo había pensado… ¿Las hay plegables? Pero serán mucho más caras, ¿no?».

- Vendedor B: «Mire, le cuento. La bici que usted ha visto en nuestra web es una gran bici, pensada para un uso de intensidad media-alta, en torno a 200-250 km a la semana. Está pensada para personas que usan la bici estática en un entrenamiento regular casi diario. Por ello, sus rodamientos RRR, su tecnología TTT, etc. son del bla, bla, bla… ¿Por qué ha pensado usted en esta bici?».

- Yo: «Bueno, me pareció bonita, compacta y con un precio razonable».

- Vendedor B: «Pues mire, con una estética similar, también compacta o incluso plegable, y con un precio similar o incluso algo inferior, tengo otras dos alternativas, que son estas dos de aquí. Se las comento en detalle (y se las explica igualmente: la primera bla, bla, bla y la segunda bla, bla, bla). Visto esto, usted decide, la de gama media-alta que usted vio, o una de estas de gama quizá más ajustada a su uso previsto, con la posibilidad incluso de esta plegable. Y, por cierto, con lo que ahorraría, quizá le apetecería completar un poco su nuevo *home-gym*. ¿Qué le parece?».

- Yo: «Caramba, no tenía ni idea de que el tema de la bici me fuera a llevar a todo esto, qué interesante. Oiga, ¿pero estas otras también son una buena compra, verdad? ¿No serán mucho peores, no?».

- Vendedor B: «¿Qué interés podría tener yo en venderle una bici peor? Mi único interés es asesorarla lo mejor posible para que usted comprenda las opciones que tiene y que encajen con lo que usted necesita y pueda tomar una decisión informada».

- Yo: «Tiene usted razón, me llevo la plegable. ¿Pasamos ahora a ver el resto de elementos?».

–Venga Javier, ¿qué ha hecho cada Vendedor? –preguntó Andrea.

–Ya, el Vendedor o Vendedora A no ha aportado nada, la ha «despachado», mientras que el Vendedor o Vendedora B la ha «asesorado» y encima ha conseguido una potencial venta cruzada. En mi Concesión vendemos como el Vendedor o Vendedora A. Sí, es cierto, pero mira, te diré que el Vendedor o Vendedora A me ha parecido más efectivo, más directo y le ha dado seguridad a esa persona en su compra. En cambio, te diría que el Vendedor o Vendedora B ha invertido mucho más tiempo en la venta y encima ha hecho dudar a la persona. Igual hasta ha estado a punto de perder la venta –respondió Javier, como siempre fuertemente argumentativo en la defensa de sus ideas.

–Eso mismo que has dicho tú es lo que responde el 99 % de los Vendedores y de los Jefes de Ventas. Sin embargo, está demostrado que la persona atendida por el Vendedor o Vendedora A sale de la tienda diciéndose: «No sé para qué he venido, la próxima vez compraré directamente en la web». En cambio, la persona atendida por el Vendedor o Vendedora B sale de la tienda diciéndose: «Menos mal que me decidí a venir; caramba, todo lo que he descubierto; yo hubiera comprado una bici que no era la que más me convenía. Y me hubiera perdido todo esto del entrenamiento funcional y el *home-gym*. Y este chico, qué atento y qué profesional. Así da gusto». Ah, y obviamente, el Vendedor o Vendedora B se ha dado perfecta cuenta del estilo relacional de la persona compradora y se ha espejado a los niveles necesarios. Si esa persona tiene que volver a comprar algo de deporte, ¿crees que habrá más probabilidades o menos de que vuelva a la tienda? –preguntó Andrea.

–Más, está claro. Y encima, seguramente preguntará por el Vendedor o Vendedora B –aceptó Javier.

–Y es que, ¿sabes qué pasa? Pues pasa que si nos quedamos solo en lo que el Cliente dice que quiere comprar (que además tú crees que SABE a ciencia cierta qué quiere comprar, cuando quizá su respuesta solo es fruto de una navegación más o menos rápida por Internet, lo que no equivale a CONOCIMIENTO REAL, al menos en el 60 % de los casos), nos estamos quedando en su meta instrumental, no vamos más allá. Y no estamos conectando con sus motivaciones de compra reales, con sus porqués.

–¿Y realmente crees que eso es de verdad tan importante? –preguntó Javier poniendo una mueca.

–Es crucial. Y lo es porque **conectar con las motivaciones verdaderas de los Clientes nos abre la puerta a su cerebro emocional, que es, en realidad, el dueño de las decisiones humanas. Y, por cierto, también dueño de la confianza y de la lealtad. Si nos quedamos en su meta instrumental, en su necesidad inmediata, nos quedaremos hablando mayoritariamente con su cerebro racional, ese que sabe hablar sobre todo de características técnicas, de prestaciones, de funciones y, claro, de dinero. Ahí tienes tu conversación de ventas, que acaba siempre en negociación económica servida en bandeja.**

–Caramba, creo que empiezo a entender. ¿Quieres decir que mi propia forma de actuar en la investigación de necesidades es la que acaba llevando irremisiblemente a una discusión basada solo en el precio y el descuento? –comprendió Javier–. Y, además, claro, en ese caso, ¿qué aporta el Vendedor o Vendedora que el Cliente no pueda encontrar en Internet? Nada, ya lo veo…

–Ni más ni menos. Cuando los Vendedores solo se centran en la meta instrumental del Cliente, es decir, en el producto que este dice querer comprar, están invitando a los Clientes a salir de la tienda, irse a su casa y comprar el mismo producto por Internet. Es posible que lo encuentren más barato y encima se ahorren la tediosa e incómoda discusión con el Vendedor o Vendedora sobre el tema económico –confirmó Andrea–. Mira, este es el esquema final:

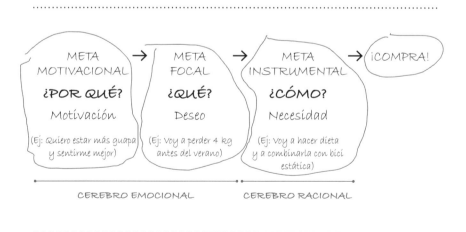

—Madre mía, Andrea, ¿por qué nadie explica esto? Es tan poderoso. **Es como una llave maestra que abre la caja fuerte de las decisiones de los Clientes en su cerebro.** En realidad, **esta fase debería llamarse de Investigación de Motivaciones y no de necesidades** –dijo Javier, perplejo.

—Exacto. Lo que ocurre es que este conocimiento es relativamente reciente y hay escasa consciencia de ello. Es el fruto de pensar en las consecuencias derivadas de los últimos descubrimientos sobre el funcionamiento biológico de nuestro cerebro y la toma de decisiones y aplicarlas al mundo de las ventas –respondió Andrea.

—Que es a lo que tú te dedicas, ¿no? –siguió Javier. Andrea asintió–. Vale, tiene mucho sentido, pero realmente no veo cómo eso se puede hacer de forma sencilla. ¿Me puedes dar alguna indicación? –pidió Javier.

—Claro, tú mismo las vas a encontrar, ya lo verás. ¿Te parece si volvemos a pensar en Robert (o en nuestro Vendedor o Vendedora B del ejemplo)?

3.17 PREGUNTANDO SE LLEGA A...
¡NEPAL Y A CUALQUIER SITIO!
(... PERO NO SABEMOS PREGUNTAR, ES PRECISO
REAPRENDER A HACERLO)

–Vale, estoy preparado, vamos –aceptó Javier.

–Veamos… Si Robert no se centró en el producto, es decir, no te preguntó qué botas querías o habías pensado tú, ¿qué hizo?

–Me preguntó por qué decía exactamente que quería que no me destrozaran los pies –dijo Javier–. Y de ahí me dio pie a hablar de mi inexperiencia como *trekker*, que era maratoniano, que había sufrido una fascitis plantar, etc. Me recuerdo a mí mismo hablando tranquilamente de cosas de las que no suelo hablar…

–Yo ni sabía que habías tenido una fascitis plantar –confesó Andrea–. ¿Y luego?

–Me preguntó por el tipo de trekking que íbamos a hacer, supongo que para comprender qué requisitos debían tener las botas y yo mismo en relación con ellas y con el trekking en sí –prosiguió Javier.

–Por tanto, en resumen, ¿qué dirías que hizo? –preguntó Andrea.

–Me investigó a mí como persona y el uso que yo pretendía dar a las botas. **Investigó mi por qué y mi qué, no mi cómo (las botas)** –respondió contento Javier, satisfecho de haber descubierto la clave.

–¡Brillante, Javier! Y oye, ¿cómo lo hizo? –volvió a preguntar Andrea.

–Preguntando, preguntando y preguntando –respondió Javier–. Pero Andrea, a nosotros nos dicen que preguntemos lo menos posible y rápido para no molestar a los Clientes, que ni quieren perder el tiempo ni tienen interés en que les preguntemos por sus cuestiones personales.

–Completamente de acuerdo en que a los Clientes no les gusta ni que les hagan perder el tiempo ni que les pregunten por cuestiones personales. ¿A ti te pareció que Robert te hacía perder el tiempo? ¿Y te pareció un interrogatorio personal e intrusivo? –siguió Andrea.

–No, para nada. ¿Por qué nos dicen entonces lo que nos dicen? –se incomodó Javier.

–Porque en general no sabemos preguntar. No sabemos ni cuánto ni cómo preguntar. Una tragedia –respondió Andrea.

–¿Tan grave te parece? –preguntó sorprendido Javier.

–Como tú decías, es la llave maestra que abre la puerta de nuestro cerebro emocional, el dueño de las decisiones, imagina… –respondió Andrea.

–Robert primero me pidió permiso para hacerme unas preguntas –recordó de pronto Javier.

–Bravo, Javier. En efecto, **la primera regla para preguntar es anticipar**. Cuando avisamos a alguien de lo que pretendemos hacer a continuación, solicitando además su aprobación, eliminamos su incertidumbre. Así, en el momento en que llevamos a cabo la acción, nos encontramos con una persona dispuesta y preparada, sobre aviso, no en modo defensivo –explicó Andrea.

–Pero luego sí me hizo preguntas personales… –recordó dubitativo Javier.

–Aquí la clave está en el tipo de preguntas que te hizo… –avanzó Andrea.

–El tipo de preguntas que me hizo… –repitió Javier, dándose tiempo para pensar.

–Sí, mira, te pongo un ejemplo relativo a tu trabajo. Si yo le pregunto a alguien: «¿Está usted casado?» o: «¿Tiene hijos?», ¿cuál será su respuesta más probable? –preguntó Andrea.

–«¡Y a usted qué le importa!», jajaja –dijo seguro Javier.

–¿Cambia la cosa si pregunto: «¿Quiénes serán los conductores habituales del vehículo?» o: «¿Quiénes serán los ocupantes habituales del vehículo?» –preguntó Andrea.

–Claro, muchísimo –respondió Javier–. Ya veo, se puede preguntar lo mismo de muchas maneras y con diferentes efectos.

–Sí, y, concretando, fundamentalmente se puede preguntar en abierto o en cerrado. ¿Qué distingue un tipo de preguntas y otras? –preguntó Andrea.

–Las preguntas cerradas son las que se responden con un sí o un no y las abiertas invitan a hablar más, ¿no? –respondió Javier.

–Sí, esa es la respuesta habitual. Y además dos detalles clave extras: las preguntas cerradas son en general mucho más intrusivas que las abiertas. Y fíjate: a nivel constructivo, las preguntas abiertas siempre empiezan por un adverbio interrogativo (qué, quién, cómo, cuándo, etc.) y las cerradas por un verbo –dijo Andrea.

–Caramba, ¡es verdad! –observó Javier sorprendido–. ¡Nunca me lo habían explicado tampoco!

–Yaaa… El tema es que desde nuestra más tierna infancia nos educan en preguntar en cerrado (piensa en el juego del veo-veo, por ejemplo). ¡El 80 % de las preguntas que hacemos al cabo del día son cerradas! Y, sin embargo, **en las fases iniciales de la venta, ¡el 80 % de las preguntas deberían ser abiertas!** –exclamó Andrea.

–Madre mía, ¡pues sí que vamos bien! –exclamó Javier.

–Evidentemente, si preguntamos a un Cliente, de pronto, sin anticipación de lo que pretendemos hacer y con mayoría de preguntas cerradas, lo más probable es que él mismo se cierre e incluso genere un justificado rechazo hacia nosotros –explicó Andrea–. Sin embargo, si le anticipamos lo que vamos a hacer, que es comprender verdaderamente lo que busca y por qué (y le pedimos permiso para hacerlo), y además formulamos las preguntas de forma adecuada, conseguiremos llegar a descubrir sus motivaciones de compra. Y a esto lo llamamos ser capaz de **preguntar de forma potente**.

–Ya veo, dominar la capacidad de preguntar de la manera adecuada… –reformuló Javier.

–Se trata de una de las habilidades fundamentales que todo Vendedor consultivo debería desarrollar. Fue Neil Rackham quien, gracias a la mayor investigación en ventas llevada a cabo hasta hoy (más de 35 000 conversaciones analizadas en al menos 23 países), nos explicó en su libro *SPIN Selling*® que los mejores Vendedores eran aquellos que mejor sabían preguntar.

–¿En serio? –preguntó Javier sorprendido.

–Totalmente. Algunos autores hablan de descubrir los *pain points* de los Clientes, es decir, descubrir «lo que les duele» –dijo Andrea.

–Lo que le duele al Cliente… –parafraseó Javier, pensando en el contenido profundo de la expresión.

–Sí, eso es justo lo que hizo Neil Rackham con su modelo SPIN. De hecho, las siglas corresponden a la estructura con la que él concibió que todo Vendedor consultivo debería aprender a preguntar –explicó Andrea.

–¿Y qué es…? –quiso saber Javier intrigado.

–Quizá si te lo dibujo esquemáticamente lo verás más claro, ¿verdad? –propuso Andrea.

–Probablemente –aceptó Javier.

Tras lo cual Andrea se puso a hacer un nuevo esquema. En un minuto ya lo tenía.

–Mira, este sería un breve ejemplo, que he adaptado a tu mundo de venta de automoción. Con un análisis de cada sector (sea cual sea: medicina, farmacia, banca, seguros, inmobiliaria, etc.) se puede adaptar el modelo en cada caso, claro –explicó Andrea, habituada a ese tipo de trabajo.

SITUACIÓN	PROBLEMÁTICA	IMPLICACIÓN	NECESIDAD
Life Style/ Estilo de vida	Qué quiere/desea Qué no quiere/no desea	Comprensión, impacto, sumarización	Por tanto, veamos… Da paso al asesoramiento
• ¿Qué uso va a dar a su vehículo? • ¿Qué tipo de conducción hace y en qué entorno (ciudad, rural, mixto…)? • ¿Cuántos km hace al año? • ¿Quiénes van a ser los ocupantes habituales del vehículo? • Etc.	• ¿Cuál es la razón del cambio? • ¿Qué echa de menos en su vehículo actual? • ¿Y qué querría mantener sí o sí? • ¿Qué es particularmente importante para usted en un vehículo/Qué le pide a un coche? • Etc.	• Por tanto, usted busca un vehículo espacioso y con buen maletero porque van a aumentar la familia con un nuevo hijo y tienen ya dos y un perro, comprendo… • Etc.	• De esta manera, ¿en qué modelo concreto de nuestra gama había usted pensado? • ¿Con qué motorización? • ¿Con qué tipo de combustible? • ¿Con qué tipo de cambio? • Etc.

–Caramba, qué chulo –dijo Javier, tras leerlo con detenimiento–. Y todas son preguntas abiertas. Ya veo, yo empiezo siempre por el último paso y me salto los tres primeros.

–Efectivamente. Neil Rackham llegó a este modelo por puro análisis estadístico de lo que observó que funcionaba, después de estudiar más de 100 variables de actuación en Vendedores. Hoy lo que hemos comprendido es la razón de base por la cual eso funciona, que es porque nos permite acceder al centro de mando de la toma de decisiones de las personas: su emocionalidad. Yo defiendo que hoy en día es la única vía posible para consultivizar las ventas y tener así una oportunidad de éxito ante la creciente amazonización o transaccionalización.

–Caramba con el saber preguntar –dijo Javier.

–Sí, además es curioso darse cuenta de que muchas profesiones tienen clara la importancia de saber preguntar bien y forman a sus estudiantes en el dominio de esta habilidad: hablamos de periodistas, abogados litigantes, investigadores…, cosa que no sucede en otras profesiones. Por cierto, ¿qué crees que distingue, entre otras cosas, a un gran periodista de otro? –preguntó Andrea.

–Lo que pregunta, su capacidad de «meter el dedo en la llaga», de llegar donde al otro «le duele» –descubrió Javier.

–Genial, Javier. ¿Y qué más crees que hace un gran entrevistador? –insistió Andrea.

–Imagino que estar muy atento a las respuestas del entrevistado para pillar al vuelo cualquier «pista interesante» –respondió Javier.

–Claaaaaro. Y en cuanto el entrevistado dice algo inesperado o especial por alguna razón, ¿qué hace el periodista? –volvió a insistir Andrea.

–Si es inteligente, tira del hilo para explotar al máximo este tema importante –respondió Javier.

–¿Y cómo «tira del hilo» un periodista, Javier? –continuó Andrea.

–Haciendo más preguntas, hasta que el tema quede agotado o cubierto… –respondió Javier.

–Al menos, debemos alcanzar hasta 3 niveles extra de profundidad con preguntas llamadas de *follow up* (de seguimiento del tema). El estudio *It Doesn't Hurt to Ask* (de Francesca Gino y otros autores) así lo demuestra. Y eso forma parte también de lo que llamamos hacer **escucha empática o activa** (concepto asimismo introducido por Stephen R. Covey, el padre). Y, atención, **escuchar empáticamente no es solo estar atento a lo que el otro dice, sino en realidad preguntar sobre eso que al otro le suscita verdadero interés y analizando el impacto que para él tiene, sin permitir que interfieran nuestras propias opiniones**. Todo lo cual además alimenta el compromiso de la Triple C de la Confianza.

–Eso es exactamente lo que hizo Robert cuando me oyó decir «unas botas que no me destrocen los pies», ¿verdad? –conectó Javier.

–Sí, todas sus alarmas de escucha empática se activaron. Tú le habías lanzado una alerta roja como la copa de un pino y él la pilló al vuelo y tiró del hilo –explicó Andrea.

–Preguntando, parafraseando y validando todo lo que yo le decía –confirmó Javier recordando–. Y con ese «hilo rojo» me amarró y me hizo suyo –concluyó Javier guiñando un ojo a Andrea, en referencia al mito del hilo rojo de la cultura japonesa que Andrea le había explicado de pequeño como un cuento para dormir.

–Jajaja, sí, con un «hilo rojo» invisible que os conectó, qué bueno, Javier. Oye, una cuestión más… Cuando un periodista entrevista a alguien, ¿quién habla más? –dijo Andrea.

–El entrevistado, claro. Cuando es el periodista el que más habla, mal asunto, acostumbra a ir de estrella poniéndose por delante de sus entrevistados –reflexionó Javier.

–En efecto. Como dijo Larry King, el rey de los *talk-shows* de EE. UU., «nunca aprendí nada mientras era yo el que hablaba» –recordó Andrea–. Así que, en la fase de investigación de motivaciones, debería cumplirse la regla de Pareto: el Cliente habla el 80 % del tiempo o más y el Vendedor o Vendedora el 20 % restante o menos.

–¿Y el Vendedor o Vendedora no pierde así el control de la conversación de ventas? –preguntó nuevamente Javier.

–Cuando el periodista es bueno, ¿quién lleva el control de la entrevista? –preguntó Andrea.

–El periodista, está claro –convino Javier–. Es verdad, no lo hace hablando más, sino utilizando las preguntas precisas. Un cambio de foco fundamental en la manera de hacer. En apariencia sutil, pero de una potencia brutal.

–Sí, el foco se traslada de nuevo a los componentes más humanos de la venta, fundamentados en el **dominio de las habilidades de comunicación interpersonal** –confirmó Andrea–. Si te das cuenta, todo lo que llevamos hablado hasta ahora tiene dos objetivos clave: primero, identificar el estilo relacional del Cliente para sincronizar nuestro diálogo con él y, segundo, identificar su motivación fundamental de compra sabiendo qué y cómo preguntar gracias a la pregunta potente y la escucha empática o activa. Se trata de dos habilidades de comunicación efectiva fundamentales. Si conseguimos lograrlo, yo he demostrado que el ratio de productividad en las ventas (ratio de cierre) se puede duplicar.

–Por cierto, hace rato que me ronda la cabeza… ¿Cómo influye en esta fase el estilo relacional, es decir, se pregunta igual a todos los estilos? –preguntó Javier.

–Gran pregunta, Javier. Y la respuesta, como tú ya intuyes, es en parte sí y en parte no. Sí en el concepto, es decir, sí a la anticipación y a la pregunta potente para identificar la motivación fundamental de compra. Y no en cuanto a la forma de preguntar y el tiempo que hay que invertir: como tú ya sabes, los estilos activos (fuego y aire) viven la vida a toda velocidad, todo en ellos va rápido (hablan rápido, se mueven rápido, nunca tienen tiempo para nada…) y esperan que todo en la venta sea rápido también. Así que con ellos debemos acelerar todo en nosotros: el ritmo de voz, los movimientos, etc., y acortar los tiempos de todas las fases de la venta. Y para los estilos reflexivos (tierra y agua), que viven con mucha más pausa y lentitud, todo lo contrario. Recuerda el tiempo que invirtió Robert en tu venta (más de 1 hora) y en la de Ainara (menos de media hora).

–Ya veo, esta es la influencia del eje reflexivo-activo. ¿Y el eje racional-emocional no influye en la forma de preguntar? –siguió indagando Javier, con mucho criterio.

–Sí, por supuesto, Javier. En este caso, dicho eje va a marcar el nivel de emocionalidad de nuestro discurso comunicativo y la orientación de nuestras preguntas hacia un tipo de motivaciones u otras. Y es que, tal y como he demostrado en mis investigaciones, los estilos también se diferencian por sus motivaciones fundamentales de compra –desveló Andrea.

–¿De verdad? Creo que esto me lo tienes que explicar con más profundidad, me parece alucinante –dijo Javier.

–Mucho se ha investigado y escrito sobre ello desde la publicación de *A Theory of Human Motivation* (1943) de Abraham Maslow –respondió Andrea.

–La famosa pirámide de Maslow, ¿no? –reconoció Javier.

–Basándome en ella y en la pirámide de valor de Bain & Company, yo he desarrollado una simplificación orientada al consumo que agrupa las motivaciones en 3 grandes bloques: motivaciones de carácter funcional, sensorial y simbólico o social. Y, por cierto, hay a día de hoy bastante consenso en que la jerarquía que Maslow estableció y que imposibilitaba pasar a un estadio superior de la pirámide motivacional mientras no se tuvieran cubiertos los factores del nivel inferior, no es tan rígida como en un principio se planteó. Es decir, que los seres humanos podemos tener motivaciones de distinto tipo, aunque los factores inferiores o básicos no estén cubiertos. Al fin y al cabo, los humanos primitivos quizá no tenían qué comer cada día y veían su seguridad y sus vidas amenazadas por fieras y peligros, pero sintieron la necesidad de hacer pinturas rupestres, pues tenían sentido estético, de trascendencia…

–Uno se puede estar muriendo de hambre y sentir la necesidad de expresarse haciendo poesía, ¿no? –dijo Javier.

–Sí, eso es. Sea como fuere, si te parece te voy a representar por escrito la estructura motivacional con la que yo trabajo –dijo Andrea mientras rápidamente volvía a su libreta para plasmar el esquema de los tipos de factores motivacionales.

FUNCIONALES	SENSORIALES	SIMBÓLICAS O SOCIALES
Orientación práctica, vinculación al uso	Orientación al placer, al disfrute de los sentidos	Orientación social, de realización y trascendencia
• Conveniencia y practicidad (confort, calidad de acabados, comodidad, usabilidad, practicidad, funcionalidad, conectividad, integrabilidad, sencillez, facilidades, ahorro de tiempo, reducción de esfuerzo, etc.) • Consistencia (ciclo de vida, durabilidad, garantías, competencia demostrada, referencias, etc.) • Economía (beneficio, ahorros, *value money*, reducción de costes, etc.)	• Seguridad (física y psicológica, reducción de ansiedad, etc.) • Salud (bienestar, valor terapéutico, equilibrio, recompensa, placer, disfrute, relajación, descanso, etc.) • Belleza y estética (diseño de producto, atractivo, elegancia, etc.) • Entretenimiento (diversión, juego, alegría, ocio, etc.)	• Imagen (prestigio, marca, reconocimiento, estatus, poder, posición social, trascendencia, etc.) • Innovación (tecnología, descubrimiento, novedad, tendencia, exclusividad, deportividad, cambio, revolución, aprendizaje, reto, riesgo, espíritu pionero, etc.) • Compromiso social (sostenibilidad, implicación social y medioambiental, etc.)

–¡Qué interesante! ¿Y dices que cada estilo relacional tiene también unas motivaciones que le son más propias? Yo, mirando el esquema, diría que tengo un poco de casi todas… –dijo Javier.

–Sin duda. Sin embargo, está demostrado que, a la hora de comprar, en cada estilo «prevalecen» de forma habitual unas por encima de otras –confirmó Andrea–. Piensa, por favor, en tu compra de las botas de trekking. ¿Qué era lo más importante para ti?

–Que me permitieran hacer el trekking con las prestaciones necesarias y que me fueran cómodas –respondió Javier.

–¿Y qué tipo de motivaciones son esas? –preguntó Andrea.

–Ya veo…, básicamente funcionales. Sí, a mí, por ejemplo, si el color era uno u otro, mientras no fuera muy estridente, me importaba relativamente poco… –reconoció Javier.

–En efecto. Y en el caso de Ainara, ¿qué era lo más importante para ella? ¿Recuerdas que Robert le preguntó «qué les pides tú a unas botas de trekking»?

–Belleza, estética y como una sensación algo mística de conexión con la belleza del Himalaya… ¿Eso qué sería? En parte sensoriales y en parte simbólicas, ¿no? –respondió Javier.

–Efectivamente, de ahí que yo defienda que la prevalencia motivacional de los diferentes estilos es esta –dijo Andrea, mientras se ponía a escribir nuevamente.

Motivaciones fundamentales de compra
por estilos relacionales

| TIERRA | FUNCIONALES | SIMBÓLICAS | FUEGO |
| AGUA | SENSORIALES (Seguridad y Salud) | SENSORIALES (Belleza, Estética, Entretenimiento) | AIRE |

–¿Y siempre será así? –preguntó Javier.

–En mi experiencia, sí como motivaciones primarias. Ahora bien, en función del estilo secundario de cada cual, también sus motivaciones secundarias tenderán a las de ese estilo –explicó Andrea.

–Quieres decir entonces que un tierra con secundario fuego tendrá sobre todo motivaciones funcionales, pero también en parte simbólicas. Y que en cambio un tierra con secundario agua seguirá teniendo las funcionales como primarias, pero estará más cerca también de las sensoriales, vinculadas a seguridad y la salud –convino Javier–. Nos dijiste que podríamos hacer el test del modelo Bridge en Katmandú y conocer así nuestra distribución de estilos personalizada, ¿verdad?

–Sí a todo, Javier. ¿Te parece que esto es una herramienta con potencia de cara a orientar tus preguntas en la fase de investigación? –dijo Andrea.

–Claro, por eso Robert me preguntó a mí todo lo que me preguntó y a Ainara lo suyo. Yo entonces no entendí cómo una venta hecha por la misma persona, Robert, podía ser tan distinta en el caso de uno y otro Cliente –reflexionó Javier–. Todo va adquiriendo consistencia para mí; gracias, Andrea.

–Gracias a ti, Javier, por tu total implicación, así da gusto, la verdad –dijo Andrea mirando a su sobrino con cariño–. Oye, para mí ha llegado el momento de dormir un poquito, ¿qué te parece?

–Claro, faltaría más. Sí, yo también dormiré. Sospecho que tendré intensos sueños… –sonrió Javier, consciente de la cantidad de conocimiento que debía interiorizar.

–Sin duda, y durante ese sueño tus nuevos aprendizajes se fijarán en tu memoria. Así es como funciona el cerebro: según Susan Redline, profesora del sueño en la Escuela de Medicina de Harvard, en la fase profunda del sueño procesamos lo aprendido durante el día y, si es importante, lo integramos en nuestra memoria. ¡Así que a grabarlo todo en tu disco duro! –le dijo Andrea a Javier, cerrando los ojos para dormir.

3.18 KATMANDÚ, MON AMOUR
(KATHMANDU SHOPPING TOUR,
ESCUELA DE VENTAS)

–¡Parece increíble que haya llegado todo el equipaje! ¡No daba un duro por vuestras bicis! –dijo Ainara sonriente y feliz en el taxi furgoneta que los llevaba a todos y a todo hacia su hotel.

–¡Desde luego! ¿Y no os parece increíble también que este buen señor haya conseguido meternos a todos con todos nuestros bártulos en esta furgoneta? –exclamó también Mar.

–Bueno, Raúl y yo hemos contribuido bastante, ¿eh? Digamos que el buen señor no se ha sacado aún el máster en tetris de maleteros –ironizó Marc, que se enorgullecía de ser capaz de organizar hasta los maleteros más complicados–. Apenas hemos aterrizado y ya estoy sudando como un pollo, eso también. Y esto no ha hecho más que empezar. Ay, qué calor, por Dios. Mi reino por una ducha.

–Sí, pues por lo que he leído, el calor y, sobre todo, la humedad que nos esperan en los primeros días de ruta, al menos por debajo de los 2500 m de altitud, son de flipar, ¿no? –dijo Raúl.

–Y qué más dará, ¡que ya estamos en Katmandúuuuuuuuuu! –gritó Andrea. A su grito se unieron todos, añadiendo aplausos y silbidos de alegría–. ¡Annapurnas, no os mováis, que allá vamos!

El avión había aterrizado puntualmente a las 10:10, hora local. Eran las 11:45 y ya iban camino del hotel con las maletas, los pasaportes y los visados de entrada al país en orden. Hasta habían conseguido cambiar ya euros por rupias nepalíes en el aeropuerto y comprar cada uno una tarjeta de móvil de una operadora local. El sol lucía radiante y los ánimos también.

–¿A cuánto nos han cambiado al final? –preguntó Mar.

–Nos han dado 132.78 rupias nepalíes por euro. El cambio que a mí me da una aplicación que llevo es a 135.33, así que no está mal –respondió preciso Javier.

–A ver, entonces, para el de los números, ¿por qué tenemos que dividir o multiplicar los precios que nos den en las tiendas? –preguntó Ainara, siempre perezosa con estas cuestiones.

–Pues puedes dividir por 130 para hacer números redondos. O si te es más fácil, 2000 rupias nepalíes son unos 15 € –dijo Javier servicial y encantado.

–Mira qué bien y qué facilito, hasta yo voy a saber lo que estoy pagando por todo. Gracias, bonito –respondió contenta Ainara.

–Javier, ¿tú le has puesto ya un whatsapp a tu madre diciendo que ya estamos aquí y que todo ha ido bien en el viaje? –preguntó Andrea. Javier asintió–. Vale, es que yo le voy a poner otro ahora para ver qué me cuenta de mi hija y era por saber…

Andrea se puso a enviar el whatsapp mientras el resto seguía con atención lo que ocurría fuera del taxi. Una ciudad tan poblada como Katmandú, en plena ebullición matinal, impresionaba a cualquiera.

–¡Madre mía de mi vida, qué tráfico! ¡¡¡Personas, *rickshaws*, bicis, motos, taxis, coches, autobuses, camiones, todos mezclados circulando a la vez, cóoooooooooo mola, quéeeeee caos!!! –comentó riendo a carcajadas Ainara, que adoraba las ciudades bulliciosas.

–¿De verdad este caos te mola? –preguntó incrédulo Javier–. El aire huele a humo… Y debe de haber cientos de accidentes por minuto. ¡Pero si nadie circula por su carril! Y todo ese ruido de pitadas constante… ¡Está claro que saber manejar el claxon debe de formar parte del curso de conducción aquí en Nepal para sacarse el carné!, ¿no? Intuyo que cada tono y cada longitud de pitada significan una cosa distinta…

La animada conversación entre unos y otros siguió durante el trayecto hasta el hotel, situado en pleno barrio de Thamel.

Una vez allí, acordaron darse 1 hora para instalarse en las habitaciones, darse una ducha rápida, cambiarse de ropa, antes de bajar para ir a comer algo primero y luego visitar un poco la ciudad, localizar la agencia y, sobre todo, sacar los visados del trekking. No se podían dejar vencer por el cansancio del viaje o el *jet lag* se haría dueño de ellos. Mar hubiera preferido tomarse la tarde con algo más de calma y relax después del largo viaje, pero no discutió lo más mínimo cuando Ainara sentenció que «déjate de relax, ya dormiremos por la noche y descansaremos cuando nos muramos».

Javier y Mar, en este orden, fueron los primeros en bajar duchados, puntualmente listos para salir. Mientras esperaban a que los demás bajaran, Javier se puso a observar en silencio el patio interior del hotel. Mar, en cambio, quiso tener su primera conversación con una persona local e inició una amable y tranquila charla con el recepcionista para que les proporcionara un mapa, les diera algunas recomendaciones sobre dónde ir a comer y sobre los lugares más adecuados para pasar una tranquila tarde visitando la ciudad.

El resto no tardó ni 5 minutos más en bajar. Había ganas. Por supuesto, Ainara fue la última.

–¿Qué, *on y va*? –dijo nada más llegar a la recepción.

–Un segundo, Mar está hablando con el recepcionista –dijo Javier respetuoso. Ainara se fue junto a Mar.

–¿Qué pasa, Mar, algún problema con vuestra habitación? –le preguntó Ainara.

–No, no, qué va, está todo muy limpio y ordenado. Todo sencillo pero correcto. Y hasta hay aire acondicionado en la habitación –contestó Mar–. Y este chico es un encanto total. Se llama Ramu, ¿verdad? –dijo mirándole con una sonrisa, que él le devolvió cordial asintiendo con la cabeza–. Es el menor de 11 hermanos, imagina. Tiene 19 años y está estudiando aquí en la ciudad algo que debe de ser equivalente a la carrera de Turismo. Y compagina los estudios con prácticas en este hotel. Parte del dinero que gana lo envía a su familia y parte lo usa para vivir aquí. Está en un piso de estudiantes porque su familia es del sur, de la parte donde hay selva. Se ve que allí hay tigres y todo. Su sueño es montar una agencia de viajes en su pueblo. ¿Has visto qué mono? Bueno, me ha dado ya el mapa de la ciudad y me ha marcado algunos restaurantes por la zona donde comer bien…

–Cariño, como te enrolles así con cada nepalí que se cruce en nuestro camino no llegamos a los Annapurnas ni en 2027 –la cortó Ainara en tono recriminatorio, pero intentando ser suave con su querida amiga–. Venga, ¿nos vamos ya?

–Pero si no hemos decidido dónde ir a comer –respondió Mar.

–Ya encontraremos un sitio por el camino –replicó Ainara.

–Ay, de verdad, contigo no hay forma nunca de organizar nada, todo tiene que ser «como vaya surgiendo» –se resignó Mar.

–Es que, además, si nos sentamos en un restaurante a comer, nos vamos a quedar completamente dormidos. Yo buscaría un sitio de comida rápida, pero local, con sándwiches, kebabs, rollitos primavera o comoquiera que se llamen aquí los bocadillos o los *rolls* con algo dentro. Algo que podamos comer por la calle. Sin complicaciones. Ya cenaremos mejor y sentados en una mesa, ¿no? –dijo Ainara, gesticulando de forma exagerada con sus manos y su cara.

–Yo estoy con Ainara. Además, no nos podemos arriesgar a que nos cierren las agencias y no podamos tramitar hoy mismo el visado del trekking. Deberíamos irnos YA –enfatizó Andrea.

Javier observaba la escena como a vista de pájaro, siendo plenamente consciente de cómo se manifestaban las diferentes formas de plantearse las cosas en sus compañeros de viaje, en función de los estilos relacionales de cada uno de ellos. Estaba realmente fascinado. Se sentía un poco como un jedi que empezara a dominar la fuerza. Una leve sonrisa se le dibujó en la cara ante aquel pensamiento.

–Cuando tomas consciencia de los comportamientos humanos y comprendes que cada persona actúa según el guion que le marca su estilo relacional primario, todo se nos aparece como un gran escenario cómico… y extrañamente previsible, ¿verdad? –le dijo de pronto Andrea, sacándole de sus pensamientos.

–Estoy fascinado, Andrea, nunca me hubiera imaginado capaz de comprender y dar sentido a cada forma de expresión de cada persona. Siento, no sé, como que me he vuelto poderoso. Como si pudiera prever efectivamente la siguiente cosa que va a decir cada persona ante una determinada situación –respondió Javier. Andrea le abrazó.

–¿A que es chulo reconciliarse con las personas y dejar de mirar a todo el mundo solo desde la crítica como si fueran bichos raros? –le dijo Andrea.

–Sí… –dijo Javier, experimentando intensamente lo que aquello significaba–, me siento como más tranquilo, menos en tensión con todo y con todos. Más capaz de relacionarme con mis Clientes y el resto de las personas de mi universo particular –confirmó él, todavía pensativo. Andrea se preguntó si estaría pensando en Laurita, pero no le pareció adecuado sacar el tema. Solo le miró a los ojos con toda la comprensión que fue capaz de expresar.

–Bueno, ¿nos vamos o qué? –renegó Marc subiendo la voz–. ¡Cómo cuesta arrastraros a todos, de verdad, qué cansado!

Ya en la calle, efectivamente no tardaron ni 10 minutos en encontrar un lugar donde comer. Kebabs, rollitos, sándwiches, *gyozas* o empanadillas asiáticas, *noodles* para llevar… En casi todos los *coffee-shops*, bares y restaurantes parecía haber una mezcla indeterminada de comida nepalí, india, asiática, árabe, italiana y en general internacional. Todo delicioso, eso sí.

Con el estómago lleno, los recién llegados se vieron mejor dispuestos para apreciar las maravillas de la ciudad y, aunque las nubes y una finísima lluvia oscurecieron el día, empezaron a ver todo bastante más claro.

–Llevo unas 100 fotos en menos de 1 hora, ¡qué barbaridad! Encima es que con esta lluvia tan fina y con la humedad, aunque la luz ha bajado un poco, ¡los colores están supercontrastados! ¡Qué imágenes, qué escenas, qué caras, qué ropas, qué colores, madre mía no doy abasto! –exclamó emocionada Ainara.

–Yo me lo imaginaba algo menos turístico, la verdad. Al menos este barrio de Thamel es como un gran bazar en el que se vende de todo, ¿no? –dijo Javier, rebajando la energía y la emoción general–. ¡Solo se ven tiendas, restaurantes, hoteles y agencias de actividades!

–Sí, es verdad que Thamel es el gran centro turístico de Katmandú. A mí, aun así, me parece que tiene un encanto hippie-asiático especial. Ah, y si queréis comprar algún tipo de *souvenir* para familia y amigos, este puede ser uno de los lugares, claro –dijo Andrea.

–Mira, si antes lo dices… –dijo Mar, parándose de pronto delante de una agencia que tenía en su parte frontal un gran panel en el que se detallaban todos los tours que se podían contratar con ellos. Uno de ellos justamente se llamaba Kathmandu Shopping Tour.

–Ehhhhh, el Shopping Tour incluye *continental lunch, morning tea or chocolate and afternoon tea* –dijo Marc divertido, exagerando su acento *british* al leerlo.

–Y te llevan a tiendas en las que podrás comprar alfombras nepalíes y tibetanas, bolsos, pashminas, mandalas, thankas, cuchillos *(gurkha khukuri)*, artesanía en madera y ropa hecha a medida –siguió leyendo Javier.

–¡Un mandala! Sueño con comprarme un mandala bien bonito que aporte equilibrio y paz a mi casa desde que vi hace unos meses un capítulo de *Madam Secretary* en el que el Dalái Lama la iba a visitar a Washington. No recuerdo bien de qué iba el capítulo, pero sí que la delegación de monjes tibetanos hacía un mandala con arena de colores en una mesa a lo largo de todo el capítulo. Y al acabar su visita, lo deshacían. La imagen cenital de ese momento fue mágica, ¿no lo habéis visto? A mí me pareció como si algo se rompiera dentro de mí –explicó Mar–. Me emocionó muchísimo porque para mí es la expresión de la importancia de la concentración, el disfrute y el proceso de aprendizaje y la ejecución por encima del resultado final, resultado que para ellos no tiene valor ni les importa que perdure, porque no anhelan poseer.

–¿Y no se hicieron ni un *selfie* al final para instagramear y compartir la experiencia con sus otros coleguitas-monjes que se habían quedado en el monasterio? ¡Qué insolidarios y poco enrollaos! –bromeó irónicamente Ainara, broma que todos rieron encantados–. Pero me ha enamorado tu historia, Mar, ¡yo también quiero un mandala para casa! –dijo mirando a Raúl, que asintió divertido.

–¡Genial! Pues habrá que ir a comprar mandalas, ¿no? –dijo Mar guiñando un ojo a sus amigas.

–¿En serio, ahora a comprar mandalas? ¿No teníamos que ir urgentemente a la agencia a sacar el visado del trekking? –respondió Javier, contrariado con el cambio súbito del plan.

–¿Qué tal si en vez de quejarte, como hacen los tierras pesados y negativos, te dejas llevar un poquito y piensas si puede haber alguien en tu vida a quien le podrías regalar un mandala bonito? –le susurró de pronto Ainara al oído.

Ainara se lo había dicho sin pensar en nadie en concreto, solo intentando que no les aguara la fiesta a todos, pero su pregunta había tenido un súbito y enorme impacto sobre Javier, que se había quedado inmóvil y callado, pensando en lo muchísimo que echaba de menos a Laura. Y en que, sin duda, un mandala sería un gran regalo para ella, le encantaría. Pero la había expulsado de su vida, ¿cómo iba a regalarle un mandala de pronto?

Andrea, que no había oído lo que Ainara le había dicho a Javier, percibió no obstante la turbación que de pronto parecía haberle invadido… Así que se dirigió a él discretamente:

–¿Estás bien, cielo? –le preguntó con suavidad.

–Sí… –respondió Javier mirando al suelo, sumido en sus pensamientos.

Al cabo de un instante, elevó su mirada hacia los ojos de Andrea y con voz extrañamente decidida le dijo:

–De hecho, estoy mejor de lo que pensaba. Y, ¿sabes? ¡Yo también necesito comprar un mandala! ¡Vamos, Andrea, por favor!

3.19 MÁS ALLÁ DE UN MANDALA (FASE 2.2: UN NUEVO ASESORAMIENTO A CLIENTES. PROPONER, NO IMPONER)

–Ahora que lo pienso, tú tienes un mandala en el recibidor de tu casa, ¿verdad? –le dijo Javier a Andrea.

–Efectivamente, de nuestro primer viaje aquí –respondió ella mirándole a los ojos–. Le tengo mucho cariño. Me sirve para acordarme de muchas cosas cada vez que entro en casa y lo miro.

–Entonces, ¿me ayudarás con la compra? ¿O harás como con las botas de trekking? –preguntó Javier con cierta ironía.

–Creo que conoces la respuesta… –respondió Andrea con gesto cariñoso–. Pero no me lo perdería por nada. Al menos estaré a tu lado… si me dejas, claro –le respondió, intuyendo algo sobre la razón de su súbito cambio de opinión a la hora de comprar un mandala.

Javier decidió entrar en la tienda contigua a aquella en la que habían entrado los demás. Demasiada gente, demasiados testigos para la tarea tan importante y personal que tenía que llevar a cabo. Andrea, que le seguía discretamente, avisó a Marc mediante un gesto y una señal con el dedo de que iban a estar en la tienda de al lado. Javier empezó a mirar cuidadosamente los mandalas que había colgados en las paredes de toda la tienda. No había ni un hueco libre. Todo eran mandalas, mirara donde mirara. De pronto vio uno que le gustó.

–¿Cuánto? –preguntó en inglés al hombre que estaba en la tienda, señalándolo con el dedo índice.

–Ochenta mil rupias. Muy buena calidad señor –respondió el hombre de la tienda con un leve gesto de cabeza hacia un lado, mirada afable y una ligera sonrisa.

Javier tardó unos segundos, primero en traducir del inglés y después en hacer la conversión a euros.

–¿Ha dicho ochenta mil rupias, es decir, 600 €? –le preguntó a Andrea, incrédulo.

–Sí, eso he entendido yo también –respondió ella, serena, aunque divertida por dentro.

–¿Este tipo me ha tomado por un turista gilipollas y me está tomando el pelo? –dijo en voz perceptiblemente alta Javier, contrariado y ofendido–. Pero ¿cómo va a valer un mandala 600 €? ¡Ni que fuera del Picasso nepalí y estuviera bordado en oro! ¡Vamos, hombre!

El hombre de la tienda le seguía mirando con la misma cara afable y la misma ligera sonrisa. Sin entender una palabra de lo que Javier había dicho, pero intuyéndolo por su lenguaje no verbal, volvió a decir, asintiendo con la cabeza:

–Sí, ochenta mil rupias. La mejor calidad en Nepal señor.

–La mejor calidad, pero el peor precio –respondió Javier en tono seco y frío, dándose media vuelta hacia la puerta.

–De acuerdo señor, ¿cuánto ofrece? –dijo el hombre de la tienda sin moverse de su sitio, aunque levantando algo la voz para llamar la atención de Javier, que ya salía por la puerta sin ni siquiera despedirse de lo indignado que estaba.

–¡Muchas gracias por su tiempo, la próxima vez! –se despidió Andrea amable, con un leve movimiento de cabeza hacia abajo.

Ya fuera de la tienda:

–Si se cree que así va a vender un solo mandala, va listo –dijo Javier enfadado.

–Ya… pero oye, ¿por qué te has enfadado con él tanto como para salir sin siquiera despedirte ni dar las gracias? –le preguntó Andrea.

–Que ¿por qué? ¿Lo dices en serio? ¡Me ha intentado engañar! –respondió Javier.

–Ya veo… Según tú, ¿cuánto debería haberte pedido por ese mandala? –le preguntó serena Andrea.

–Pues no sé, no más de 50 o 60 euros, digo yo –respondió Javier.

–¿Y en qué te basas? –le preguntó de nuevo Andrea.

–Pues no lo sé, me lo dice mi sentido común… ¡Pero es que si para comprar un mandala que valga la pena tengo que gastarme eso o más, no pienso comprar ni uno! –respondió Javier, francamente alterado–.

Espera un momento –y se puso a navegar con su móvil por Internet–. Mira, alucina, he entrado en la web preciosmundi.com. Comprar un apartamento de 1 dormitorio en las afueras de Katmandú vale en torno a 3000 €, o sea, unas 408 000 rupias. Y el salario neto mensual es de 171 €, es decir, de unas 23 000 rupias. No pienso pagar el equivalente a casi 4 meses de sueldo por un mandala, ¡me parece una barbaridad!

Andrea, viendo que Javier estaba demasiado enfadado y metido en sus cálculos racionalizadores, decidió callar unos momentos y darle tiempo para serenarse, yéndose a sentar a la puerta de la tienda donde estaban los demás. Javier la siguió al cabo de un momento.

–Lo siento, me he pasado, ¿no? –preguntó Javier en cuanto la alcanzó.

–Hombre, un poco… Pero no conmigo, eh. Con ese señor. Él no ha sido descortés contigo en ningún momento, pero creo que tú sí con él. Además, estamos en otro país y no dominamos sus costumbres. Para ellos el regateo es una cuestión de tradición cultural. Creo que no podemos pretender que se comporten según nuestros propios criterios, ¿no te parece?

–Sí, supongo que he sido algo rudo y maleducado… –respondió Javier.

–Y que conste que, en cualquier caso, por mucho que aquí prime la cultura del regateo incluso entre ellos mismos para la compra de todo tipo de enseres y víveres (incluso en sus mercados locales), estoy de acuerdo en que este modelo de fijación de precios en virtud de su trabajo y su técnica de ventas deja mucho que desear –convino Andrea divertida, y ambos soltaron una carcajada. Al cabo de un momento, Andrea de pronto recordó algo–. Oye, ¿quieres que probemos en otro sitio? No sé si seguirá existiendo ni si seré capaz de encontrarlo, pero creo recordar otra tienda por aquí…

–Vale… Por ahora no me ha ido mal con las tiendas que me has propuesto tú. Y prometo ser más respetuoso esta vez –respondió Javier, algo más reposado.

–Ok, espera que aviso a los demás –dijo Andrea, y entró rápidamente a la tienda donde estos se encontraban–. ¿Cómo vais, amor? –le preguntó a Marc.

—Creo que tenemos para un ratito un poco largo –respondió este poniendo cara divertida–. Tus amigas parecen dispuestas a llevarse toda la tienda, especialmente Ainara. Nosotros estamos aprovechando para hablar de bicis, jajaja.

—Jajaja, lo imaginaba todo. Oye, me he acordado de aquella tienda nuestra que estaba cerca de aquí. Me llevo a Javier, a ver si soy capaz de encontrarla. ¿Quedamos aquí mismo delante de la puerta en unos 20-30 minutos? Si acabáis antes, tenemos los móviles, ¿vale? –propuso Andrea, guiñando un ojo a su adorado marido.

—Claro, cielo… ¿Cómo te va con él? –le preguntó Marc en un susurro.

—Todo bien, muy bien, la verdad –le respondió Andrea, lanzándole un beso volador. Ya en la calle, retomó su conversación con Javier.

—Podemos ir, todo ok con ellos, tienen para un rato aún. Hemos quedado aquí en unos 20-30 minutos, pero me da que tenemos algo más de tiempo. Ainara parece que está en pleno delirio comprador… –dijo Andrea, mirando divertida a su sobrino.

—Genial, pues vamos –respondió Javier, ya del todo repuesto de su mal humor previo.

Después de andar no más de 5 minutos por el barrio de Thamel, sin perder detalle de sus colores, de sus olores y de sus gentes, pensando que el shock para Javier debía de estar siendo brutal y que en realidad lo estaba llevando mejor de lo que ella hubiera imaginado, Andrea se paró delante de una tienda. Todo estaba muy cambiado respecto a como ella lo recordaba, pero aun así le pareció que esa era la tienda que buscaba.

—Diría que es esta –dijo Andrea a Javier.

—¿Y qué tiene de especial? –preguntó Javier, que la veía igual que las demás–. Me da que aquí en Thamel todas deben de jugar a lo mismo con los turistas, ¿no?

—Creo recordar que tenían una escuela-taller de mandalas en Bhaktapur… o junto a la estupa de Boudhanath, ahora no me acuerdo… Bueno, y otras cosas… –respondió Andrea, algo misteriosa porque no quería desvelar nada más a su sobrino.

–Ok, me vale, vamos –dijo Javier, entrando decidido a la tienda.

Lo cierto es que no le pareció que fuera muy distinta de la anterior, de forma que de inmediato se puso a hacer lo mismo que había hecho en aquella: mirar detalladamente todos los mandalas que había, buscando uno que le gustara. No tardó en encontrarlo y en formular la misma pregunta:

–¿Cuánto? –le dijo al hombre de la nueva tienda, señalando el mandala que le había gustado.

–Disculpe señor, ¿le importa que le pregunte qué tipo de mandala está usted buscando? –preguntó a su vez el hombre de la tienda muy educada y formalmente.

–Realmente no lo sé, no sé nada de mandalas. Pero este me gusta –respondió Javier.

–Y, si no le importa, ¿qué es lo que le ha gustado de este mandala, señor? –volvió a preguntar el hombre–. Por cierto, mi nombre es Basú, me puede llamar así, si lo desea. Y bienvenido a mi tienda –y acompañó la presentación con un leve movimiento de cabeza hacia abajo y juntando las manos delante de su barbilla.

–Gracias, Basú –respondió Javier tranquilo–. ¿Que qué me ha gustado de ese mandala?… Pues supongo que la disposición de los elementos y la combinación de colores. Tiene mucho azul y me gusta bastante el azul.

–Entiendo… Y si me permite preguntarle de nuevo, ¿sabría decirme qué emoción o qué sensación ha provocado este mandala en usted? –Javier permaneció callado mirando el mandala. Al cabo de unos segundos, Basú volvió a hablar–. Verá, ¿sabe que un mandala es mucho más que eso, mucho más que un conjunto de elementos y una combinación de colores? –respondió Basú.

–¿Mucho más? ¿A qué se refiere? Lo cierto es que no sé si quiero entrar en ese «mucho más»… Realmente solo quiero comprar un mandala bonito a un precio razonable… Y ya le aviso de que he estado mirando en otras tiendas… –respondió Javier, intentando cerrar el diálogo sobre las sensaciones y emociones que tanto le incomodaba.

–Comprendo… El caso es que nosotros creemos que hay un mandala para cada persona en cada momento vital concreto. Por eso nosotros hacemos mandalas personalizados –explicó Basú.

Javier comprendió de pronto por dónde iban las «otras cosas» distintas que su tía le había dicho que tenía esa tienda. Sentía que quería huir, salir corriendo, pero sus piernas no respondían, estaba paralizado. Algo muy intenso se estaba revolviendo en su interior. Ante su silencio, Basú le volvió a preguntar:

–Si me permite, ¿qué dolor tiene usted en su corazón? –dijo Basú lentamente, con una voz suave y delicada. Al ver que la pregunta tenía un impacto todavía más profundo sobre Javier, que seguía sin decir nada, Basú valoró unos segundos más su silencio y después volvió a hablar–. Discúlpeme, por favor, es una pregunta demasiado compleja, ¿verdad? ¿Me permite volver a intentarlo? –tras lo cual calló unos segundos para pensar una nueva pregunta para Javier–. ¿Qué uso le va a dar, es decir, para qué es este mandala?

–Es para un regalo –ahora sí acertó a contestar Javier.

–Permítame preguntarle de nuevo: ¿un regalo para quién? ¿Se trata de un regalo, digamos, formal o es más bien un regalo especial para alguien cercano?

–Un regalo especial para alguien muy cercano –respondió escueto Javier.

–¿Y qué desea transmitirle a esa persona tan cercana con este regalo especial? ¿Agradecimiento, amistad, amor…? –preguntó una vez más Basú.

Javier no dejaba de mirar el mandala y cada pregunta de Basú parecía ponerle como en trance, sumiéndole en algo muy íntimo que no era capaz de explicar. De nuevo parecía que no iba a ser capaz de contestar nada, pero de pronto dijo:

–Necesito disculparme sinceramente por un gran daño que le he hecho a esa persona. Y decirle que he sido un estúpido y un egoísta.

Que me he dado cuenta de muchas cosas. Que creo que estoy aprendiendo a dejarme ayudar… y a querer y a dejarme querer. Y quiero decirle… que no puedo vivir sin ella. Y que me encantaría que iniciáramos un proyecto de vida juntos, si ella quiere, claro. ¿Todo eso se puede decir con un mandala?

Esta vez quien guardó silencio por unos segundos fue Basú. Andrea, que había observado toda la escena con expectación, quedó profundamente impresionada por la súbita y sentida respuesta de Javier, comprendiendo al instante en quién estaba pensando. Pero no dijo nada en absoluto, no quería romper ni por un momento la magia de la conexión que se estaba produciendo entre Basú y él a través de los mandalas.

–Comprendo, señor, muchas cosas que decir y muy importantes a una persona que le importa de verdad… Pedir perdón, una honorable y a la vez difícil tarea –dijo Basú, haciéndole a Javier una leve reverencia con la cabeza–. Verá, los mandalas surgen directamente de nuestro interior más profundo. Es preciso entender los mandalas como la expresión artística o plástica de nuestro propio centro. Nosotros creemos, y así lo han estudiado muchos pensadores, también pertenecientes a su cultura occidental, que un mandala es una representación simbólica de la psique individual de cada persona, que intenta conectar con su realidad más profunda. Así, el dibujo se convierte en un camino hacia el conocimiento de nosotros mismos. Si buscando en su interior usted siente que su mayor anhelo es ese que usted me ha explicado tan generosamente, cuando usted pinte su mandala, la simbología de este representará para usted eso que usted siente. Su mandala será su puente entre su yo interno más profundo y eso externo que usted desea resolver. Está demostrado que los mandalas tienen ese poder, digamos, terapéutico. En palabras de Anneke Huyser, «el mandala refleja el alma de cada uno a través de formas, símbolos y colores, facilitando una especie de diálogo entre lo inconsciente y lo consciente».[*]

---

[*] Extraído de Riera Ortolá, M. T. y Llobell, J. (2017). «El mandala como herramienta de conocimiento personal». Arteterapia. Papeles de arteterapia y educación para inclusión social, 12, 141-158.

—Pero yo no me creo capaz de pintar algo así de bello y significativo… —titubeó Javier, profundamente impresionado, y abarcando con un movimiento circular de su mano los mandalas de la tienda.

—Si usted simplemente compra un mandala que no ha surgido de su imaginación, tendrá un mandala bello, pero que no hablará de sus anhelos interiores. En cambio, si el mandala surge de su propia mente, será un mandala único y vivo conectado con usted mismo. Y no se trata de hacer un trabajo «bonito» o una obra de arte, se trata de crear imágenes que de forma intuitiva cuenten la historia escrita en su interior —explicó Basú.

—Lo que ocurre es que, verá…, yo no tengo manos, tengo cuatro pies cuando se trata de dibujar —volvió a decir Javier—. Mis capacidades artísticas son peor que pésimas, se lo aseguro.

—Si usted desea darse una oportunidad, nosotros le ayudaremos a aprender algunas técnicas y métodos de trabajo en nuestra escuela-taller, junto a la estupa de Boudhanath —ofreció Basú.

—Ya, comprendo, pero verá, no creo que tenga ni el tiempo ni el dinero. Pasado mañana salgo para un trekking y no creo que pueda pagar lo que algo así debe de valer —insistió Javier.

—¿Cuánto tiempo podría dedicar a visitar nuestra escuela-taller mañana? —preguntó Basú—. Y en cuanto al precio, nuestros Clientes pagan por sus mandalas lo que ellos creen que valen. Usted establecerá lo que nos quiera pagar con total libertad.

—¿De verdad? —preguntó Javier mirando alternativamente a Basú y a Andrea, que asintió—. Andrea, ¿crees que podría pasar mañana un rato a visitarles?

—Mañana la idea era dejar todo listo y preparado para el trekking a primera hora y luego ya salir a pasear y disfrutar de la ciudad el resto del día. La estupa de Boudhanath era una de las opciones que yo tenía en la cabeza para mañana. Y no creo que los demás tengan inconveniente alguno. A lo mejor, quizá podríamos organizar una visita a la escuela-taller para todos mientras tú te encierras con alguien a que te enseñe y te guíe con tu mandala. Si te apetece, claro. ¿Quieres que se lo propongamos así a Basú? —preguntó Andrea a Javier.

–De acuerdo. Al fin de cuentas, he venido aquí para todo esto, ¿no? –dijo Javier tras reflexionar un par de segundos.

–Ok, pues se lo proponemos a Basú –confirmó Andrea.

Entretanto, Javier intentaba digerir la experiencia que acababa de vivir. Lo cierto es que sentía un gran vértigo ante la perspectiva que se le planteaba, pero algo le decía que todo aquello formaba parte de ese viaje transformador que había emprendido y que debía dejarse llevar por una vez, aunque no lo tuviera todo bajo control y perfectamente organizado y previsto. Al fin y al cabo, se lo debía a Laura. Y a él mismo.

En cuanto Andrea cerró la visita para la mañana siguiente a las 8:30, salieron de la tienda en dirección a donde habían dejado a sus compañeros. Ninguno de los dos hablaba, pero ambos eran conscientes de lo intensa que había sido la experiencia para Javier, que agradecía profunda e íntimamente el apoyo silencioso, discreto y leal de su querida tía. A medida que ambos andaban, se iban alegrando más y más de haber ido a aquella tienda tan especial.

El resto del equipo también estaba saliendo de su tienda justo cuando ellos llegaron.

–¡Mira qué bien, todos a punto en el instante exacto! –exclamó Ainara.

–Sí, la verdad es que sincronización total, perfecto –reconoció Andrea.

–Eso seguro que es un indicador de buenas vibraciones –dijo Mar animada.

–¿A que no ha sido tan grave ir de compras? –le dijo Ainara directamente a Javier.

–Pues no, Ainara, más bien todo lo contrario, ha sido… ¡fenomenal! –respondió Javier, algo burlón por haber usado uno de los adjetivos grandilocuentes favoritos de Ainara.

–Andrea, ¿dónde te lo has llevado, qué le han dado? –respondió Ainara divertida. Andrea respondió a su amiga con una sonrisa y luego dijo:

—Hemos dado con una tienda que tiene una escuela-taller de mandalas y hemos agendado una visita para que nos lo enseñen todo para mañana a las 8:30. Está junto a la estupa de Boudhanath. Espero que a todos os parezca bien…

Andrea consideró que no era necesario en ese momento explicar que Javier se iba a quedar hasta las 12:30 con los monjes de la escuela-taller para crear su propio mandala, cosa que su sobrino agradeció sin decir nada.

—Me parece genial, pero ¿en serio hay que ir a las 8:30, no podría ser algo más tarde? –replicó Mar–. Eso significa levantarse como poco a las 7:00, si queremos ducharnos antes, desayunar e ir hasta allí en hora punta.

—Aquí se vive con el ciclo solar, cielo, nos vamos a tener que ir acostumbrando a levantarnos a las 5:30 o las 6:00 cada día. De hecho, os quería proponer que estuviéramos en la estupa a las 7:00 para poder asistir al ritual del rezo matinal, en el que la gente camina tres o cuatro veces alrededor de la estupa mientras repite el famoso mantra *Om mani padme hum* y derrama botes de pintura sobre la estupa. Al parecer, se crea una especie de murmullo mágico que te hace como entrar en trance. Yo no lo he visto nunca, pero dicen que es espectacular y estremecedor –explicó Andrea.

—¡Y la estupa debe de quedar como un cuadro de Pollock con la técnica del *dripping*! ¡Me parece genial! –aceptó Ainara–. Además, hoy nos vamos a ir a dormir todos a las 20:00 con las gallinas, ¡no creo que aguantemos más! A mí me parece *fenomenal*, ¡muuuuuy guay el plan que habéis montado, gracias! –dijo mirando expresamente a Javier, por el adjetivo usado y por el plan–. Eso sí, necesito tarjetas de memoria extras para hacer fotos, pero ¡YA!

Acordado el plan matinal del día siguiente, se dirigieron entonces, ya sí, hacia la agencia para tramitar el visado y dejar cerrados todos los detalles del trekking.

Mientras andaban, por fin Andrea se dirigió suavemente a Javier.

—¿Qué tal estás?

−Muy contento, Andrea, de verdad, gracias. Y ahora ya más sereno −respondió Javier afable.

−No sé si estás para analizar qué ha pasado en las dos tiendas de mandalas, desde el punto de vista de la venta… −tanteó Andrea con suavidad.

−Sí, sí, por favor, me encantaría −contestó Javier animado.

−Bueno, pues venga. Ahora que tienes recientes las dos experiencias, ¿qué crees que ha pasado en la primera tienda y qué ha pasado en la segunda? −volvió a preguntar Andrea.

−Bueno, si lo traslado a todo lo que me explicaste de la fase de investigación de motivaciones, el hombre de la primera tienda no ha pasado del cuánto ni del cómo («me gusta ese mandala de ahí») y eso nos ha llevado a una discusión basada solo en el precio y en la supuesta calidad técnica del mandala. No ha sido capaz de conectar con mi emocionalidad ni con mi motivación fundamental de compra −respondió Javier seguro.

−Claro. Aunque realmente sí ha conectado con tu emocionalidad, pero con una negativa: ha despertado en ti la IRA, que es la que ha inducido todas tus reacciones posteriores. Y con posterioridad tu Sistema 2 además ha «racionalizado» lo que había pasado: «como el sueldo medio de un nepalí es de tanto, un mandala no puede costar nunca eso que me ha pedido y, por tanto, estaba en lo cierto, me ha intentado engañar y por eso he tenido motivos para enfadarme».

−Comprendo… Muy fuerte cómo funciona nuestro cerebro. Pero estoy pensando en mí mismo y en mi día a día en mi Concesión, y son muchísimos los Clientes que me vienen diciendo: «Hola, buenos días, venía por favor a que me haga una oferta del modelo X con este equipamiento concreto. Ya he mirado en otros sitios, conozco el vehículo y solo necesito su mejor oferta, gracias». Estamos cada día más avocados a una venta así, ¿no? −reflexionó Javier.

−¿Y tú qué haces ante un Cliente que te dice eso? −volvió a preguntar Andrea.

−Pues le entrego la oferta más atractiva que puedo lo más rápidamente posible e intento convencerle de que me dé la oportunidad de «la última puja» cuando haya visitado todas las Concesiones que tenga que visitar –respondió Javier sincero.

–Para ver si tú puedes ser el del último «apretón» y llevarte el gato al agua por ofrecer el mejor precio final, ¿no? –siguió Andrea.

–Exactamente así –convino Javier.

–Ya, ¿y te funciona? –preguntó Andrea de nuevo.

–Pues no, porque en mi Concesión somos poco agresivos con los descuentos. Mi director comercial me hace perder muchísimas y ni siquiera se da cuenta de que con un pequeño esfuerzo extra quizá duplicaríamos ventas y compensaríamos esos descuentos –respondió Javier.

–Claro, esa estrategia solo funciona si estás dispuesto a competir en precio y garantizas que siempre vas a ser tú el más barato. Y, oye, ¿crees de verdad que la pérdida de esas ventas es achacable solo a tu jefe que no te da los descuentos finales que necesitas? ¿Te has planteado qué más podrías hacer tú? –volvió a preguntar Andrea.

–Sí, claro que sí. Y lo hago. Intento ser el Vendedor más profesional y amable de todos, dando un servicio excelente. Y ¿sabes qué consigo? Que los Clientes me digan: «No, si me trataste muy bien, pero tu vecino de al lado me lo dejó 500 € más barato y claro…». Muy frustrante, la verdad –respondió Javier.

–Un bucle aparentemente imposible de romper, ¿no es cierto? –dijo Andrea.

–Así es… –confirmó Javier.

–Sin embargo, en la segunda tienda de mandalas tú entraste igual, señalando un mandala y preguntando «¿cuánto?», pero el resultado fue otro bien distinto. ¿Qué hizo entonces el Vendedor de nuestra segunda tienda? –preguntó Andrea.

Javier permaneció pensativo unos instantes. De pronto, vio claramente que el bucle sí podía romperse.

–Rompió el bucle. Bueno, de hecho ni siquiera entró en él –respondió.

–Y ¿cómo lo hizo? –siguió Andrea.

–Fue a buscar mis por qués y mis qués –dijo Javier muy concentrado en sus pensamientos–. Cosa que yo no hago, claro. Porque también pregunto mucho, pero en realidad solo pregunto por la meta instrumental, por el coche que buscan, no trasciendo.

–En efecto. Y aunque estuviste a punto de salir corriendo de la tienda, no lo hiciste. Así que vuelvo a repetir, ¿qué hizo él? –insistió Andrea.

–Me pidió permiso amablemente para hacerme unas preguntas y quiso saber **para qué** quería ese mandala –dijo Javier, enfatizando el *para qué*–. Exactamente lo mismo que hizo Robert, ¿verdad? –y en ese momento levantó la mirada hacia Andrea, sabedor de que había llegado a la respuesta adecuada.

–El poder de la anticipación, de la pregunta potente y la escucha activa o empática –respondió Andrea, asintiendo con la cabeza–. Hizo lo que yo llamo «ir a la casilla de salida», al principio.

–Pero si a mí un Cliente me entra en la tienda pidiéndome mi mejor precio para un modelo concreto de coche y le empiezo a hacer preguntas, se me va a ir y encima enfadado y ya está –se revolvió Javier.

–¿Probamos a recrear la situación? –le propuso Andrea.

–Vale. Voy. «Hola, buenos días, venía a que me diera su mejor propuesta para el modelo XX con el equipamiento YY. Ya lo conozco, he estado en otras Concesiones y solo vengo a que me haga su mejor oferta» –teatralizó Javier.

–«Perfecto, señor, enseguida le presentaré mi mejor propuesta posible. Para ello, necesitaría hacerle algunas preguntas, ¿me permite?» –siguió Andrea.

–«Solo necesito su oferta, por favor. Yo ya sé exactamente el vehículo que busco» –insistió Javier.

–«Lo comprendo, señor. Y precisamente por ello necesito hacerle algunas breves preguntas, para comprender qué es lo que le ha llevado a usted a pensar en ese vehículo y cuáles son las condiciones de contorno que se incluirían en la compra (por ejemplo, si usted desea entregar un vehículo a cambio, si le interesaría financiarlo, etc.). Las campañas que se aplican pueden variar mucho en función de esos factores. Solo así podré hacer mi trabajo y presentarle la mejor propuesta para usted. ¿Me lo permite, por favor?» –respondió Andrea, formulando todo en tono afable y conciliador.

–Yaaaa… Al final es pedirle por favor que me deje hacer mi trabajo en condiciones, ¿no? –convino Javier.

–Efectivamente. Es tu única manera de aportar algo más, de intentar conectar con su por qué y su qué –dijo Andrea.

–Sí, de la otra manera, si me quedo en el mero coche, el no ya lo tengo, y si no hago nada más caigo en el subasteo con otros muchos. Donde solo ganaré si soy el más barato –convino Javier–. Pero no sé si con mis Clientes funcionará…

–Y si te atreves a probarlo, ¿qué puedes perder? –insistió a preguntar Andrea.

Javier volvió a quedarse callado, pensando. Le vinieron a la cabeza todos los malos resultados que estaba obteniendo, con varios meses seguidos sin conseguir llegar al objetivo que le habían fijado.

–Supongo que nada… –respondió al fin Javier, algo apesadumbrado. Sin embargo, inmediatamente, como si recordara de pronto que estaba adquiriendo herramientas y también transformándose él mismo para cambiar su dinámica pasada, se sobrepuso–. Nada, en efecto. Y si no pongo algo distinto en acción, nada cambiará. Y nadie dijo que iba a ser fácil, ¿no? –expresó con energía.

–¡Desde luego, tú lo has dicho! –respondió Andrea con una sonrisa–. Requiere consciencia y práctica, eso sí, mucha práctica.

–¿Al señor de la segunda tienda también lo formaste tú? –preguntó de pronto curioso Javier.

–¡Noooooooo, este buen señor lo llevaba ya todo de serie cuando yo lo conocí, aprendí yo de él, un crack, jajaja! –respondió Andrea risueña.

–¡Porque el tío me ha pegado un zarandeo emocional bien potente y encima me ha vendido un mandala que me voy a pintar yo mismo y por el que aún no sé lo que voy a pagar! –respondió Javier también riendo, con un punto de cinismo–. ¡Y encima he salido tan contento de la tienda!

–Percibo cierto escepticismo, ¿es así? –respondió de pronto Andrea.

–Bueno, la verdad es que me ha capturado con todo lo que nos ha contado de los mandalas, me ha parecido interesantísimo, pero confieso que no estoy seguro de que todo eso del poder terapéutico de los mandalas sea cierto… –se sinceró Javier.

–Entiendo lo que dices… ¿Y si te dijera que Carl Jung trabajó durante más de 20 años con ellos y que incluso escribió *El libro rojo*, conocido como el estudio más profundo sobre la simbología mandálica, en el que él mismo incluyó 18 mandalas pintados de su propia mano? –dijo de pronto Andrea.

–Carl Jung, ¿el médico-psiquiatra, creador de la psicología analítica, en cuyos tipos psicológicos está basado el modelo Bridge de los estilos relacionales? –respondió Javier sorprendido.

–El mismo, sí. De hecho, dedicó gran parte de su vida al estudio del mundo oriental (religiones, simbología, etc.), si bien sus seguidores no quisieron nunca reconocerlo abiertamente por miedo a «empequeñecer» su obra y su ciencia, que, sin embargo, al parecer bebieron de una manera profunda de esa tradición oriental que tan bien conocía. Y el mandala le obsesionó especialmente: lo integró en la base de su propio pensamiento y se sabe que lo usó con fines terapéuticos con sus pacientes, como vía de conocimiento de la expresión íntima de su centro y de su psique.

–Caramba, no lo hubiera imaginado nunca… –confesó Javier.

–Pero ¿sabes qué ha hecho en realidad Basú al explicarte todo eso de los mandalas? Algo que en el mundo de las ventas se traduce en enseñar al Cliente, en hacerle ver nuevas perspectivas y visiones que él nunca se hubiera planteado. Es, de hecho, **la segunda parte de la Fase 2 de la venta, el Asesoramiento del Cliente**. Recuerda: los Clientes quieren aprender. De ello hablan Matthew Dixon y Brent Adamson en su libro *The Challenger Sale*, «La venta retadora» (aunque ellos lo enfocan todo fundamentalmente al B2B, yo creo aplicables muchos de los conceptos al B2C también) –explicó Andrea.

—O sea, tú **a la Fase 2 la llamarías Investigación de Motivaciones y Asesoramiento del Cliente**, ¿no? —precisó Javier.

—Tal cual —respondió Andrea.

—Eso, el Asesoramiento, también lo hizo Robert, ¿verdad? Él también es muy pedagógico con los Clientes. Recuerdo perfectamente cómo me impresionaron sus explicaciones sobre las marcas North Face y Salomon o sobre las historias de las flip-flop en Brasil.

—Pedagógico, concreto y preciso, nunca divaga —puntualizó Andrea.

—¿Y por qué eso es importante? —preguntó Javier.

—Porque eso conecta directamente con tus emociones —dijo Andrea.

—¿Y si no soy concreto y preciso no conecto con ellas? —dijo Javier.

—¿Te pongo un ejemplo? —preguntó Andrea.

—Claro —aceptó Javier.

—Comida —dijo de pronto Andrea—. ¿Qué genera esto en tu mente?

—No sé, pues no mucho, la verdad… Ideas vagas, diferentes tipos de comida… —respondió Javier.

—Si te pidiera que midieras *la intensidad de tu experiencia sensorial*, ¿qué nota pondrías del 1 al 10?

—Pues, no sé, entre 1 y 2 —dijo Javier.

—A ver ahora. Pizza, una pizza napolitana hecha en el centro mismo de Nápoles. Con su masa «mórbida» (blanda), fermentada durante 24 horas y que el *pizzaiolo* ha hecho volar en el aire en un baile perfectamente coreografiado. En el horno, no más de un minuto y medio, crecerá y se hará esponjosa y ligera. Lleva además mozzarela auténtica de búfala y tomate natural en la cantidad justa, con un poquito de salchicha. Nada más sacarla del horno te llega ese olor intenso y único: con el calor intenso, los aromas del orégano, la mozzarela, el tomate y la salchicha se han mezclado lentamente y han integrado sus sabores, y al morder la pizza casi se te deshace en la boca, es simple pero a la

vez deliciosa y un poco de queso se escapa derretido por el borde...
–contó Andrea.

–Para, para, ¡que estoy salivando ya! –pidió Javier.

–¿Intensidad sensorial? –preguntó de nuevo Andrea.

–¡Pues 10, claro! –aceptó Javier–. Ya veo, se activa algo más en mi interior.

–Efectivamente –confirmó Andrea.

–¿Esto implica que hay que saber bastante de producto? –dijo Javier satisfecho.

–Claro. Hay una tendencia creciente a pensar que los Vendedores no deben saber de producto y yo creo que es un error –dijo Andrea–. Pero cuidado, los que no sirven son los Vendedores que SOLO saben de producto: ¡un conocimiento intensivo de producto sin todo lo demás no vale para nada tampoco!

–Y oye, ¿esto es así también en los estilos racionales (tierra y fuego)? La verdad es que a mí me ha cogido desprevenido todo lo que he sentido en esa tienda ante sus preguntas –dijo Javier.

–Pues sí, tal y como has podido comprobar. El proceso de activación de las emociones es igual en todos los cerebros. Lo que ocurre es que esas personas, a priori, tienen menos consciencia de su propio interior y por eso «se creen» fundamentalmente racionales. Pero, como ya hemos visto y estás empezando a comprobar, no somos seres racionales que a veces tienen emociones que deben ser controladas, sino seres que no podrían pensar racionalmente ni decidir nada sin sus emociones. ¿Recuerdas a Elliot? –respondió Andrea guiñándole un ojo–. La autorregulación de la que hemos hablado no consiste en controlar las emociones, sino de ser consciente de ellas y actuar en consecuencia, no en piloto automático.

Javier miró agradecido a su tía Andrea y no dijo nada. Sabía que en ese momento no hacía falta, ya que toda su emocionalidad estaba hablando por él a través de su lenguaje no verbal. No se había sentido así de tranquilo y relajado consigo mismo desde hacía mucho tiempo.

–Solo un detalle más al hilo del asesoramiento y el conocimiento de producto –dijo Andrea–. Y vuelvo a retomar a Robert. ¿Verdad que a ti también te chocó mucho cómo Robert te asesoró a ti (con extraordinaria precisión, múltiples detalles técnicos, etc.) y cómo lo hizo con Ainara (de una manera mucho menos técnica)?

–Sí, muchísimo. Es verdad. En la venta de Ainara me pareció otro Vendedor completamente distinto. Pero es porque nuestros estilos relacionales eran diferentes, ahora lo sé… ¿Hay algo más? –tanteó Javier.

–Están obviamente relacionadas, pero creo que vale la pena remarcar otra cuestión. Recordemos: ¿cuál es el objetivo fundamental de la fase de investigación del Cliente? –preguntó de nuevo Andrea.

–Conocer sus verdaderas motivaciones de compra –respondió seguro Javier–. Su estilo relacional lo reconozco a través de otras muchas pistas, incluso previas, como su lenguaje no verbal.

–Perfecto, Javier. ¿Y crees que a alguien como Ainara, motivada fundamentalmente por la belleza y la estética, tenía sentido hacerle un asesoramiento de producto muy técnico? –preguntó Andrea.

–No, claro que no… Caramba, me estoy dando cuenta de que yo explico cada modelo de coche de la misma manera a todo el mundo. Como me los sé de arriba abajo y me encantan los coches, los explico «de pe a pa» a todos los Clientes por igual –dijo sorprendido Javier.

–En efecto, Javier, acabas de dar en el clavo. Muchos Vendedores expertos en producto explican cada artículo casi de la misma manera a cada Cliente, aunque cada uno de ellos sea distinto. Los avanzados modulan el «trato» al Cliente, y con eso ya consideran que son Vendedores flexibles y adaptativos. Pero no caen en la cuenta de que además cada producto debe ser explicado a cada Cliente de una forma distinta: ¡de la del Cliente, no de la del Vendedor o Vendedora! –convino Andrea.

–Madre mía, **¡explicación de producto contextualizada con las motivaciones de compra!** –exclamó Javier–. No sabes el gran descubrimiento que esto significa para mí… Claro, no le puedo hablar de deportividad, características del motor, respuesta dinámica, etc. a, por ejemplo, un Cliente motivado básicamente por la estética del vehículo, ¡no le va a interesar lo más mínimo!

–Claro, Javier. Por eso además es taaaaan importante realizar una buena investigación antes de lanzarse de cabeza al asesoramiento, que es lo que hacen casi todos los Vendedores. Y es que, si no has investigado y encontrado la motivación o motivaciones de compra fundamentales del Cliente, ¿cómo le vas a asesorar de forma personalizada? –reflexionó Andrea.

–Es imposible, claro, les daré el mismo café a todos –concluyó Javier–. Andrea, gracias, no sabes lo importante que está siendo esto para mí.

–De nada, cielo. ¡Pero no hemos acabado! Hay un último detalle sobre el Asesoramiento… –volvió a decir Andrea.

–¡Caramba con el Asesoramiento! Ok, dispara, estoy deseando saberlo –pidió Javier.

–¿Te acuerdas de lo mucho que a ti te chocó que Robert no quisiera recomendar unas chanclas concretas a Ainara, después del asesoramiento y de explicarle todas las alternativas? –hizo recordar Andrea a Javier.

–Claro que lo recuerdo. Me chochó muchísimo y fue una de las primeras cosas que te comenté en el vuelo Barcelona-Doha. Me dijiste que ya lo trataríamos –confirmó Javier.

–Pues aquí estamos: ¿cómo ves ahora lo que hizo Robert, teniendo en cuenta todo lo que hemos visto ya? –preguntó Andrea.

–Ahora veo claro lo que hizo: Robert asesora en profundidad, presentando en detalle todas las posibles alternativas, según las motivaciones de compra de cada Cliente y espejando su estilo comunicativo, pero nunca impone una solución al Cliente. Siempre busca que sea el propio Cliente quien elija por sí mismo –respondió Javier.

–Yo siempre digo en mis cursos que «se asesora desde la pregunta y no desde la recomendación o el consejo», y la gente alucina –comentó Andrea.

–Lo entiendo, yo también alucinaría si lo oyera así sin más, sin saber lo que sé ahora. ¿Cómo sería con mis Clientes? ¿Me ayudas? –dijo Javier.

–Claro, ¿te parece si lo construimos juntos? –respondió Andrea–. Tú, asesorando al Cliente, dirías: «Mire, aquí tenemos el modelo X, bla, bla, bla…, y aquí el modelo Y, bla, bla, bla…». Y en ese punto, tú dirías: «Yo claramente le recomendaría el modelo X, teniendo en cuenta todo lo que me ha comentado», ¿verdad? Ahora, sabiendo lo que sabes, ¿qué harías distinto?

–Tiene que ser desde la pregunta, ¿no?… Pues no lo sé, déjame pensar. Le diría: «¿Qué le parece? ¿Con cuál se queda o cuál le parece que le encaja mejor?» –se atrevió Javier.

–¡Bravo, Javier, buen trabajo! –reconoció Andrea–. Yo llamo a esto hacer «asesoramiento no intrusivo», basado en el respeto y la comunicación no violenta.

–Ya me habías hablado de la comunicación no violenta de Marshall Rosenberg, ¿verdad? –dijo Javier–. La comunicación violenta bloquea la empatía y, por tanto, impide el desarrollo de relaciones de confianza basadas en el respeto.

–Me tienes impresionada, Javier, estás grabando todo no solo con tu móvil, sino también con tu cerebro, jajaja. Es fantástico, cariño, gracias –dijo Andrea.

–Las gracias te las tengo que dar yo, Andrea –agradeció Javier con sinceridad–. Y, oye, esto de la comunicación no violenta, ¿cómo se aplica exactamente, me pondrías más ejemplos?

–Claro. En nuestras conversaciones diarias, en nuestra forma habitual de hablar, usamos en exceso el imperativo, sin siquiera darnos cuenta. Se ve muy claro en los niños. Es algo que yo he trabajado mucho con mi hija Gabriela desde que nació. Cuando era pequeña y estaba, por ejemplo, cenando, era normal que dijera cosas como: «Mami, quiero agua», o: «Mami, dame agua». Mucha gente entonces dice: «¿Qué falta ahí?», o: «¿La palabra mágica?». Y en cuanto el niño o la niña dice «por favor», le dan el agua. Pero algo más debería ser cambiado. Cuando me decía «quiero» o «dame» o «tráeme» yo automáticamente le respondía: «¿Perdona?». Y ella inmediatamente rectificaba y reformulaba: «Mami, ¿me puedes traer agua, por favor?». En ese momento, yo le decía: «Gracias, cielo, así sí, ahora te la traigo» –explicó Andrea.

–Qué poderoso. Está claro que hablar así, desde la pregunta, moviliza mucho más en positivo a la acción, sin duda. ¡No podemos ir por la vida dando órdenes al resto de las personas y a nuestros Clientes! ¡Qué fuerte esto de la comunicación no violenta! –expresó Javier con una efusividad poco habitual en él antes de iniciar el viaje.

–En efecto, al cambiar «haz esta cosa» por «¿puedes hacer esta cosa?», pasamos de decidir nosotros por esa persona a darle el control de su propia decisión. Y eso, que es profundamente respetuoso, construye la casa de la confianza y tiene un efecto extraordinario sobre la motivación de las personas. Proponer frente a imponer o exigir. Insisto, yo lo compruebo a diario y tiene un poder asombroso sobre el nivel de colaboración y alineamiento de las personas, estimulando además su responsabilidad –reflexionó Andrea.

–Pero, oye, me vuelve a la cabeza algo que hacen algunos de mis Clientes. Los hay que me dicen textualmente cuando les presento posibles alternativas: «Oye, ¿tú con cuál te quedarías?». O, si no hay alternativas, me dicen sin rodeos: «Oye, ¿tú crees de verdad que esto es una buena compra para mí?». ¡Me están pidiendo consejo directamente! Si no les puedo aconsejar ni recomendar ni imponer mi criterio, ¿qué tengo que hacer? –preguntó de nuevo Javier.

–En primer lugar, ¿serías capaz de decirme qué estilo tienen los Clientes que hacen eso? –preguntó Andrea.

–¿Todos los que hacen eso son siempre del mismo estilo relacional? Madre mía, qué fuerte esto de los estilos… A ver, déjame pensar… Se trata de personas a las que les cuesta decidir y necesitan apoyarse en la opinión de otras para hacerlo, ¿verdad? –reflexionó Javier.

–Te acabas de contestar… –dijo Andrea.

–Es verdad, son personas con comportamiento agua. Dubitativas y que deciden basándose en las opiniones de los demás. Qué fuerte. Vale, ok, de estilo agua. Pero, ¿qué les tengo que contestar entonces? –siguió Javier.

–Imaginemos que el Cliente duda entre un vehículo en color rojo y el mismo vehículo en color negro. Y te dice: «No sé cuál me gusta más, ¿tú cuál crees que debería elegir?». Y como crees, por todo lo que te ha contado, que le encaja mejor el negro, le dices: «El negro, sin dudarlo». ¿Qué crees que pasará? –preguntó Andrea.

–Ostras… Te lo cuento, porque ya me ha pasado. Llegará a su casa con su nuevo y flamante coche negro y alguien de su entorno le dirá: «¿Negro? Te vas a morir de calor en verano y además se ve constantemente el polvo. ¿Cómo es que te lo has comprado negro? El Vendedor te ha metido un gol, seguro que se quería quitar de encima el negro». Y esa persona tan influenciable, ¿sabes qué hizo? Puso automáticamente una queja formal y por escrito a nuestro Gerente expresando su franco descontento con el trato recibido porque «el Vendedor me engañó y me hizo comprarme el coche de un color que claramente no me convenía». Muy fuerte, no daba crédito que pudiera estar pasando eso… Ahora lo entiendo todo –dijo Javier apesadumbrado.

–¿Crees que algo habría cambiado si le hubieras dicho que se quedara el rojo? –insistió Andrea.

–No, nada. Otra persona le habría dicho que por qué lo había comprado rojo, y habría pasado lo mismo –reconoció Javier.

–¿Entonces? –volvió a preguntar Andrea.

–No puedes elegir por ellos, la decisión tiene que ser suya…, pero no se me ocurre cómo verbalizarlo… –confesó Javier frustrado.

–¿Y si pruebas? ¿Te ayudaría pensar en lo que hizo Robert con Ainara y sus chanclas? –insinuó Andrea.

–Claro, siempre Robert… –dijo Javier, recordando–. Creo que quizá debería haberle dicho, de forma totalmente amable, que cualquiera de los dos colores era seguro una buena decisión, pero que esa decisión debía ser suya, dado que ella iba a ser quien se subiera al coche cada día…

–¿Y crees que eso es dejar de ser un buen Vendedor? –preguntó Andrea.

–No, claro que no… Todo lo contrario –reconoció Javier.

–Y, por cierto, además habrías sido un Vendedor asertivo –añadió Andrea.

–¿Asertivo? ¿Qué es la asertividad? –preguntó Javier.

–Tiene mucho que ver con la comunicación no violenta. Hay quien también la llama comunicación equilibrada, porque implica ser capaz de expresar siempre tus opiniones e ideas ante cualquiera, sin dejar de respetar siempre a la otra persona –explicó Andrea–. Una vez, buscando en Google, vi un cartel que la resumía diciendo «me respeto + te respeto».

–¿De ahí lo de la comunicación equilibrada? –preguntó nuevamente Javier.

–Bueno, en realidad es porque se sitúa a medio camino entre la comunicación agresiva (de esos que dicen: «Yo digo siempre lo que pienso y si a alguien le pica, que se rasque») y la comunicación pasiva (la de aquellos que habitualmente no se respetan y no se dan permiso a sí mismos para decir lo que piensan y, por tanto, callan) –contó Andrea.

–Hay que ser capaz de decirles la verdad a los Clientes, con honestidad y transparencia pero respetándolos siempre, ¿no? –recogió Javier.

–Efectivamente –respondió Andrea.

–¿Y si resulta que a ti te conviene más que se lleve el negro en vez del rojo porque lleva más tiempo en el *stock*, tiene mucho más equipamiento, está resultando más difícil de vender y tu jefe te aprieta para que vendas ese el primero, y el Cliente te pregunta si se lleva el negro o el rojo, qué? –preguntó retador Javier.

–¡Entonces la tentación de decirle: «El negro, sin duda» es enorme, jajaja, lo sé! En ese caso, ¿qué crees tú que debería decir un Vendedor asertivo? –devolvió Andrea.

–Pues un Vendedor asertivo, que busca ganarse la confianza y conseguir la venta, creo de debería decir: «Mire, ambas opciones de color serán seguro una buena decisión; a mí personalmente me conviene venderle más el negro porque es un coche más equipado y nos cuesta más venderlo (aunque también le voy a poder hacer una propuesta comercial más atractiva precisamente por eso), pero, sin duda, la decisión entre rojo y negro debe ser solo suya porque usted es quien lo va a conducir cada día» –dijo Javier convencido.

–¿Cómo te has quedado al decirlo? –preguntó Andrea.

–¡Más ancho y satisfecho que un ocho! ¡Qué liberación! –reconoció Javier.

–¿Y qué crees que pensará de ti el Cliente? –volvió a preguntar Andrea.

–Se dará cuenta de que estoy siendo totalmente sincero con él y se reforzará nuestra confianza –respondió Javier–. ¡El que me preocupa es mi Jefe de Ventas, que como me oiga decir eso me echa de la Concesión de inmediato!

–¿De verdad lo crees? Quizá tenga la tentación, pero se le pasará cuando vea que cada mes, con tu nueva **Venta Positiva**, vas por encima del 100 % de cumplimentación de objetivo, con rentabilidad y niveles de satisfacción y calidad de la venta extraordinarios. Así de simple.

–Para muchos parecerá un salto al vacío… –reflexionó Javier.

–… que tiene red debajo si realmente se aplica con rigor. Pero primero hay que creer y hacer todo esto, claro… –contestó Andrea.

–¡Yo te aseguro que voy a saltar! –respondió feliz Javier, ante la nueva perspectiva.

3.20 UNA AGENCIA Y UN VISADO DE TREKKING (VENTA CONSULTIVA EN ACCIÓN: ASÍ SÍ)

Mientras caminaban hacia la agencia prevista, Ainara de pronto se paró delante de otra que se encontraron de camino. Tenía un gran panel que anunciaba sus servicios, con fotografías de gran formato y muy alta calidad del paisaje de los Himalayas, y un lema que decía: «Donde sus sueños alcancen, allí le llevaremos» *(Where your dreams come, there we will take you).*

–Mirad qué pintona esta agencia, ¿no os mola? –preguntó–. Desde luego, la calidad de las imágenes y el *claim* con el que se anuncian son ideales… Igual nos sorprenden…

–A mí más que su marketing, que puede ser muy bueno, me importa el trato que den a sus porteadores y a sus animales de carga… Habíamos decidido ir a la otra por eso, ¿no? –replicó Mar de inmediato.

–Ya, pero igual podemos darle una oportunidad a esta y así comparamos. Andrea y Marc ya conocen la otra, ellos nos podrán decir… ¿Qué pensáis? –respondió Ainara mirando primero a Mar y luego a Andrea.

–A mí me parece una gran idea abrir nuestras mentes y permitir que algo nos pueda sorprender –respondió Andrea.

–¿De verdad no te importaría? Es verdad que tú te has trabajado el contacto inicial con los otros y no sé qué nivel de compromiso has adquirido con ellos… –dijo Ainara de pronto, pensando en el trabajo previo de Andrea, en el que no había caído antes.

–Para nada, me parece genial entrar, escuchar y comparar –dijo Andrea, que miró a todos dando a entender que por ella era ok.

Al oír tranquila a su esposa, Marc no lo dudó ni un instante y fue el primero en entrar. Todos los demás le siguieron.

–Buenas tardes, somos un grupo de 7 personas y queremos hacer el trekking de los Annapurnas, de Besisahar a Jomsom con vuelta en avión a Pokhara y de ahí de vuelta a Katmandú. Y empezando pasado mañana mismo –dijo Marc directamente.

En cualquier otro lugar del mundo esta entrada hubiera sonado a locura, pero Marc sabía que en Katmandú no. Estaban completamente habituados a montar ese tipo de trekkings de un día para otro. Vivían de ello.

Inmediatamente el dueño de la agencia les hizo pasar a una agradable sala, en la que los invitaron a sentarse y a tomar un té. La sala estaba llena del mismo tipo de fotos maravillosas que había en la entrada. Qué buen comienzo.

Marc pasó a explicar la idea que tenían: 7 personas, 3 en *mountain bike*, 4 a pie y 9 etapas, uniendo dos de las etapas clásicas en una y eliminando el día completo de aclimatación en Manang.

–Sí, sí, claro, claro, Annapurnas –respondió amablemente el dueño de la agencia, a la vez que les pasaba un folleto con el detalle del trekking y sus etapas. Marc, Andrea y todos los demás lo miraron. El folleto incluía un trekking de 9 días, pero con una distribución de etapas distinta: las 4 primeras se hacían en jeep en un solo día (Besisahar-Chame), incluía las otras 2 que ellos querían reducir a una, el día de aclimatación en Manang y además noche en Pokhara antes de volver a Katmandú.

Al cabo de un instante, Marc le dijo:

–Gracias, muy interesante. Y sí, veo que son 9 días. Lo que ocurre es que a nosotros nos gustaría hacer exactamente el mismo trekking que hicimos hace 20 años, que incluye otra distribución de etapas. Mire, se lo muestro –y en ese momento Marc cogió una hoja en blanco y escribió rápidamente dos listas, una con las etapas que ellos querían hacer y otra con las propuestas, redondeando y explicando claramente las diferencias:

–Sí, es mejor así –respondió el señor de la agencia sonriendo y señalando su lista de etapas en el papel.

Pensando que todavía no lo estaba entendiendo bien, intervino Mar con su pausa, su sonrisa y su empatía habituales:

–Verá, es que ellos –señalando a Marc y a Andrea –ya han hecho el trekking antes y lo conocen. Todos tenemos experiencia haciendo

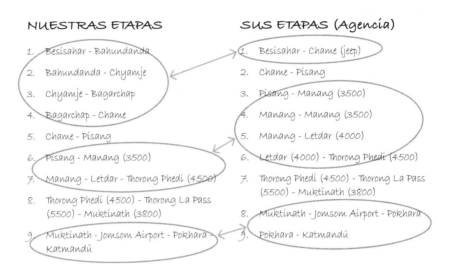

NUESTRAS ETAPAS	SUS ETAPAS (Agencia)
1. Besisahar - Bahundanda	1. Besisahar - Chame (jeep)
2. Bahundanda - Chyamje	2. Chame - Pisang
3. Chyamje - Bagarchap	3. Pisang - Manang (3500)
4. Bagarchap - Chame	4. Manang - Manang (3500)
5. Chame - Pisang	5. Manang - Letdar (4000)
6. Pisang - Manang (3500)	6. Letdar (4000) - Thorong Phedi (4500)
7. Manang - Letdar - Thorong Phedi (4500)	7. Thorong Phedi (4500) - Thorong La Pass (5500) - Muktinath (3800)
8. Thorong Phedi (4500) - Thorong La Pass (5500) - Muktinath (3800)	8. Muktinath - Jomsom Airport - Pokhara
9. Muktinath - Jomsom Airport - Pokhara - Katmandú	9. Pokhara - Katmandú

trekking y estamos en buen estado de forma. Sabemos que es posible hacerlo sin complicaciones en 9 días con esta otra distribución de etapas y se trata de una cuestión romántica, queremos volver a vivir lo que ellos vivieron hace 20 años, ¿me comprende?

–Comprendo. Pero es mejor así. Nosotros tenemos experiencia. Y esto es lo mejor. Mejor paisaje, mejor tiempo. Y no hay que estar en forma –respondió de nuevo el señor, con su sonrisa habitual.

–Por un oído le entra y por otro le sale –dijo Ainara en español para que no lo entendiera el hombre de la agencia.

Marc hizo un último intento:

–¿Lo ve? –dijo señalando nuevamente su esquema–. Usted nos propone hacer las 4 primeras etapas en jeep en un solo día y nosotros preferiríamos hacerlas todas andando unos y en bici otros. No queremos jeep. Venimos a caminar y a ir en bici.

–Tienen suficiente con lo que ya van a andar así –y volvió a señalar su folleto–. Andar más es demasiado, no tiene sentido.

De pronto, Raúl, el marido de Ainara, que no había intervenido en ningún momento, dijo:

–¿Nos propone ir por esta ruta en jeep? –dijo girando su móvil y enseñando a todos un vídeo de YouTube titulado *Besisahar-Chame road, the most dangerous road in the world?* («Besisahar-Chame, ¿la carretera más peligrosa del mundo?»)–. Por lo estrecho y escarpado del terreno, andando y en bici debe de ser alucinante, pero en jeep no parece demasiado recomendable, por lo que veo… Y más en época monzónica, con cantidad de agua, barro, desprendimientos de rocas…

–Madre mía, Raúl, ¿eso es de verdad así? –dijo Mar cogiéndole el móvil que Raúl le ofrecía.

–Míralo tú misma. Las imágenes las han grabado los pasajeros del jeep –confirmó Raúl–. Y hay más de un vídeo de la carretera en cuestión.

–Pues a mí me vais a perdonar, pero creo que yo ahí no me subo –aseguró Mar con cara de susto al ver las increíbles imágenes del vídeo.

–No se hable más, vámonos, no tiene sentido seguir aquí –sentenció Ainara, que se estaba poniendo bastante nerviosa.

–Está bien, gracias, muy amable. Preferimos buscar una agencia que se ajuste algo más a lo que buscamos –dijo Marc cordial, mientras se levantaba para dirigirse a la salida.

Una vez todos estaban fuera, solo se oían resoplidos, algunas risas y el mismo tipo de comentarios:

–Ufff, madre mía, cómo se puede tener una agencia de cara al público y escuchar tan poco –dijo Mar.

–¡Un muro total! ¡Ni el de Berlín era tan infranqueable! –comentó Ainara.

–Vi un documental en el Discovery Channel que se llamaba *Carreteras infernales* o algo así, y ahora que lo pienso, me suena que esta aparecía –creyó recordar Alberto.

Mientras los demás comentaban el episodio en los mismos términos, retroalimentándose los unos a los otros, Andrea, que no había dicho nada en la agencia, permanecía callada. Marc se dio inmediata cuenta de ello y preguntó:

–¿Qué pasa, mami? No has abierto la boca en la agencia y ahora tampoco. Y además estás muy seria... Algo está dando vueltas en tu cabeza...

–Bueno..., me ha sorprendido mucho lo que ha pasado ahí dentro... –respondió pensativa Andrea.

–Desde luego, no es agradable encontrarse con alguien que escucha tan poco... –quiso empatizar Mar.

–¿Solo él ha escuchado poco? –dijo Andrea.

–¿Qué quieres decir? –dijo sorprendido Javier.

–¿No os habéis preguntado qué razones podía tener este señor para insistir tanto en otro formato de trekking, con el riesgo de perder además un grupo Cliente grande? –reflexionó Andrea serenamente.

–Aparte de por seguir la ley del mínimo esfuerzo, ¿porque eso es lo que él tiene montado y no le apetece esforzarse en hacer ningún cambio y satisfacer a unos Clientes? –respondió Ainara natural.

–Ya veo, él lo ha hecho mal y punto, ¿es eso? –volvió a insistir Andrea mirando a Ainara. Luego buscó la mirada de Marc primero y la de Javier después–. Perdonad, no pretendo pegar bronca a nadie ni «chafar la guitarra». Solo que a mí me ha parecido un ejemplo clarísimo de incomunicación humana: como decía Stephen R. Covey, las dos partes escuchaban solo para responder e intentar hacer valer su opinión, pero no escuchaban para comprender al otro. Las dos partes por igual. Y creo que deberíamos plantearnos el porqué de lo que ha ocurrido.

–Pero nosotros tenemos claro lo que queremos hacer, ¿no? –respondió Javier.

–Sí, en principio sí. Y también es cierto que han pasado 20 años y no sabemos qué cosas pueden haber cambiado... –respondió Andrea serena.

—Bien, ¿y por qué te parece a ti que insistía tanto en su propuesta? —preguntó Marc directamente a Andrea.

—No lo sé con exactitud… He estado recordando nuestro viaje y me he fijado en los pequeños mensajes que él lanzaba… Lo cierto es que las 4 primeras etapas hasta Chame fueron durísimas, ¿te acuerdas? Subida infernal, calor tropical asfixiante, lluvia todo el tiempo… De hecho, a nosotros esa parte del trekking nos chocó mucho: no veíamos ni un solo pico, la niebla y las nubes lo cubrían todo y lo único que tuvimos fue un esfuerzo sobrehumano durante 4 días que, eso sí, nos sirvió de aclimatación al terreno, a la gente y a la altura, al ir subiendo progresivamente. Recuerdo que estábamos hasta un poco expectantes, pensando: «Cielos, como esto sea así todos los días, ¡qué horror y qué chasco!»

—¿Quieres decir que, quizá debido a la masificación creciente de turistas, ahora ofrecen un trekking más *soft*, más accesible, en el que se ahorran los inconvenientes iniciales del trekking original, ofreciendo cubrir en jeep las etapas iniciales más duras y puede que «no aptas para todos los públicos»? —reformuló Marc.

—Sí, algo así. Me da que lo han debido de hacer más accesible para todo el mundo. Y dejan para andar solo las etapas más chulas. A partir de Pisang ya se despeja todo, hay sol, no llueve, tienes vistas, ves picos, los poblados budistas emergen… —siguió Andrea.

—Y como han subido muy deprisa, por eso probablemente tienen que hacer 1 día de aclimatación en Manang, ¿no te parece? —respondió Marc, comprendiendo todo lo que estaba explicando su mujer.

—Sí, tiene todo el sentido… —estuvo de acuerdo Andrea.

—Vaya, así que este pobre señor igual no era tan monstruoso como hemos pensado —dijo de pronto Mar.

—Los problemas de no realizar escucha empática y de pensar que nuestra verdad ES la verdad, qué fuerte —comentó en voz alta Javier mirando a Andrea, que le lanzó una sonrisa mientras asentía subiendo las cejas.

–Javi, creo que estás empezando a pasar demasiado tiempo con tu tía, cielo, ya hablas ese mismo lenguaje incomprensible suyo –comentó Ainara divertida.

–También es verdad que las zonas de menor altura, hasta los 3000 m, están más pobladas y tuvimos mucho más contacto humano. Luego los pueblos son mucho menos numerosos y están mucho más dispersos, prevalece la naturaleza –recordó Marc.

–Sí, es verdad. En cualquier caso, mi conclusión del episodio vivido es que quizá deberíamos comprender bien por qué se está ofreciendo esto ahora, si es lo habitual o no en todas las agencias y qué decisiones debemos tomar al respecto –concluyó Andrea.

–No puedo estar más de acuerdo. Yo propongo ir a la agencia inicialmente prevista y ver todo esto, ¿qué os parece? –propuso Marc.

–Me parece muy sensato, Marc y Andrea. Pero yo ya os digo que lo de ir en jeep por la carretera del infierno esa a mí no me motiva lo más mínimo –reconoció Mar.

Javier no comentó nada pero quedó profundamente impresionado por su tía. No solo no se había negado a alterar los planes iniciales, sino que se mostraba abierta por completo a considerar otras opciones serena y juiciosamente, pensando en el bien de todos. La escucha activa proporcionaba o iba sin duda de la mano de apertura de mente. ¡Cuánto estaba aprendiendo, qué contento se sentía! ¡Y, a la vez, qué difícil le parecía poner en acción todos los aprendizajes!

No tardaron en llegar a la agencia prevista en un principio. El aspecto exterior no era tan impactante como el de la otra agencia, pero la recepción fue igual o más cálida, té incluido también.

Marc hizo de nuevo de portavoz, indicando lo que necesitaban casi en los mismos términos que en la agencia anterior y añadiendo que ya habían hecho el trekking con ellos 20 años atrás y que Andrea les había contactado previamente por mail avisando de que vendrían.

–Sí, sí, ¡bienvenidos a nuestra casa, que es la suya! Mi nombre es Hari. No me conocen a mí, conocen a mi sobrino Rajiv. Les he buscado en nuestros archivos y ¡les he encontrado! Agosto de hace 20 años exactamente. Nos dejaron dos fotos, ¿verdad? –dijo sacando unas fotos de una carpeta–. En esta aparecen ustedes con sus amigos y con Rajiv, que les hizo de guía, en la cima del Thorong La Pass, y esta otra es del día que se marcharon, con los pañuelos blancos que les regalamos en el cuello, como indica nuestra tradición. En la carpeta guardamos aún la primera traducción al español escrita a mano que hicieron ustedes de nuestros folletos de trekking. Nos fue muy útil para atraer a otros Clientes españoles cuando nadie más tenía información en su lengua. Aquí los tengo –dijo ofreciendo todo a Marc y a los demás. Marc reconoció el papel, escrito de su puño y letra.

¡Marc, Andrea y los demás no daban crédito! Conservaban las fotos de los Clientes y se acordaban de ellos 20 años después, qué barbaridad.

–Por cierto –dijo Andrea–, ¿le puedo preguntar qué ha sido de Rajiv? Era tan joven y tenía tantos sueños…

–¡Pues los cumplió! –respondió Hari–. Él tenía claro que quería estudiar fuera de Nepal, se lo contó, ¿verdad?

–Claro, y nosotros le animamos mucho. No tanto sobre si estudiar en Nepal o fuera, pero seguro sí a estudiar y formarse de la manera más completa posible. Recuerdo cómo le impresionaba que nosotros, que éramos 10 años mayores que él, fuéramos ingenieros, economistas… Nos preguntaba cada día en la cena por ello, tuvimos largas y maravillosas conversaciones con él –respondió Andrea, feliz, recordando momentos de hacía 20 años.

–Pues poco después de estar con ustedes se fue a estudiar a Nueva Delhi la doble titulación Administración de Empresas y Derecho, luego hizo un máster de gestión turística en Londres y ahora dirige la agencia conmigo. Gracias a él hemos crecido muchísimo, la verdad. Ahora operamos prácticamente en todo el sudeste asiático. Y él viaja constantemente entre todas nuestras sucursales, asegurando que la organización y el funcionamiento en cada una de ellas sea el adecuado –explicó Hari–. Será sin duda el relevo cuando yo me retire.

–¡Cuánto me alegra escuchar todo eso Hari, felicidades! Intuyo lo orgulloso que se siente de él –dijo Andrea emocionada.

–Sí, es cierto. Rajiv es lo más parecido a un hijo para mí, dado que mi mujer y yo no los tuvimos –respondió Hari también feliz.

–¡Caramba con Rajiv! –exclamó Marc–. ¡Estaba claro que ese mocoso de 19 años flacucho, inteligente y curioso, que surcaba las montañas a toda velocidad con unas chanclas de dedo, haría lo que se propusiera en la vida! ¡Qué grandes noticias, Hari!

Todos los demás estaban conectados con la intensa energía del momento y sonreían sin decir nada.

–Precisamente al hilo de Rajiv, debo decir que él en persona me ha rogado que les transmita una petición especial, dado que está ahora en China y no va a poder verlos antes de que inicien su trekking... –dijo Hari.

–¿De qué se trata? –preguntó Andrea sorprendida.

–Rajiv se casó y tiene un hijo, Himavat, de 19 años, y una hija, Chandra, de 17, y le gustaría que ambos siguieran sus pasos. Chandra aún es algo joven, pero Rajiv cree que Himavat ya está preparado para hacer de guía del trekking del Annapurna. Él mismo les ha enseñado a los dos por igual todo lo que deben saber y conocen bien las diferentes rutas, los lugares y a sus gentes. A Rajiv le encantaría que su hijo Himavat fuera esta vez su guía en su trekking, sea cual sea la ruta que decidan hacer. Tiene la misma edad que tenía él cuando los conoció. Ustedes fueron importantes para él y le gustaría que también lo fueran para su hijo. Si a ustedes les parece bien... –explicó Hari.

Marc lanzó a su mujer y a los demás una mirada rápida, intentando captar sus opiniones. Todos se mostraron claramente conformes e ilusionados.

–Hari, nos sentimos profundamente honrados con la petición de Rajiv, que aceptamos encantados. Eso sí, creo que antes deberíamos hablar y llegar a un acuerdo concreto sobre el trekking que vamos a realizar, ¿le parece? –respondió Marc por todos de forma asertiva.

–Por supuesto, todo eso si al final deciden hacer su trekking con nosotros, faltaría más –puntualizó Hari.

Inmediatamente Mar dijo:

–Perdona, Hari, ¿le puedo preguntar por qué ha dicho «sea cual sea la ruta que decidan hacer»? –demostrando que esta vez sí estaba escuchando con atención.

–Por supuesto. Hace 20 años los trekkings se hacían de una única manera, para todos los Clientes igual. Con el tiempo nos hemos dado cuenta de que es posible personalizar, ajustar cada trekking a los diferentes tipos de personas que nos visitan. El número de días del trekking, su dureza, si debemos hacer aproximaciones o no a picos del camino, el tipo de alojamientos, etc. pueden variar bastante. Tenemos entre nuestros Clientes desde montañeros profesionales a turistas poco habituados a andar por las montañas pero que también quieren disfrutar por unos días de la magia de los Himalayas. A cada uno de ellos le motivan cosas distintas y nosotros debemos ser capaces de darles lo que ellos buscan y esperan para que tengan una experiencia profundamente satisfactoria aquí en Nepal y con nosotros en particular –respondió Hari con amabilidad. Andrea y Javier se miraron cómplices sonriendo.

–Verá, es que justo hemos parado en otra agencia de camino hacia aquí, porque yo lo he propuesto, es cierto –dijo Ainara, haciendo una mueca de disculpa–, y nos ha presentado una única alternativa de trekking con jeep hasta Chame que, la verdad, nos ha sorprendido un poco… ¿Qué alternativa es esa que nos han ofrecido? ¿Y por qué cree usted que nos ha insistido tanto en que hiciéramos esa ruta?

–¿Eran 9-10 días, con jeep los 4 primeros hasta Chame, con aclimatación en Manang, vuelta desde Jomson a Pokhara, con noche en esta última (hay una popular vida nocturna), y regreso al día siguiente a Katmandú? –preguntó Hari.

–Sí, exactamente así –respondió Ainara.

–Comprendo, sí, es un formato de ruta muy habitual ahora. Está pensada para turistas, digamos, que quieren hacer un trekking no demasiado exigente en lo físico, con emociones fuertes y, sobre todo, con buen tiempo, nada de lluvia en esta época –explicó Hari.

–Ya veo, como el más sencillo, pensado para «guiris», ¿no? –dijo Ainara mirando a todos.

—Perdón, no comprendo lo de «guiris» –dijo Hari–, pero tenemos alguna alternativa más sencilla incluso, pensada para personas de cierta edad: los llevamos en jeep a Chame, hacen tres días de trekking entre Chame, Pisang y Manang y luego los volvemos a bajar en jeep, no cruzan el Thorong La Pass.

—El formato tercera edad, vamos –confirmó Ainara–. Está claro.

—¿Y nosotros qué trekking tenemos que hacer entonces, qué nos recomienda? –preguntó Mar. Andrea miró a Javier, que asintió, comprendiendo que esa era una pregunta típica de personas con comportamiento agua.

—Bueno, eso depende por entero de ustedes mismos –y de nuevo Andrea miró a Javier, que asintió, dándose cuenta de lo acertado de la respuesta de Hari, que continuó hablando–. Yo, si me lo permiten, ahora querría hacerles una serie de preguntas para comprender bien lo que buscan y esperan de su trekking y así poderles poner sobre la mesa las diferentes alternativas que encajen con ello para que ustedes elijan la que les parezca mejor, ¿les parece? –dijo Hari. Una vez más, Andrea y Javier se miraron con una sonrisa de satisfacción pintada en la cara.

—Adelante, Hari, pregúntenos todo lo que necesite saber, por favor –pidió Marc por todos.

Hari empezó a preguntar con rigor y orden sobre todos los elementos clave y las preferencias del grupo (qué venían buscando, qué les gustaba más de la montaña, qué tipo de esfuerzo querían y podían hacer, qué tipo de comodidades esperaban, cómo valoraban el uso de animales de carga, qué tipo de paisajes les gustaban más, qué nivel de contacto local esperaban, etc.). Javier sentía cómo resonaban en su cabeza algunos de los mensajes aprendidos con Andrea y gran parte de lo que había visto hacer a Robert con él mismo («ir a la casilla de salida», «preguntar sobre lo que busca la persona, no sobre las botas concretas que quiere», etc.), que Hari estaba aplicando con maestría.

Una vez acabó de preguntar, Hari empezó a presentar opciones y alternativas. «A proponer, no a imponer», se decía sin parar Javier. Además, muchas de sus explicaciones iban apoyadas con vídeos concretos sobre alojamientos, senderos, etc. que tenía en su tablet, vídeos o fragmentos de vídeos reales de trekkings anteriores. La experiencia en vivo, sin tener que imaginar. Transparente, honesta y directamente conectada con la emoción. Javier estaba disfrutando viendo la puesta en acción de Hari.

Cuando el grupo hubo determinado todas sus preferencias, Hari escribió de forma estructurada y clara en su tablet el conjunto de todos los elementos constitutivos de la propuesta de trekking confeccionada entre todos, incluyendo detalle de todos los costes, a la vista de todos sin girar la tablet hacia sí y relatando al mismo tiempo los elementos que iba incluyendo. Al acabar, ofreció la tablet para que la pudieran ver todos y de forma totalmente natural dijo:

–Este es el trekking que ustedes han elegido, ¿verdad? ¿Lo cerramos así entonces?

–Bueno, creo que necesitaríamos revisarlo, pensarlo un momento y comentarlo entre nosotros –dijo Mar.

–Por supuesto, lo entiendo. ¿Me permite que le pregunte qué elementos concretos quizá no les han quedado lo bastante claros y necesitan revisar? Por favor, no duden en comentarme abiertamente lo que sea, estoy aquí para ayudarles –respondió Hari amable y solícito.

–Sí, eso, no veo qué es lo que tenemos que pensar ni comentar, tampoco tenemos mucho tiempo, reina –dijo de pronto Ainara–. Es lo que buscábamos con un precio más que razonable. ¡No le demos más vueltas, hija, de verdad!

–Bueno, solo era por hablarlo y consensuarlo nosotros un momentito antes de «firmar». Pero si todos lo veis así de claro, pues adelante, vale, no digo nada más… –respondió Mar haciéndose pequeña.

Marc buscó en las miradas el acuerdo de todos y entonces respondió como portavoz:

–Sí, por favor, Hari, este es nuestro trekking. Pongámoslo todo en marcha –y le lanzó una mano como signo de acuerdo formal, al que Hari respondió cordial.

–Perfecto –dijo Hari–. Voy a necesitar todos los pasaportes para hacerles una copia y tramitar el visado para el trekking con el ACAP (Annapurna Conservation Area Project). Supongo que lo tienen presente, pero por si acaso recuerden que deberán ir parando en todos los puntos de control del ACAP para sellar su visado. Himavat, su guía, les irá indicando cuáles son esos puntos. Ya saben, es la forma que tenemos de controlar un uso y disfrute adecuado de nuestras montañas y de que ¡además nadie se nos pierda!

La despedida, calurosa y afable, tenía, para todos, el regusto de las cosas bien hechas. Especialmente para Javier.

–¿Y bien? –le preguntó ya en la calle Andrea.

–Un mago de la venta. Además, os ha ganado desde el principio con las fotos –respondió Javier.

–Desde luego. Un elemento que contribuye a la fidelización –dijo Andrea–. Pero… si solo hubiera hecho eso bien y luego el proceso de venta hubiera sido un desastre, sin preguntas, sin escucha, intentando imponer su visión…, ¿crees que nos habríamos quedado?

–No, no lo creo. Le ha servido para construir confianza, claro. Pero la confianza sin un buen trabajo posterior no va a ningún sitio y, de hecho, se rompe –confirmó Javier seguro.

–Efectivamente… –respondió satisfecha Andrea.

La verdad es que las cosas no podían ir mejor con el viaje en general y con Javier en particular. No habían empezado el trekking y una gran parte del trabajo con él ya estaba hecho, pensaba Andrea.

3.21 NOS VAMOS DE TREKKING: KATMANDÚ-BESISAHAR (FASE 3: PRESENTANDO LAS SOLUCIONES, CLAVES DE DINAMIZACIÓN)

Llevaban ya dos noches durmiendo en Katmandú. Y todos sin excepción habían descansado de maravilla. La mezcla del cansancio y el buen ambiente por cómo se estaba desarrollando todo en el viaje hasta ese momento había contribuido a ello. Se sentían totalmente integrados ya en la ciudad. Incluso se estaban habituando a levantarse a las 5:30.

La jornada anterior en Katmandú, incluyendo la visita a Boudhanath –la estupa de Buda– y a la escuela-taller de mandalas, había sido fascinante. Y por la tarde les había dado tiempo de subir al complejo de Swayambhunath, con sus infinitas escaleras, sus monos, sus decenas de estupas y sus cientos de rincones mágicos.

Andrea sabía que muchísimos viajeros, cada vez más, recomendaban pasar el menor tiempo posible en Katmandú, «huir de él». Pero para ella, a pesar de los años transcurridos, los desastres naturales y la «turistificación», seguía valiendo la pena. Había vuelto a tener las mismas sensaciones de grandiosidad y de paz interior con esa ciudad mágica y sus gentes.

Durante esa jornada de turismo había decidido no tocar el tema de las ventas y permitir que Javier pudiera conectar y disfrutar por él mismo de todo cuando Katmandú les ofrecía.

Sin embargo, ese día ya era agua pasada y se encontraban en la furgoneta que los transportaba, a ellos y a todo su equipaje, hacia el punto de inicio del trekking, Besisahar, a unos 170 km de Katmandú. Y era hora de retomar el trabajo.

De pronto, Ainara interrumpió sus pensamientos y el silencio reinante de las 7:30 de la mañana, solo alterado por el traqueteo constante del vehículo:

–¡Menuda furgonetita de lujo nos ha puesto Hari para ir hasta Besisahar, ¿eh?! –exclamó en un bache de la carretera–. ¡Ay, con esta ya me he dado tres veces en la cabeza de los botes que pega!

–… Por no hablar de las 7 horas que dice que vamos a tardar en hacer 170 km. Madre mía, ¿y a esto lo llaman *highway*? –dijo Mar al tiempo que daban otro bote.

–La Prithvi Highway tenemos que coger exactamente –dijo Javier mirando su móvil–. Según el Google Maps, hay exactamente 172,9 km y deberíamos tardar 4 horas y 57 minutos, pero imagino que cuentan con algo de tráfico. Bueno, y que esta furgoneta no puede ir más cargada, desde luego. Seguro que con los 7 que somos nosotros, más el conductor, Himavat y todo el equipaje, superamos de sobra el peso máximo.

–¡Anda, anda, anda, vale ya, quejicas! –les dijo Marc–. Pues habríais flipado si hubiéramos tenido que ir en el autobús público en el que vinimos la primera vez: ¡más de 10 horas tardó! Y, además, cuando Andrea y yo ya estábamos sentados en los que parecían 2 asientos para 2 personas, se nos sentó, medio al lado medio encima, un ancianito entrañable que parecía primo de Gandhi con una bolsa de plátanos en una mano y un saco con pollos vivos en la otra. ¡Ni os imagináis! ¡Esto es lujo asiático total comparado con aquello!

–Jajaja, qué mono el ancianito primo de Gandhi, ¿no? Volvía de la compra en la gran ciudad y os eligió a vosotros como compañeros. ¡Eso es que le disteis buen rollito! –contestó Mar risueña.

–Jajaja, eso y que nos debió de ver cara de pardillos, jovencitos y extranjeros que no se iban a quejar… ¡y aunque lo hubiéramos hecho tampoco nadie nos habría entendido! –respondió Marc riendo–. ¡Que teníamos 28 años!… Por otra parte, igual le hubiéramos tenido que ofrecer nuestro sitio directamente, no lo sé… Luego también vimos que en todos los pares de asientos iban 3 personas sentadas, como ellos son más bien pequeños… Así que lo asumimos como natural.

Los comentarios divertidos siguieron durante un rato, hasta que poco a poco cada uno se fue buscando un entretenimiento personal para pasar las horas de viaje restantes. Entonces, cuando Andrea estaba tanteando el momento para retomar discretamente la conversación con su sobrino, fue él mismo quien retomó el diálogo.

–¿Y ya está? ¿Ya no tenemos nada más que tratar sobre las ventas? –preguntó Javier de pronto.

–Ahora mismo estaba a punto de hacerte justo la misma pregunta, jajaja –respondió Andrea sorprendida–. Nos hemos leído el pensamiento. Eso o está claro que las horas muertas en los transportes, por aire o por tierra, son lo nuestro, jajaja.

–Sí, es verdad. Pues genial, ¿cómo sigue esto entonces? –preguntó Javier deseoso de continuar.

–¿Te parece que repasemos qué hizo exactamente Hari antes de ayer? –propuso Andrea.

–Vale, perfecto. Imagino que también iremos haciendo paralelismos con el trabajo de Robert, ¿verdad? –confirmó Javier.

–Claaaro… Veamos, ¿qué te parece que hizo Hari después de la estupenda Fase 2 de Investigación de Motivaciones y Asesoramiento que nos brindó?

–Bueno, el Asesoramiento lo acompañó constantemente con la demostración del «producto». Me encantaron sus vídeos. Me recordó mucho a Robert también en esto –hizo memoria Javier–. Y cuando ya acabó con todos los elementos, pasó a hacer la propuesta económica en la tablet y a enseñárnosla.

–Efectivamente, Javier. Hizo lo que llamamos la **Fase 3 de la venta o Presentación de la Solución** (que puede referirse a un producto o a un servicio) –confirmó Andrea–. ¿Qué te llamó la atención de lo que hizo?

–Bueno, me gustó que no escondiera nada. Lo hizo en la tablet, enseñándonos todo lo que hacía y además de forma muy ágil. Estructurado, claro y profesional, y a la vez muy rápido –respondió Javier.

–Genial Javier, has dado con dos de las características clave que debe tener una propuesta comercial hoy en día en la venta consultiva: ser realizada en modo colaborativo y, por tanto, de forma totalmente transparente con el Cliente (que se coloca al lado, en lugar de enfrente), y en el menor tiempo posible –dijo Andrea.

–Pues nosotros nos sentamos enfrente del Cliente en la mesa, como cuando vas al médico –respondió Javier.

–Esa es una posición de confrontación, no de colaboración. No construye, sino que dificulta. Hay una barrera física (la mesa) entre el Vendedor o Vendedora y el Cliente que separa, no une. Promueve la opacidad, el ocultismo... No construye la confianza, sino que la mina. Y, por cierto, en algunos países la medicina también está avanzando hacia modelos más humanistas que, entre otras muchas cosas, posicionan al médico o médica junto al o la paciente y no al otro lado de la mesa –explicó Andrea.

–Caramba, nunca me lo había planteado... Una barrera... Pues a mí la mesa me da seguridad –dijo Javier sincero.

–Efectivamente, es tu muralla protectora, ¿te das cuenta? –observó Andrea.

–Lo entiendo... Es como el atril de las personas que presentan algo, ¿verdad? Se atrincheran detrás de él como si se estuvieran protegiendo o escondiendo de los asistentes –reflexionó Javier.

–¿Te has fijado que en las charlas TED nunca (o casi nunca) hay atril para el ponente? Está «desnudo», sin protección alguna ante su audiencia. Y eso, a la vez, le une a ellos, le hace más cercano –continuó Andrea.

–¿Así que me recomiendas sentarme junto a mis Clientes en lugar de enfrente de ellos? –preguntó Javier.

–Me ha sonado un poco agua, ¿no te parece? –respondió Andrea con gesto de sorpresa–. Ya sabes, yo no te voy a decir o a recomendar qué hacer, solo te cuento los resultados de las últimas investigaciones. Si decides ponerlo en acción, podrás ver el efecto que todo ello tiene.

–¡Vale! Sí, ¡es verdad! No es fácil esto del «no recomendar», ¿eh? ¡Pero lo conseguiré! –respondió afable Javier.

–La tendencia de todas las marcas de todo tipo es ir hacia un mayor dinamismo en la presentación de las propuestas económicas a los Clientes. Y es que está estudiado que es precisamente en obtener la propuesta comercial definitiva en lo que en realidad desean y esperan invertir menos tiempo en su visita a las tiendas (siempre en venta consultiva) y en lo que acaban, sin embargo, teniendo que dedicar más tiempo. Muchas marcas, de hecho, están eliminando el concepto de «una mesa para cada Vendedor» porque estos se parapetan tras ellas, se refugian. Y tienen tendencia a ir lo antes que pueden durante el proceso de la venta a su «zona de protección», sentaditos detrás de su mesa. No tienes más que fijarte en las tiendas de marcas como Apple o en las de cualquier operadora de comunicaciones, como por ejemplo Orange. Han eliminado por completo el concepto de «la mesa del Vendedor o Vendedora».

–Es cierto… O sea, en colaboración y de forma dinámica, en el menor tiempo posible –repitió Javier en voz alta–. Qué interesante. Yo hago todo lo contrario. Los siento en la mesa y los tengo al menos media hora confeccionando la propuesta comercial, qué fuerte. Pensándolo bien, creo que es el lugar en el que les hago pasar más tiempo… Pero es que hacer una propuesta de un vehículo de alta gama, con todo el nivel de personalización que puede llegar a tener, no es tan fácil como generar la oferta de un producto Apple o de una línea de telefonía móvil, ¿no?

–Si has realizado una Fase 2 de Investigación de Motivaciones y Asesoramiento como toca, se entiende que deberías llegar a tu mesa sabiendo exactamente ya lo que el Cliente quiere. A eso lo llamamos configuración dinámica de la propuesta comercial. La configuración de la solución se define en conversación con el Cliente. En la mesa lo único que debería hacerse es meter todos los datos y extraer la propuesta, pero no ponernos a revisar entonces de arriba abajo todo el catálogo de posibilidades –explicó Andrea.

–Vale, entiendo. En realidad, al hacer la Fase 2 como toca, ya has adelantado el trabajo que ahora hacemos en la mesa –expresó Javier, para entenderlo él mismo.

–Eso es, tal cual. En la mesa la propuesta debería generarse «pim, pam fuera». De lo contrario, corres el riesgo de aburrirle y «matar» el estado emocional tan vivo y receptivo con el que viene después de haber visto vídeos maravillosos o fotos o lo que sea de aquello que desea comprar.

–Genial, lo probaré. Y decías «dos de las características clave...». ¿Hay más? –preguntó Javier.

–Bueno, algo muy evidente que creo que tú también haces: entregar una oferta integral, es decir, con todos los elementos necesarios para que el Cliente pueda tomar su decisión de compra, en la primera visita a la tienda –respondió Andrea.

–¿Todos los elementos son todos? –preguntó Javier.

–No entiendo bien a qué te refieres... ¿En qué estás pensando? –dudó Andrea.

–Bueno, no siempre puedo realizar una valoración o una tasación del vehículo que el Cliente entrega como parte de la operación por falta de disponibilidad del tasador de mi Concesión –confesó Javier.

–¿Y qué te parece eso? –preguntó Andrea.

–Que no me favorece, claro –dijo Javier.

–Mira, los datos nos dicen que el número medio de visitas que los Clientes están dispuestos a realizar a Concesionarios físicos para la compra de un vehículo es inferior a 2. Se ha reducido drásticamente, así que la primera visita se ha convertido en absolutamente crucial, quizá el Cliente no te dé una nueva oportunidad de verle... –explicó Andrea.

–¿Media inferior a 2 visitas para comprar un vehículo? –repitió Javier–. Madre mía, estamos muertos. Creo que tenemos que cambiar algunos procesos internos en nuestra Concesión...

Andrea miró a Javier callada, pensando que con toda probabilidad definir procesos organizativos y de gestión era una de las grandes fortalezas de su sobrino, el Sr. Tierra. Le veía decidido a mejorar y eso le encantaba.

3.22 ¿PASÓ DE VERDAD, SÍ O NO? (FASE 4: REAPRENDIENDO A CERRAR CON VERDADERA EFECTIVIDAD GRACIAS A LOS ESTILOS RELACIONALES)

Inmediatamente Andrea prosiguió:

–¿Y qué hizo luego Hari?

–Déjame pensar... Pues nos preguntó qué queríamos hacer, ¿no? –dijo Javier dubitativo.

–¿Serías capaz de recordar más concretamente qué acciones realizó y/o qué expresiones usó? –preguntó Andrea.

–Bueno, nos enseñó la propuesta y creo que nos preguntó si ese era exactamente el trekking que habíamos definido y si lo cerrábamos así –respondió Javier, ahora más seguro.

–Por tanto, ¿qué podemos decir que hizo en términos de proceso de venta? –volvió a preguntar Andrea.

–¿Sumarizó y propuso el cierre de la operación? –respondió Javier.

–¡Perfecto, Javier! –exclamó Andrea–. Ya tenemos aquí la última fase del proceso de venta: **Fase 4 de Cierre y Gestión de Objeciones**. Oye, ¿te puedo preguntar cómo sueles plantear el cierre a tus Clientes?

–Pues más o menos como Hari: punteo y reviso la propuesta muy detalladamente con ellos y luego ya les pregunto qué les parece y qué hacemos entonces –dijo seguro Javier.

–Ya veo... ¿Y crees que eso es más o menos lo que hizo Hari? –preguntó Andrea con suavidad.

–¿Tú crees que no? –respondió Javier sorprendido, sintiéndose algo atacado pese al tono suave de Andrea.

–Bueno, esto es como el juego de encontrar las 7 diferencias: estas pueden parecer sutiles, pero realmente existen y, de hecho, son cruciales –intentó explicar Andrea.

–Pues no las veo, ¿alguna pista? –pidió Javier.

–Vale, venga. Vamos con la pregunta de cierre. En primer lugar, ¿crees que es importante hacerla explícitamente o no? –dijo Andrea.

–Sí, claro, y yo la hago, les pregunto: «¿Qué hacemos entonces?» –respondió Javier.

–Ok, vale. ¿Puedes cerrar los ojos, por favor? –le pidió Andrea. Javier los cerró–. Gracias. Imagina ahora una pareja de enamorados que va paseando por una playa paradisíaca… Caminan de la mano, transmitiéndose sin hablar, solo con miradas y sonrisas, el profundo amor que sienten el uno por el otro y lo bien que están juntos… De repente uno de los dos enamorados, al que de pronto se le ha pasado por la cabeza que quizá deberían dar un paso más en su relación, formalizándola ante todos, le dice al otro: «Bueno, ¿qué hacemos entonces?»… ¿Qué crees que va a entender el otro enamorado que le está preguntando?

–Jajaja, ¡no vale! Bueno, ¡en todo caso está claro que depende del contexto! ¡En mi caso, es evidente que lo que quiero decir es qué hacemos con el coche y con la propuesta de la que estamos hablando! –respondió Javier entre divertido y ofendido.

–Claro. Lo que ocurre es que con esa pregunta le estás abriendo la puerta a que pueda responder cualquier cosa, como por ejemplo: «Bueno, pues creo que lo tengo todo claro. Me lo pienso un poquito y ya le diré algo» –aclaró Andrea.

–Una respuesta inconcreta, ya lo veo. No me irás a decir, como hace mi Jefe de Ventas, que debo presionar más en el cierre, ¿no? –preguntó Javier enfadado.

–No, ni mucho menos. Esto no va de presionar a los Clientes en absoluto, sino de impulsarlos a tomar una decisión concreta sobre la venta. La decisión de comprar un coche o cualquier otro posible producto o servicio consultivo no siempre es fácil. Y el Vendedor o Vendedora debe ser capaz de afrontar ese momento decisivo con valentía y de preguntar por la voluntad concreta del Cliente. Eso no tiene nada que ver con la presión (de la que hablaremos en un momento), sino del tipo de pregunta que se debe utilizar aquí –explicó Andrea–. Siguiendo con el ejemplo de los enamorados, ¿qué te parecería más bien una pregunta como esta?: «Bueno, entonces ¿qué te parece si damos un paso más y nos casamos?».

–Ya veo, una pregunta concreta que busca un sí o no. A eso te refieres con impulsar al Cliente a tomar una decisión en ese momento, ¿no? –reflexionó Javier.

–Claro. Si uno de los dos enamorados no verbaliza nunca la pregunta cerrada de «¿nos casamos?», podrán estar toda la vida juntos, incluso viviendo juntos, pero sin formalizar «legalmente» su relación –expresó Andrea–. Con las ventas pasa exactamente lo mismo. Es muy simple: en las fases iniciales de la venta necesitamos preguntas abiertas para conseguir conectar con los Clientes y saber en profundidad de ellos, pero llegados a este momento del proceso, la pregunta de cierre solo puede ser cerrada, la que quieras, pero cerrada. ¿Sabes qué es lo más curioso que he descubierto en mi trabajo con Vendedores todos estos años? Que hacéis justo lo contrario: preguntas cerradas en las fases iniciales de la venta y abiertas al final.

–Caramba…, es verdad. ¿Y por qué crees que lo hacemos? –reflexionó Javier.

–Sin duda, hacéis preguntas cerradas en las fases iniciales por las prisas por intentar llegar a enseñar un coche concreto lo antes posible (sin interesaros realmente por conocer al Cliente) y pasar cuanto antes a la solución y la propuesta económica, y abiertas por el miedo al NO (con mayúsculas) en la fase de cierre. Solo con este sutil cambio en el tipo de preguntas, la efectividad de ventas se dispara. Parece mentira, ¿verdad?

–Desde luego… –respondió Javier–. Y entonces, al hilo de esto, ¿tú qué opinas de la presión de ventas sobre los Clientes? A mí me dicen todo el día que soy poco cerrador porque presiono poco y yo creo que presionar es un error…

–Aquí la respuesta es evidente: ¿qué crees que necesitan, quieren o esperan tus Clientes? –dijo Andrea.

–Pues que les deje tranquilos para pensar con serenidad qué decisión tomar –respondió Javier seguro.

–¿Y crees que TODOS los Clientes necesitan «que les dejen tranquilos para pensar con serenidad qué decisión tomar»? –preguntó Andrea, levantando una ceja.

–¿Me estás insinuando que en el cierre también tengo que tener en cuenta el estilo relacional de los Clientes? –preguntó de pronto Javier, como iluminado.

–En realidad, ni durante un solo instante de la conversación de ventas deberías olvidarte del estilo relacional de tu Cliente –respondió Andrea–. Recuerda que un buen Vendedor debería estar espejado con su Cliente en todo momento. Se trata casi de meterse en su cabeza y saber, conscientemente y en todo momento, cómo estará procesando la información, la comunicación, cómo tomará sus decisiones y, por tanto, qué necesitará y esperará en cada momento de ti a nivel comunicativo.

–Madre mía… Sí, ya me había olvidado un poco de los estilos, es verdad… Entonces, ¿esto significa que cada estilo toma sus decisiones de compra de forma distinta? –reflexionó Javier.

–Por supuesto, has dado en la clave, Javier. Sabemos que los criterios, las motivaciones de compra van a ser distintos. Eso ya lo hemos analizado y tiene que ver fundamentalmente con el eje racional-emocional, que es el que explica en función de qué toman sus decisiones los estilos (sus porqués, ¿recuerdas?). Pero es que en este punto del proceso cobra especial relevancia también el eje reflexivo-activo, que, como sabes, nos habla del ritmo vital. Por tanto, de la velocidad a la que viven y también de la velocidad a la que toman sus decisiones los Clientes. Así que, ¿quiénes crees que necesitan «pensar tranquilamente» para tomar una decisión? –preguntó Andrea.

–Los del lado reflexivo, los tierra y los agua. Claro, ahora lo entiendo. Por eso además yo, como buen tierra, tiendo a pensar que todas las personas necesitan ese tiempo de reflexión, ¿verdad? –dijo Javier.

–Totalmente, Javier. Proyectamos sobre los demás lo que a nosotros nos parece correcto, nuestra propia realidad –respondió Andrea.

–… Pero hay más realidades distintas de la nuestra –reflexionó Javier–. ¿Quiere esto decir que los activos, los fuego y los aire, necesitan un cierre más directo?

–Efectivamente, Javier. De hecho, los fuego son esos Clientes capaces de comprarse un vehículo de, pongamos, 100 000 € en una primera visita y en menos de 1 hora. Si los elementos clave le encajan, será el más rápido de todos en decidir. Seguido del aire –continuó Andrea.

–Y si no le ofrezco ese cierre directo y decidido al fuego, ¿qué pensará o qué hará? –preguntó Javier.

–Es posible que no te identifique como «su Vendedor», que vea en ti lentitud o incluso desidia o desinterés –respondió Andrea.

–«A este tipo tan parado cómo le voy a comprar yo el coche, ¿no?» –respondió Javier.

–Algo así… –convino Andrea.

–Y, por la misma razón, a los tierra y a los agua será muy difícil cerrarles en primera visita, ¿no? –dijo Javier.

–Claro. Y si les presionas con el cierre, probablemente saldrán huyendo y no volverán. Aunque en cada caso por razones distintas – confirmó Andrea.

–Los tierra porque necesitarán meter todos sus datos en su Excel y analizarlos en profundidad. ¿Y los agua? –preguntó Javier.

–¿Para qué necesitarán tiempo los agua? –reformuló Andrea, devolviéndole a Javier su propia pregunta.

–¿Para buscar opiniones de su entorno relacional que os hagan salir de su mar de dudas? –respondió Javier.

–Sí, señor. Los tierra buscarán sus soluciones en su mundo racional, en comparativas de datos, y los agua en su mundo emocional, en otras personas y sus opiniones –reconfirmó Andrea–. De todos modos, la pregunta de cierre (cerrada y concreta) conviene hacerla en todos los casos. Mira lo que ocurrió contigo y Robert… Cerraste tu compra en primera visita pese a ser un Tierra y venir de una malísima experiencia previa.

–Justamente estaba pensando ahora en cómo fueron los cierres de Robert conmigo y con Ainara y el cierre de Hari con nosotros… ¿Fueron realmente coherentes con todo esto? –preguntó Javier.

–Vamos a verlo en detalle si te parece, a analizarlo como a ti te gusta –respondió Andrea con una sonrisa–. ¿Recuerdas cómo articuló Robert el cierre contigo?

–No sé si lo recuerdo bien… Creo que me preguntó si finalmente me quedaba con la Salomon o con la North Face, ¿no? –respondió Javier.

–Sí, exacto. ¿Cómo fue su pregunta entonces? –preguntó Andrea.

–Concreta y como de respuesta alternativa, o una u otra, ¿no? –respondió Javier dubitativo.

–Sí, tal cual. Por eso este método de cierre se llama «de doble alternativa». Es un cierre muy poderoso y muy útil con personas que analizan mucho o que están entre dos o más alternativas. Además, dan al Cliente la «sensación» de que es él quien elige cuando has sido tú quien ha condicionado e impulsado la decisión, aunque solo sobre las alternativas posibles.

–¿Y no es eso engañoso? –preguntó Javier.

–Mira, desde que Gabriela era bien pequeña yo usé siempre el cierre de doble alternativa para determinar qué cenaba cada día –explicó Andrea.

–¿En serio aplicas estas cosas en casa? –dijo Javier divertido.

–Sí, claro, ¡en todos los ámbitos de mi vida! –respondió Andrea–. Mira, nosotros recibíamos mensualmente del cole el detalle del menú del mediodía. Entonces, cada día, al volver de clase, en algún momento yo sacaba la conversación de la comida y le preguntaba qué había comido. Yo ya lo sabía de antemano, pero quería que ella además se esforzara por recordar. Así que teníamos una conversación diaria más o menos como esta:

- Yo: «¿Qué has comido hoy en el cole, cielo?».

- Gabriela: «No lo sé, mami, no me acuerdo…» (siempre respondía esto en primera instancia, jajaja).

- Yo: «Veeeenga, a ver, de primero qué era, pasta, arroz, verdura…».

- Gabriela: «Pasta, pasta, ¡pasta con tomate!».

- Yo: «Perfecto, pasta. Así que, para cenar, ¿qué toca?» (ella sabía perfectamente que si había comido pasta o arroz, por la noche tocaba verdura y al revés; y lo mismo si había comido carne, pescado o tortilla; el mensaje sobre la alimentación sana y complementaria se ha mantenido siempre de fondo y constante, desde que era bebé, y ella lo ha interiorizado como necesario para estar sano y punto).

- Gabriela: «Verduuuuuuuuura» (respondía en forma de queja, pero entendía que era así y no había más, formaba parte de las reglas del juego aceptadas en casa, de nuestra alianza familiar, ¿recuerdas lo que era la alianza? –Javier asintió).

- Yo: «Ok, verdurita. ¿Qué prefieres, judías o brócoli?».

- Gabriela: «¡Brócoli, mami, brócoli!».

- Yo: «Genial, cariño, brócoli. Y de segundo, ¿qué has comido hoy?».

- Gabriela: «Pollo con patatas».

- Yo: «Perfecto, qué rico. ¿Qué toca en la cena?».

- Gabriela: «Pescaaaaado» (también en forma de queja, claro, pero con aceptación).

- Yo: «¿Qué prefieres, rape o merluza?».

- Gabriela: «¡Rape, mami, rape!».

– ¿Y sabes qué le contaba mi hija a todo el mundo con orgullo? –preguntó Andrea

–No… –dijo Javier intrigado.

–Que ella elegía cada día lo que cenaba en su casa –respondió Andrea.

–Jajajaja, qué mona. Pobrecita. ¡El día que se entere de que le hiciste esto toda su infancia, te matará! –rio Javier.

–Perdón, ¿elegía ella o no elegía ella lo que cenaba cada noche? –preguntó seria Andrea, haciendo un nuevo ejercicio de doble alternativa.

–Sí, en cierto modo sí, elegía ella. O al menos tenía la ilusión de que lo hacía... Muy bestia, muy poderoso –aceptó Javier.

–Eso es el cierre de doble alternativa. Que ha proporcionado paz, alegría y una niña que ha cenado siempre de todo y feliz en su casa –dijo Andrea contenta–. Y que tantos y tantos usos tiene en la vida en general.

–¿Y hay otras fórmulas de cierre? –preguntó Javier.

–Sí..., ¿recuerdas cómo cerró Robert con Ainara? –respondió Andrea.

–A ver, que me acuerde... Creo que con las botas también le hizo doble alternativa, ¿no? –dijo Javier.

–Sí, en efecto. Pero con las chanclas usó otro método... ¿Lo recuerdas? –inquirió Andrea.

–No lo recuerdo... o más bien recuerdo que Robert no hizo nada, no intentó cerrar, se quedó callado, ¿no? –respondió Javier dubitativo.

–Sí, sí, cerró. Y lo hizo como un maestro. Se dio cuenta de lo lanzada que iba Ainara con las chanclas y aplicó lo que se llama la técnica del silencio: es muy poderosa con Clientes muy impulsivos que no se pueden estar callados ni un minuto. O sea, con Clientes como Ainara exactamente. Y también con fuegos que durante toda la conversación de ventas intentan llevar en todo momento la iniciativa –explicó Andrea.

–Estoy flipando... ¿Y crees que él hizo todo eso conscientemente? –preguntó Javier.

–Por supuesto, si quieres se lo puedes preguntar a él a la vuelta del viaje. Todo eso se aprende. De hecho, todo buen Vendedor debe dominar 4 o 5 técnicas de cierre, no hacen falta más. Y controlar en consciencia con qué Clientes y en qué situaciones aplicar una u otra o varias de ellas a la vez –respondió Andrea.

–Y Hari, ¿qué técnica de cierre usó? –preguntó Javier de nuevo.

–¿Lo recordamos juntos? –dijo Andrea.

–Claro. Nos dijo exactamente: «¿Lo cerramos así entonces?». Una pregunta muy cerrada, muy directa y muy concreta, ¿no? Como él lo tenía perfectamente claro, lo hizo todo de corrido –confirmó Javier.

–Efectivamente, por eso este cierre se llama cierre natural o por conclusión. Es uno de los más comunes y sirve para todos aquellos Clientes, de cualquier estilo, con los que todo el proceso ha sido así, muy natural, paso a paso, por un camino sin contratiempos. El cierre que el Vendedor o Vendedora articula es entonces, sin más, el siguiente paso en el proceso, la conclusión final. Como la cosa más normal del mundo. Al fin y al cabo, el Cliente está allí para comprar y el Vendedor o Vendedora para vender, ¿no? –explicó Andrea.

–Sí, lo veo. Como se dirigía fundamentalmente a Marc, que es una persona muy directa y decidida, la técnica usada era ideal –confirmó Javier.

–Ah, y lo combinó ligeramente con un cierre por amarre, pensando en los demás, especialmente en Mar, nuestra adorable Agua-Mar –dijo Andrea.

–Cierre por amarre… ¿Me puedes explicar todos los cierres básicos y a qué estilos se aplica cada uno, por favor? –preguntó Javier.

Andrea hizo entonces una explicación rápida de las técnicas de cierre que ella consideraba más efectivas y a la vez más *fair* para cada estilo relacional. No era partidaria en absoluto de técnicas engañosas, para nada válidas en estos tiempos actuales. Y entonces dijo:

–Te propongo un pequeño juego de puesta en acción: que cada vez que tengamos que tomar una decisión en el trekking, te fijes en la técnica de cierre que use la persona que esté poniendo encima de la mesa la decisión que hay que tomar. Y que comentemos qué técnica ha aplicado y si ha elegido la mejor posible de entre las que hemos visto en función de a quién estaba hablando. ¿Qué te parece?

–Genial, me parece una práctica muy útil, compro –respondió un Javier cada vez más ilusionado con todos sus nuevos aprendizajes–. Pero hay algo que me sigue rondando la cabeza… Aunque Hari lo hizo perfecto, Mar de hecho dijo que teníamos que pensarlo… ¡La respuesta que más odio de los Clientes! Así que las técnicas de cierre no son infalibles, ¿no? –preguntó Javier.

–En primer lugar, está claro que el ritmo de esa acción de venta era un ritmo para Marc y no para Mar. Ella, llegado el momento de la decisión final, se sintió ligeramente desbordada por lo rápido que iba todo y necesitó hablar con todos los compañeros de viaje antes de cerrar, en un claro comportamiento agua. Y en segundo lugar, es preciso comprender y en cualquier caso aceptar que un ratio de cierre extraordinario en venta consultiva, de por ejemplo un 40 %, supone que de cada 10 Clientes 4 compran… y ¡6 no lo hacen! Lo que quiero decir con esto es que **el NO forma parte de nuestro negocio. Es preciso asumirlo**. Quizá no siempre tengamos la solución precisa que nuestro Cliente necesita, por mucho que hayamos hecho nuestro trabajo de venta de forma maravillosa. Ahora bien, mi experiencia me ha demostrado que cuando los Vendedores aplican con rigor todo lo que hemos comentado, los ratios de cierre simplemente se disparan. Hay un graaaaan recorrido de mejora, sin ninguna duda –expresó Andrea segura.

–Lo creo, trabajamos en gran medida por intuición. Y la intuición a veces funciona bien y a veces supongo que no tanto –aceptó Javier.

–Y, de todos modos, el NO inicial al primer intento de cierre tampoco es necesariamente el fin. Hari, por ejemplo, hizo lo que llamamos una **gestión de objeciones** también impecable –dijo Andrea.

–¿«Me lo tengo que pensar» es para ti una «objeción»? –quiso confirmar Javier.

–Esa y también «lo tengo que hablar en casa o con mi pareja» o «me parece muy caro» o «en otro sitio me han hecho una propuesta mejor». Todas ellas son objeciones a la compra y deberán ser tratadas también de forma profesional, ¿no te parece? –dijo Andrea.

De pronto, Marc los sacó de su conversación:

–Estamos en Bandipur, ahora cogeremos el desvío hacia la Dumre-Besisahar-Chame Highway. No queda mucho, pero vais a alucinar… La primera vez que vinimos en el autobús, a partir de aquí todo eran pistas de tierra. Bueno, de tierra no, de barro, porque en época monzónica con las lluvias, ya se sabe. Y aunque el conductor era como Carlos Sainz en el Dakar deslizando por el barro y atravesando ríos, ¡tuvimos un vuelco y todo subiendo! Suerte que volcamos hacia el lado de la montaña y no hacia el del terraplén, ¡nos libramos por poco, eh, mami! –contó Marc con gran expresividad, creando expectación. Andrea le dio un codazo cariñoso.

–¿No habíamos dicho que esto no hacía falta contarlo? –le dijo Andrea en voz alta–. No pasó nada, Mar, un vuelquecito de nada. Salimos por las ventanas que quedaron libres, como vimos hacer a todos en total silencio (nadie dio ni un grito, todos actuaban con total naturalidad), volvimos a levantar el autobús empujando entre todos y sin más dilación seguimos ruta. Como si no hubiera pasado nada. ¡Allá donde fueres, haz lo que vieres!

–¿De verdad? ¡Qué calladito os teníais esto! No sé si es cierto o no…, pero si lo que pretendíais era acojonarme, ¡lo habéis conseguido, gracias! A ver, dónde está mi mochila con el botiquín básico, la necesito cerca… –respondió Mar inquieta, buscando su mochila y mirando por las ventanas nerviosa, mientras los demás reían, sin saber bien si era de miedo o de emoción.

Lo que nadie se atrevió a preguntar es si el incidente había pasado de verdad o no… ¡Solo Marc y Andrea sabían que había sido totalmente verídico!

3.23 ETAPA 1: BESISAHAR-BAHUNDANDA (GESTIONAR LAS OBJECIONES DE LOS CLIENTES Y NEGOCIAR NADA TIENE QUE VER CON SER MÁS CONVINCENTE Y ARGUMENTAR MEJOR QUE ELLOS)

La llegada a Besisahar (a 710 m de altitud) había sido tan movida como se preveía por las condiciones del camino. Pero sin incidentes ni vuelcos. Todos estaban sanos y salvos.

El *lodge*, el mismo en el que se habían alojado Marc y Andrea la primera vez, era correcto, limpio y con mosquiteras. Menos mal, porque había mosquitos por todos sitios a partir de cierta hora de la tarde.

Andrea y Javier no habían tenido tiempo alguno de seguir hablando. Apenas llegados, todos se habían puesto a repasar las mochilas, cada uno las suyas: una pequeña con lo básico para el camino (agua, botiquín, móvil, walkies, documentación, visado de trekking, etc.) y la otra, la grande, con el resto de las cosas (ropa, neceser, etc.) para los porteadores. Los *bikers* además tenían preparativos extras: puesta a punto de las bicis, revisar GPS con la ruta prevista, etc. Después, cena temprana y conversaciones varias con Himavat. Era un chico simpático, encantador, abierto y conversador como su padre. Andrea no dejaba de sorprenderse por su parecido con él en todo, cosa que hacía la experiencia aún más similar a la de la primera vez. Risas y miles de preguntas y dudas. Había nervios, cierta ansiedad. Llovía débilmente, pero sin cesar, y todos sabían que las primeras etapas no iban a ser fáciles. Pero a la vez estaban tremendamente ilusionados y ansiosos por empezar.

Después de una noche inquieta, en parte por los mosquitos, que habían hecho de las suyas a pesar de las mosquiteras, y de un desayuno local de té con leche y unas pastas de sabor indeterminado, ¡empezaban por fin el trekking!

Los *bikers* habían salido algo antes: irían a su propio ritmo, pero teniendo como referencia siempre a los porteadores y sus animales, que iban a ir algo más rápido que los *trekkers*. Parecía mentira cómo los locales eran capaces de andar por las montañas a unas velocidades tan altas. La costumbre, claro.

Mar, Ainara, Andrea, Javier e Himavat estaban listos para salir a las 7:30 en punto.

–La verdad es que esta lluvia incesante en plan chirimiri es un poquito coñazo –dijo Ainara nada más empezar a andar–. Pero por fin voy a ver cumplido mi sueño Pepa Pig: ¡chapotear en charcos de barro todo el día *non-stop*! ¡Pobrecitas mis preciosas botas nuevas!

–Jajaja, ya verás como al final el paraguas se convierte en parte de tu *outfit* de forma natural y ni te das cuenta de que llueve –dijo Andrea–. Yo he conseguido ponérmelo así, como aguantado con la tira derecha de la mochila, y espero olvidarme de él y de la lluvia en un ratito bien pequeño –dijo señalando el palo de su paraguas cogido con dos bridas a su mochila.

–Me sorprendió mucho lo del impermeable que nos contaste, que era insoportable llevarlo con esta humedad y este calor. Y ahora lo veo, nos estaríamos ahogando si lo lleváramos, qué calor, y eso que no hemos empezado a subir, ¡madre mía! –dijo Mar–. ¡Quién me iba a decir que mi paragüitas negro plegable del coche iba a ser parte de mi equipamiento básico en un trekking en Nepal!

–Y el colega Himavat va con chanclas nepalíes verdes, igual que su padre, según contabais anoche, ¿no, Andrea? Y nosotros con nuestras botazas superpro de trekking, ¡seguro que él acaba con menos llagas que nosotros! –dijo Javier.

La conversación de adaptación siguió animada mientras atravesaban Besisahar, que era como una especie de poblado del oeste, con una única calle principal de tierra (barro ahora) y casas a uno y otro lado. Nada más cruzarlo, tomaron a la derecha un sendero que bajaba y que, de pronto, los transportó a un paraíso subtropical: vegetación mojada y exuberante por todos sitios, con un verdor de una intensidad difícilmente explicable. Los cuatro sacaron sus móviles y se pusieron a hacer fotos compulsivamente. Himavat no paraba, solo aminoraba el paso, giraba la cabeza de vez en cuando y se reía para sí mismo sin hablar ni apenas hacer ruido.

–Jajaja, ¡como vayamos a este ritmo todo el trekking, parando a hacer fotos y *selfies* cada minuto, no llegamos ni por Navidad al Thorong La Pass! –dijo Ainara.

—Desde luego, pero es que el primer impacto de este paisaje es realmente irresistible, qué belleza, por favor. ¡Mirad allí las terrazas de arroz, qué maravilla! –respondió Mar.

–¡Qué chulas, Mar, es verdad! Parecen… no sé, lagos de agua verde… Me gusta toda esa uniformidad, ese orden, todo tan bien estructuradito… Ah, y Ainara, creo que cuando llegue la subida se nos van a pasar las ganas de fotos. Hoy vamos a subir de 710 m a 1210 m de altitud en unos 25 km de camino –respondió Javier, leyendo los datos de su móvil–. Pero con los subes y bajas vamos a cubrir en realidad casi 1000 m de desnivel acumulado.

Andrea estaba encantada de ver a sus compañeros de viaje felices y disfrutando como niños pequeños. Y es que el primer impacto era brutal. Ella recordaba sus primeras impresiones 20 años atrás y se sentía liberada y tranquila al comprobar que seguía sintiendo lo mismo otra vez, o incluso algo más intenso.

Después de una ligera bajada hasta Khudi, el camino empezó a subir de verdad hacia Bahundanda. Andrea y Javier, de forma natural, ganaron unos metros sobre Ainara y Mar. En ese momento, Javier retomó la conversación.

–Oye, he estado pensando… ¿Tú la negociación económica con los Clientes en qué parte del proceso de ventas la sitúas? –preguntó a Andrea.

–Aquí, claro, en la **Fase 4 de Cierre y Gestión de Objeciones** –respondió Andrea–. Para mí una objeción, sea de carácter económico o de cualquier otro tipo, es al fin y al cabo una objeción. Un NO a la compra. Al menos por el momento. Y va a requerir, si quieres llamarla así, una «negociación» con el Cliente. Insisto, tenga el carácter que tenga la objeción. De hecho, piensa que muchas veces una objeción de carácter económico se te va a presentar de forma enmascarada…

–El «me lo tengo que pensar» o «tengo que hablarlo en casa», ¿no? –respondió Javier.

–Claro. Por cierto, ¿qué haces tú en esas situaciones? –preguntó de pronto Andrea.

–Pues, ¿qué voy a hacer? Acepto y respeto lo que el Cliente me dice, le digo que lo entiendo y le pregunto cuándo le puedo volver a contactar (una vez se lo haya pensado o haya hablado en casa). Intento, eso sí, cerrar con él una fecha y hora concretas para volver a llamarle –respondió Javier.

–Y entonces, te despides amablemente, se va y, cuando llamas en la fecha y hora acordadas, ¿qué ocurre? –dijo Andrea.

–La mitad de las veces ni me cogen el teléfono… Y la otra mitad, me dicen que ya se han decidido por otro Concesionario u otra marca donde ha encontrado un producto que les ha interesado más. Y fin. Se me sacan de encima, vamos… –reconoció Javier.

–Gracias por tu sinceridad, Javier –respondió Andrea mirándole a los ojos–. ¿Y por qué crees que ocurre eso?

–Mi tentación es responderte que los Clientes siempre mienten…, que es lo que me repite constantemente un compañero veterano –dijo Javier con cierto sentimiento de culpa.

–¿Y tú qué opinas sobre esa afirmación? –preguntó Andrea con serenidad.

Javier se tomó unos segundos más para responder, pensando en la cantidad de cosas que había callado o «apantallado» durante sus últimos meses.

–Opino que, en realidad, no es que los Clientes mientan, sino que todos mentimos de una forma u otra más o menos regularmente –respondió al fin.

–¿Te puedo preguntar en qué estás pensando exactamente? –le dijo Andrea con extrema suavidad.

–Bueno, creo que, en bastantes momentos de nuestras vidas, no siempre decimos todo lo que pensamos y que enmascaramos lo que de verdad sentimos con frases como «todo bien, solo necesito tiempo para pensar» o «tengo que hablarlo en casa» –respondió Javier serio, pensando en sí mismo y también en su día a día en la Concesión con los Clientes–. No sé si se lo puede llamar mentir, pero creo que todos «esquivamos» muchísimas conversaciones que creemos que nos pueden resultar más perjudiciales si las afrontamos que si las evitamos.

Andrea no respondió de inmediato, sino que miró a su sobrino, que en ningún momento dejó de mirar al suelo mientras seguía andando.

–Entiendo bien lo que dices, cariño –dijo finalmente–. ¿Quieres que sigamos o prefieres que lo dejemos?

–Por favor, sigamos –y entonces sí levantó la cabeza y miró a su tía–. Creo que debo aprender a afrontar esas conversaciones de una vez por todas, con mis Clientes… y en mi vida personal también –dijo con determinación.

–De acuerdo. Hay un libro, de referencia inexcusable, que se llama *Difficult Conversations. How to Discuss What Matters Most*, de Douglas Stone, Bruce Patton y Sheila Heen (todos ellos parte, en su momento, del Harvard Negotiation Project). No lo he encontrado en español, yo lo tengo en inglés. En cualquier caso, es un clásico hoy en día, para mí de lectura imprescindible –dijo Andrea.

–Vaya, parece que no soy el único con este tipo de problemas, ¿no? –dijo Javier con cierto alivio.

–Pues no, cielo, claro que no, eres un ser humano –respondió Andrea con cariño–. Y, como tal, sufres también con este complejo aspecto de la interacción humana, que se manifiesta entre padres e hijos, en parejas, entre amigos, entre un médico y su paciente, entre colegas de trabajo o… entre un Vendedor y su Cliente.

–¿Y entonces? –preguntó Javier.

–Según nos cuentan Stone, Patton y Heen –explicó Andrea–, «cada vez que nos sentimos vulnerables o nuestra autoestima está implicada, cuando los asuntos en juego son importantes y el resultado es incierto, cuando nos preocupa profundamente lo que se está discutiendo o las personas con quienes lo estamos discutiendo, existe la posibilidad de que experimentemos la conversación como difícil». Y entonces existe una alta probabilidad de que no la afrontemos, porque nos resulta, al menos en apariencia, más rentable o seguro evitarla.

Es pura supervivencia. Pero el tiempo, en general, no arregla los problemas, solo los agranda si no se afrontan. Y se nos queda enquistada una conversación pendiente y un asunto por resolver.

–¿Eso quiere decir que no debería permitir que el Cliente se fuera sin afrontar lo que sea que tengamos que afrontar? –dijo de pronto Javier–. Yo tengo algunos compañeros que cuando el Cliente les dice que se lo tiene que pensar le sueltan a bocajarro: «A ver, ¿qué es lo que se tiene que pensar? Si se lo piensa mucho va a perder esta oportunidad, solo le digo eso». O que cuando el Cliente dice: «Tengo que hablarlo en casa», le responden: «Tenga el móvil, llame a su mujer ahora, que ya hablo yo con ella». ¡Y a mí eso me parece muy agresivo!

–Jajaja, ¡un poco bestia, sí! –dijo Andrea–. En el primer ejemplo hay una amenaza velada, y en el segundo poco más o menos le dice al Cliente que es un calzonazos (perdón, un pusilánime). Para mí no sirven porque no empatizan. Según Chris Voss, autor de *Rompe la barrera del no* y uno de los mayores expertos en negociación del mundo (con más de 20 años de trabajo en el FBI como negociador internacional en crisis con rehenes), es imprescindible que el interlocutor se sienta comprendido y reafirmado, nunca vilipendiado, ridiculizado, chantajeado o presionado. No se trata de argumentar, ni de discutir ni de ganar la partida al Cliente. Cuando uno se limita a intentar ganar en este tipo de situaciones, inevitablemente pierde.

–Es exactamente lo que yo pienso –se reafirmó Javier.

–Pero, a la vez, sí, cuando un Cliente nos da como respuesta una pantalla, deberíamos afrontar la conversación difícil en ese momento y no posponerla. Como Vendedor, tienes miedo al NO (lo que, por cierto, es un sesgo cognitivo que descubrió Daniel Kahneman y que se denomina aversión a la pérdida), a que el Cliente se ofenda, se sienta mal, se marche y no vuelva más. Pero si no haces nada y dejas que se vaya, con toda probabilidad tu venta estará perdida de igual modo. Mejor probar entonces, ¿no te parece? –reflexionó Andrea.

–Sí, no hay duda –respondió Javier.

–¿Qué herramientas tienes ya para afrontar esa conversación difícil? –sugirió Andrea.

–¿Qué herramientas tengo? ¿Las tengo ya, seguro? –preguntó dubitativo Javier.

–¿Recuerdas qué hizo Hari cuando Mar dijo que necesitábamos tiempo para revisar la propuesta, pensar y hablar entre nosotros? –preguntó de nuevo Andrea.

–Déjame recordar… Nos dijo primero que lo entendía y después preguntó qué elementos concretos necesitábamos revisar o aclarar, ¿no? –respondió Javier.

–Así es –confirmó Andrea–. Es decir, demostró comprensión («lo entiendo») y luego realizó una pregunta abierta pero concreta, ¿verdad? Eso sí, con todo el respeto, sin agresividad alguna, no intentó defender ni argumentar de ninguna manera la bondad de su propuesta, sino que demostró que quería entender dónde exactamente teníamos dudas y cuáles eran –reformuló Andrea–. Según nos cuenta Chris Voss en su libro, está demostrado que «cuando los individuos se sienten escuchados, tienden a escucharse a sí mismos con más atención y a evaluar y clarificar abiertamente sus propios pensamientos y sentimientos. Además, suelen adoptar posturas menos a la defensiva o de confrontación y están más dispuestos a escuchar otros puntos de vista». Por tanto, vuelvo a repetir: ¿cuáles son tus herramientas?

–Ya veo, intuyo que pregunta potente y escucha empática, las mismas que en la investigación del Cliente –respondió Javier seguro–. Pero sigo sin ver cómo sería concretamente…

–¿Quieres que probemos? –propuso Andrea.

–Vale, yo de Cliente. Venga, voy:

- Javier-Cliente: «Lo tengo que hablar con mi pareja».

- Andrea-Vendedora: «Lo entiendo, es una decisión importante. ¿Me permite de todos modos preguntarle cómo lo ve usted?».

- Javier-Cliente: «Bueno, bien, a mí me encaja, pero mi esposa también tiene que dar su opinión».

- Andrea-Vendedora: «Claro, es normal. ¿Y cómo cree que será esa opinión?».

- Javier-Cliente: «Bueno, a ella no le gustan los coches tan deportivos, con tanta potencia…».

- Andrea-Vendedora: «Comprendo… Como usted bien sabe, que un vehículo tenga una determinada potencia no significa que haya que usarla siempre: sin embargo, da un plus de seguridad en caso de necesitar aceleración inmediata extra en un adelantamiento, etc. ¿Cómo cree que yo podría ayudarles?».

- Javier-Cliente: «Pues no lo sé, la verdad…».

- Andrea-Vendedora: «¿Cree que les ayudaría, por ejemplo, que les pudiera dejar un vehículo como el que están considerando para que lo prueben libremente el fin de semana completo y puedan hablar y valorarlo ustedes a solas y con tranquilidad?».

- Javier-Cliente: «Oh, pues sí, quizás… ¿Eso sería realmente posible?».

- Andrea-Vendedora: «Por supuesto. Nuestra obligación siempre es proporcionar todas las alternativas posibles a nuestros Clientes para ayudarles en su toma de decisiones. ¿Quiere que lo tramitemos para este mismo fin de semana?».

–Ya veo, hay que tirar del hilo… –dijo Javier–. Saber qué es lo que verdaderamente tiene que pensar, dónde está la objeción. Si es un problema de precio, de tamaño, de prestaciones, de qué en concreto…

–Claro, el no ya lo tienes. Pero, sobre todo, y en primer lugar, no se puede dar nada por supuesto –respondió Andrea–. Tenemos tendencia a presuponer qué es lo que está pensando el Cliente… y puede que estemos totalmente equivocados sobre las razones de su objeción. En segundo lugar, si no sabes dónde está la objeción y de qué tipo es, ¿cómo vas a poder buscar soluciones para solventarla? (recuerda, siempre proponiendo, nunca imponiendo). ¡Es preciso saber qué le duele al Cliente una vez más! Así que no queda otra que afrontar esa conversación difícil y no dejarla pendiente…

–¿Y si me plantean una objeción no velada sino directa, como «en la Concesión X me dejan el mismo coche por 3000 € menos»? –preguntó Javier.

–¿Qué tal si me respondes tú? –dijo Andrea.

–Pues lo mismo, ¿no? Preguntar de forma potente y escuchar empáticamente, preguntar y escuchar, preguntar y escuchar –dijo Javier.

–Tal cual. Según Chris Voss, siempre hay un «cisne negro», alguna píldora de información clave que, de descubrirse, lo cambia todo –respondió Andrea.

–Ya, como que igual el coche que le están ofertando en el otro sitio no es exactamente el mismo, ¿no?

–Claro. Todos compráis a los mismos precios, tenéis los mismos márgenes… Si la diferencia entre una Concesión y otra es tan importante, es probable que haya algo más oculto… –respondió Andrea.

–Preguntar y escuchar así no es presionar, es querer saber dónde está el «cisne negro» para buscarle una posible solución –repitió para sí Javier.

–Sí. Y, en cualquier caso, también es preciso decir aquí que, cuanto mejor trabajada esté tu relación de confianza con tu Cliente, menor será la probabilidad de que surja entre vosotros una «conversación difícil» o de que quede entre vosotros, llegado el momento del cierre, «una conversación pendiente» –dijo Andrea.

–La dichosa confianza otra vez –dijo Javier.

–Tan y tan importante para las relaciones humanas, sí –confirmó Andrea–. Y es que, como también dice Amy Cuddy, «**la confianza es la única vía para influir en los demás**». Y la gran paradoja es que para poder influir en los demás primero tienes que dejarte influir por ellos, escuchando empáticamente sus historias, entendiéndolas de verdad, haciéndolas tuyas. Confianza, escucha plena, pregunta, volvemos siempre a lo mismo, sí. Todo ello está íntimamente relacionado.

En ese momento, Javier hizo una larga pausa, sopesando bien lo que iba a decir y buscando la energía para hacerlo. Necesitaba afrontar la conversación pendiente que había entre ellos dos.

–Tú me has recogido sin juzgarme, has aceptado lo que yo traía, has escuchado mis razones, me has preguntado y me has acompañado, sin imponerme nada, para que pudiera ver otras realidades. Pero…

llegados a este punto, necesito saber, por favor, ¿por qué me regalaste realmente este viaje? ¿De verdad se te ocurrió sin más, fue casual, o había alguna razón más detrás? –preguntó Javier directamente.

–Bueno, la verdad es que el viaje no lo monté por ti, si es eso lo que estás pensando. Ya me rondaba en la cabeza desde hacía tiempo porque este año se cumplían 20 de nuestra primera vez y aquel había sido un viaje mágico para nosotros. Pero sí, hay algo más –y Andrea hizo también una pausa–. En su 60 cumpleaños, tu madre me pidió ayuda: ella te veía mal en los últimos meses, acababa de saber por Laura que lo habíais dejado y que parecía que todo tenía que ver con posibles dificultades con tu nuevo trabajo. Y uní las piezas del puzle para intentar ayudarte de la mejor forma que se me ocurrió –dijo Andrea muy seria–. Ya lo ves, todos tenemos oculta una u otra conversación difícil. Te debo una disculpa: siento de verdad no haber sido del todo honesta contigo. Si sirve de algo, te diré que tampoco ha sido fácil para mí…

El silencio que se creó entonces fue uno de esos que se podía cortar con un cuchillo. Al cabo de un minuto…

–La verdad es que sinceramente no sé si sentirme enfadado por cómo me habéis manipulado entre todos o si sentirme feliz por pensar en cuánta gente tengo a mi alrededor que se preocupa por mí y me ayuda con todos los medios posibles –respondió Javier muy serio–. ¿Todos los del viaje saben de tu plan y están metidos en «la conspiración»?

–No, solo Marc y yo, el resto no sabe nada. Han venido por lo que el viaje realmente significa y por propia voluntad –dijo Andrea franca.

–¿Y nuestra confianza dónde queda ahora? –preguntó Javier, algo tenso.

–Dímelo tú… –respondió Andrea lentamente.

De pronto apareció ante ellos un puente colgante decrépito y larguísimo, de no menos de 50 m y a no menos de 20 m de altura del río sobre el que se erguía. Un río impresionante que, en plena estación monzónica, bajaba con una potencia y un caudal extraordinarios. El ruido del agua era ensordecedor. El cartel que lo precedía decía *Marsyangdi River Bridge. Welcome to Bhulbhule*. El poblado, justo en la otra orilla, estaba unos 5 o 6 m por encima de esta, con lo que el puente colgante además hacía una perfecta U cóncava en subida. Por supuesto, las tablas del suelo del puente estaban mojadas, eran todas irregulares y, encima, faltaban algunas que dejaban ver el río debajo bajando a toda velocidad. Todo un reto para Javier y su terrible vértigo. Se quedó parado delante del puente sin hablar. Andrea pensó de pronto que era irónico que hubieran estado hablando de gestión de objeciones o de negociación. Una bien importante se presentaba ante ellos. Se decidió a hablar ella:

–Bueno, aquí tenemos el primero de esos puentes colgantes de madera de los que hablamos con Robert, ¿te acuerdas? ¿Quieres cruzarlo tú solo o prefieres que te dé la mano y crucemos juntos?

–Necesito un minuto... Me lo tengo que pensar un poco, por favor... –respondió Javier.

Andrea miró la pálida cara de su sobrino con cara sorprendida y en cuanto captó su mirada soltó una sonora carcajada.

–¿Estás de broma o de verdad no te has dado cuenta de lo que acabas de decir?

Al instante, Javier cayó en la cuenta de la conversación que acababan de tener sobre los cierres, las objeciones, las conversaciones difíciles o pendientes y de cómo se evitaban y enmascaraban con frases pantalla.

–Jajaja –rio nervioso, y de inmediato se volvió a poner muy serio–. Madre mía, no, no lo he hecho a propósito –e hizo una pausa–. Me has intentado hacer un cierre de doble alternativa (cruzar solo o contigo de la mano) y yo te he respondido con una pantalla, ¿es eso, verdad?

–Bueeeeeno, me alegra comprobar que, pese a tu estado de secuestro amigdalar, tu cerebro racional aún funciona –dijo Andrea.

–¿Mi secuestro qué? –respondió él desconcertado.

–Secuestro amigdalar, un término acuñado por Daniel Goleman para explicar esas situaciones en las que nuestras emociones parecen hacerse dueñas de nuestra voluntad.

En ese justo instante los alcanzaron Ainara y Mar, que, sin pensárselo, metidas en su propia conversación, los adelantaron y empezaron a cruzar despreocupadas.

–¡Cóooooomo mola este pedazo de puente! ¡Y cóooooomo se mueeeeve, yuuuuuhhhh! –dijo Ainara mientras se balanceaban ella y Mar–. ¿Cómo los construirán? ¿Vamos al centro y allí tú te paras, yo sigo cruzando y te hago unas fotos? –le dijo a Mar–. ¡¿Os unís vosotros?! –les gritó a Andrea y a Javier, que aún seguían al principio del puente parados y sin pisarlo.

–Ainara, ¡para un poco, cariño, que te mueves mucho y con las dos esto va a entrar en resonancia y vamos a salir volando! –dijo Mar–. Creo que deberíamos haber cruzado de una en una, ¡la de locuras que me haces hacer! –y tras una breve pausa, mirando hacia un lado y hacia el otro: Madre mía, ¡qué puentazo, sí! Ni idea de cómo los deben de hacer. ¿Y cómo habrán pasado los de las bicis? Espero que no hayan tenido ningún problema… ¡Son capaces de haber pasado subidos a la bici!

–¡Tirad vosotras, chicas, nosotros nos lo vamos a pensar un poco! –dijo Andrea levantando la voz para que la oyeran sus amigas.

Mar giró la cabeza hacia ella y en un instante comprendió lo que estaba pasando.

–Ok, Andrea. Os esperamos al otro lado. No nos moveremos de allí hasta que crucéis. Y si necesitas ayuda, me avisas y vuelvo atrás, ¿vale? –gritó Mar desde el medio del puente. Andrea le hizo un gesto de ok con su mano derecha.

Javier seguía paralizado y sin hablar. De pronto dijo:

–En mi cabeza solo veo la escena del puente colgante de *Indiana Jones y el templo maldito*.

–Jajaja, pero aquí no hay cocodrilos abajo ni monjes paranoicos que nos quieran asesinar –respondió Andrea.

–Ya, pero si esto se rompe, acabaremos igual que los que se caían allí –respondió Javier–. Y tiene pinta de que puede romperse en cualquier momento, la verdad.

–Ya, y en cualquier momento también puede haber un terremoto o un desprendimiento de tierra que se nos lleve a todos por delante, o nos puede dar un ataque al corazón, o… –dijo Andrea.

–Todo eso no me anima ni me ayuda, ¿sabes? –respondió Javier enfadado.

–¿Ayuda si te digo que, al otro lado, un poco más arriba del pueblo, hay una cascada paradisíaca de unos 60 m de caída y que en cuanto crucemos nos vamos a tomar a tu salud la cerveza más fría que uno se pueda tomar en Nepal? –le dijo Andrea con cierta sorna.

–Tampoco, no… –respondió titubeante Javier.

–¿Ves por qué no creo en la psicología conductual y sus premios y sus castigos? –dijo Andrea.

–¿Estoy teniendo una especie de ataque de ansiedad por vértigo y tú te pones a desvariar? –se quejó Javier a su tía.

–Sí, tienes razón, ha sido mi aire. Vamos a centrarnos. Necesito que me mires –dijo Andrea, pero Javier siguió mirando al suelo–. ¿Me puedes mirar, Javier, por favor? –y entonces sí, Javier levantó la cabeza y la miró–. Necesito que me mires a mí y solo a mí y que hagas un esfuerzo por escucharme bien, ¿ok? –Javier movió la cabeza de arriba abajo sin dejar de mirarla–. Necesito que me hables. ¿Qué te acabo de decir, cariño?

–Que te mire solo a ti y haga un esfuerzo por escucharte bien –respondió Javier con un hilo de voz.

–Muy bien, cielo. Vamos a ello. Ahora necesito que respires profundamente –le dijo Andrea–. No desvíes la vista, sigue mirándome, por favor. Bien. Y respirando. Tras cada inspiración, aguanta por favor el aire 2 segundos antes de exhalarlo. Necesito que cuentes –y se puso a respirar pausadamente con él y a contar. Cuando Javier llevaba 10 respiraciones, Andrea siguió hablando en tono suave–: Vale, ahora vamos a dar el primer paso: yo delante de ti y tú me vas a seguir. Necesito que te cojas bien a los cables de acero de las barandillas. Y con cada paso que des, te voy a hacer una pregunta que necesito que respondas, ¿ok?

–No he entendido nada, no sé si puedo cruzar este puente… –dijo Javier tenso.

–No quiero que pienses en cruzar este puente, solo necesito que pienses en dar un paso, por favor. ¿Puedes dar un paso, Javier? Solo un paso, vamos, conmigo…

Y Andrea dio su primer paso andando de espaldas, sin dejar de mirar a Javier ni un momento.

–Vamos, cielo, necesito un paso, solo uno… –le dijo Andrea.

Javier movió su pierna derecha hacia adelante muy despacio, con sumo cuidado y atención, sin dejar de respirar profundamente. Mientras lo hacía, Andrea le dijo:

–¿12 × 8?

–¿Cómo? –respondió Javier.

–¿Cuánto es 12 × 8? –repitió Andrea.

–96 –dijo Javier, a la vez que completaba su primer paso.

–Genial, necesito otro paso, Javier. Otro paso –volvió a decirle serenamente Andrea. Y cuando Javier estaba levantando el pie, le volvió a decir–: ¿17 × 12?

–¿204? –respondió Javier titubeante.

Y así, paso a paso y multiplicación a multiplicación, Javier consiguió cruzar el puente colgante. Nada más llegar al final, las tres mujeres se le echaron encima para abrazarle.

–¡Bravo, campeón! Que sepas que, sin miedo, el valor no vale nada. El mérito está en tener miedo y ser capaz de seguir adelante. Y oye, que sepas que, como contaba Ovidio en su *Metamorfosis*, ¡hasta los semidioses tenían vértigo; cómo Faetón, hijo mortal de Apolo, cuando quiso conducir el Carro del Sol! –le dijo Mar muy cariñosa.

–¡Himavaaaaat, paaaaara el turbo, rey, que Faetón y sus chicas nos vamos a tomar una cerveza a su salud! ¡Y tú también, anda vente para acá! –dijo Ainara divertida gritando a Himavat, pero de pronto, dirigiéndose a sus amigos, quiso saber–: Oye, aunque ahora que lo pienso, Faetón se la pegó, ¿no?

–¡Joooope, Ainara, ese es un detalle sin importancia que ahora no viene al caso, hija! –le dijo Mar, dándole un codazo burlón.

Todos rieron de buena gana la ocurrencia de Ainara y los comentarios posteriores. No había cerveza, así que se tomaron una Coca-Cola sin azúcar. Y no estaba fría, pero en ese momento daba igual. Sentados los 5 en una terraza con vistas al puente y al magnífico valle por el que bajaba el río, con su refresco en la mano, más relajados todos, Ainara volvió a intervenir:

–Oye, a mí me sigue rondando por la cabeza cómo los construirán… Me parece alucinante… ¿Habéis visto los cables de acero que lo sustentan? Debe de tener cada uno como 8 o 10 cm de diámetro y no menos de 60 m de longitud, una barbaridad. ¿Tú sabes lo que debe de pesar eso? ¿Y cómo los traerán hasta aquí?

–Tengo una foto que lo explica y que te fascinaría –respondió Andrea–. Pues los traen como lo transportan todo aquí, con porteadores. Nosotros, la primera vez, cuando íbamos en el autobús hacia Besisahar adelantamos a una columna humana de más de 100 personas que llevaban uno de esos cables de acero, imagina, como una larga serpiente ondulante sobre sus hombros… Les hice una foto desde la ventanilla del autobús y, además, justo en el momento de hacerla, uno de ellos se giró y me miró con expresión amable… ¿Os imagináis este trekking los 4 en fila llevando un cable de acero a hombros? Madre mía…, nunca pensamos en el esfuerzo y el sacrificio humano que hay detrás de tantas y tantas construcciones magníficas de la antigüedad… y de algunas no tan antiguas…

Todos guardaron silencio, pensando en cómo un viaje así hacía cambiar la perspectiva de un sinnúmero de cosas. Acabados los refrescos y unas aguas, siguieron la marcha. En cuanto se formaron de nuevo los grupos naturales, Javier retomó su conversación con Andrea:

–Habrá más puentes como este, ¿verdad?

–Sí, algunos más –respondió Andrea serena y pausadamente–. Pero ahora ya sabes que los puedes cruzar y cómo hacerlo, ¿no?

–¿Qué me has hecho para que cruzara? ¿A qué ha venido eso de las multiplicaciones? –dijo Javier pensativo.

–Juntos hemos autorregulado tus emociones, que lo sepas –respondió Andrea.

–¿Ah, sí? ¿Me lo explicas, por favor? –pidió Javier.

–Verás… Explicado de manera simple, cuando sentimos miedo hay una parte de nuestro cerebro emocional, la amígdala (que en realidad son dos, como dos almendritas), que toma el control y «pulsa el botón del pánico», activando un montón de cosas: se nos acelera el ritmo cardíaco, la respiración, aumenta la presión sanguínea para llevar más sangre a los músculos, etc. Nos prepara, en definitiva, para responder a una amenaza, aunque también nos puede paralizar. A ese estado se le llama «de secuestro amigdalar», porque además las funciones racionales se inhiben para que todo ese esfuerzo consciente se centre en la pura supervivencia (lucha o huida) –explicó Andrea.

–Seguimos siendo auténticos animales emocionales –comentó Javier.

–Sin duda… Las técnicas para autorregular todo eso se basan, por una parte, en «engañar» a la amígdala y, por otra, en reactivar las funciones racionales –prosiguió Andrea.

–¿Cómo se puede «engañar» a la amígdala? –preguntó Javier.

–Con el control consciente de la respiración. Y es que la respiración es la única función fisiológica que, siendo en origen un acto reflejo, puede ser controlada conscientemente. Así, al imponerte respirar de forma pausada consigues que tu cuerpo en realidad le diga a tu cerebro: «Tranquila, amígdala, no pasa nada, ¿lo ves? Estoy respirando con calma, el peligro ha desaparecido». Por eso se dice que «quien controla su respiración, controla su mente». Y es la base del yoga, del *mindfulness*, etc. –dijo Andrea.

–Qué interesante, engañamos a nuestra propia respuesta emocional… ¿Y lo de las multiplicaciones ha sido para reactivar las funciones racionales? –preguntó Javier.

–Exactamente. Tal y como nos contaba Daniel Kahneman, el Sistema 1, el rápido, no sabe resolver operaciones complejas, así que tiene que llamar al Sistema 2 para que las resuelva. De forma que cada vez que resolvías una multiplicación, dabas un poquito más de control sobre tu actividad cerebral a tu cerebro racional, que, por tanto, inhibía parcialmente el botón del pánico –siguió explicando Andrea.

–Alucino, me parece fascinante, la verdad… ¿Y lo de no pensar en cruzar todo el puente sino en dar solo un paso, por qué ha sido? –volvió a preguntar Javier.

–Se trata de la gestión por microobjetivos, algo que se aplica con resultados extraordinarios en múltiples ámbitos de la vida –dijo Andrea–. Y es que pensar en los grandes objetivos que se nos plantean en la vida, como «conseguir un buen trabajo», «ganar la liga este año», «conseguir sobrevivir en una batalla militar con inferioridad de efectivos», «sobrevivir en el frío hielo de la Antártida sin apenas provisiones ni cobijo» o… «conseguir el objetivo de ventas cada mes» nos genera una gran ansiedad ante el miedo o la posibilidad de no poder conseguirlos.

–Pensar en grandes objetivos nos abruma… –repitió Javier.

–Así que hay que partirlos y pensar en pequeño. Porque los objetivos pequeños, los microobjetivos, son más asumibles. Por eso los entrenadores de fútbol actuales, cuando los periodistas en rueda de prensa les preguntan cosas como: «Después de la última victoria, ¿ven más cerca ganar la liga este año?», responden: «Ahora solo me importa el partido del próximo domingo, que es en el que estamos centrados, lo demás no existe». En el entrenamiento militar también se enseña a los soldados y a los mandos a buscar microobjetivos asumibles: «No sé si sobreviviré a esta batalla y pensar en ello me abruma, pero sí puedo intentar llegar a aquella loma que está a 15 m para ponerme a cubierto; eso sí lo puedo hacer». Y al centrarnos en un microobjetivo, es decir, el siguiente paso, con atención plena, olvidándonos del objetivo mayor, avanzamos en realidad hacia él.

–Así que yo, que estoy todo el mes angustiado por si llegaré o no al objetivo de ventas, contando cuántas ventas me faltan aún, debería centrarme en conseguir cada venta y nada más, ¿verdad? –descubrió Javier, como si tuviera una revelación.

–Yo en mis cursos de ventas siempre formulo la siguiente frase muy al principio: «Para conseguir el objetivo, hay que olvidarse de él» –dijo Andrea, mirando a Javier a los ojos mientras seguían andando.

–Provocadora como siempre… –sonrió Javier.

–Sí, y todos los participantes se revuelven en sus asientos y hacen comentarios de todo tipo, desde: «Imposible, mi Jefe de Ventas me lo recuerda cada día» a otros más crudos como: «Sí, seguro, si me olvido del objetivo, no como a fin de mes» –admitió Andrea.

–… Sin darse cuenta de que su propia ansiedad juega en su contra –confirmó Javier.

–Tal cual. Afortunadamente, la mayoría de ellos después lo acaban comprendiendo… –dijo Andrea tranquila.

–Madre mía, cuántas cosas del funcionamiento de nuestro cerebro podemos aplicar a nuestro día a día, estoy de verdad impresionado –confesó Javier sin dejar de mirar a Andrea, que le devolvió la mirada y decidió afrontar en ese momento la conversación que habían dejado pendiente.

–Javier, justo antes de encontrarnos con el puente colgante, te preguntaste cómo se suponía que quedaba entonces nuestra confianza –dijo Andrea con serenidad–. Y yo te pedí que me lo dijeras tú… Me gustaría conocer la respuesta, por favor…

Javier miró a su tía y luego al suelo, buscando esa respuesta y las palabras para expresarla. Luego dijo:

–Me alegro mucho de estar aquí y ahora contigo, Andrea. Lo demás ahora no me importa. Todo lo que estoy viviendo y aprendiendo me acompañará toda mi vida. Y creo que este viaje me está uniendo a ti más aún de lo que ya lo estaba. Así que nuestra confianza está bien, a salvo, creciendo de hecho, diría yo… –y se atrevió a mirar un momento y de reojo a su tía, que se había parado a su lado y le miraba con los ojos brillantes.

Se intercambiaron una sonrisa y siguieron andando. No hacía falta hablar más.

Las 2 horas siguientes de caminata fueron especialmente duras. Parecía un trekking de escalones esculpidos en la montaña que no se acababan nunca. De pronto, entrada la tarde, llegaron al pueblo de Bahundanda (a 1210 m de altitud). Quedaba muy poco para el fin de la primera etapa cuando se encontraron con el cartel que indicaba su hotel, justo delante de otro impresionante tramo de escaleras de piedra: *Mountain View Hotel. Only 50 more steps and you will arrive at the hotel with the best views. No formal dressing required* («Solo 50 pasos más y llegará al hotel con las mejores vistas. No se requiere vestimenta formal»).

–Qué cachondos los tíos, ¿no? No requiere *formal dressing*. Hijos de… –dijo Ainara, pensando en su vestimenta mojada por la lluvia, el sudor y su cansancio extremo–. Cómo se nota que ellos no llevan 6 horas subiendo escalones como cabrones… –remató, entre malhumorada y divertida.

–Jajaja, ¡qué buenos! La verdad es que te arrancan una sonrisa, pese al cansancio. Y el mensaje invita a subir, ¿no? Venga, ¡ya no nos queda nada! ¡Y el culito se nos va a poner duro como el acero! –dijo Mar, empezando a subir los últimos escalones hasta el hotel.

–Espero que siga estando regentado por la misma familia –dijo Andrea, siguiendo a Mar por las escaleras–. Eran de lo más divertidos. Nos contaron que cuando esto del trekking arrancó y en temporada alta dormían 150 personas en su *lodge*, se despertaban en medio de la noche sobresaltados pensando que habían entrado tigres en la casa. Y que al descubrir que eran los ronquidos de los *trekkers*, decidieron cobrar 10 rupias más por noche a los que roncaban, jajaja.

–Jajajaja –rio Ainara (y todos)–, definitivamente estos tíos nepalíes son unos cachondos.

3.24 UN INVITADO INESPERADO: ¿CAMBIO DE PLANES? (LA PIRÁMIDE INVERTIDA)

La segunda etapa, de Bahundanda (1210 m) a Chyamje (1310 m), había transcurrido sin contratiempos, pero con algunas subidas realmente fuertes, cubriendo unos 1100 m de subida neta (con 925 m de bajada, lo que suponía un desnivel bruto de casi 2000 m).

La comida de todos juntos, *trekkers* y *bikers*, en una terraza con vistas en Jagat, a pesar de la incesante lluvia fina, había sido simplemente maravillosa.

Ese sitio de comidas, como casi todos a lo largo del trekking, contaba con una carta certificada por el ACAP (Annapurna Conservation Area Project), con un menú ligeramente adaptado para los *trekkers*, basado fundamentalmente en *noodles*, arroces y patatas combinados con diferentes proteínas (huevos, pollo, etc.), como alternativa al *dal bhat* de lentejas que los nepalíes comían a diario y casi en exclusiva. Así, además, se conseguía que los extranjeros no tuvieran la tentación de traer comidas envasadas desde origen (al menos no tantas) y que en cambio consumieran y gastaran recursos locales (con casi nulo desecho plástico también). El ACAP se encargaba de dar cursos de cocina y de gestión de *lodges* a todos los propietarios presentes en el camino, incluyendo pautas y ayudas para que además cocinaran con queroseno y evitar así la deforestación masiva de la zona. Todo parecía bien pensado para asegurar un turismo sostenible y que generara verdadera riqueza en la población local.

Además, la llegada a las 15:00 a Chyamje, justo en una tregua de la lluvia por la tarde, les permitió hacer la colada en la fuente del pueblo, consistente en una manguera enorme que provenía de algún punto alejado y más elevado del río que transcurría en paralelo. Pura física: presión continua y agua dulce constante, sin tener que bajar al río a buscarla. El agua era vida. Y el pueblo tenía mucha. De ambas.

De hecho, la colada había sido de lo más social y divertida, puesto que la habían compartido con medio pueblo en su hora del aseo diario. Todos se lavaban la ropa, el pelo y el cuerpo, todo a la vez, sin desvestirse y con las mismas pastillas de jabón. Según les habían contado, estaban hechas con una mezcla de hierbas exóticas y aceites naturales del Himalaya, cuya tradición y fórmula, ayurvédica, claro –y, por supuesto, secreta–, se remontaba miles de años atrás.

–¿Tradición milenaria secreta ayurvédica de hierbas y aceites del Himalaya? –refunfuñaba Javier–. Será un jabón de glicerina y punto, que les deben de entregar en paquetes de 50 kg por lo menos. Y probablemente de glicerina vegetal obtenida de aceite de coco o de aceite de palma. Y estáis aquí todos babeando y dejándoos embaucar como «guiris» novatos.

–Ay, hijo, de verdad, ¿a ti no te habíamos curado ya ese escepticismo tan áspero, bonito? ¿Qué te pasa, rey? ¿Por qué no te relajas y disfrutas? ¿Cuántas veces en la vida has compartido baño con medio pueblo nepalí en la fuente de su pueblo con agua corriente de su río? ¡Yo ninguna antes y me encanta! –le dijo Ainara con tono ilusionado–. Además, a ellos les deja el pelo con un brillo espectacular, así que yo lo voy a probar.

–¡Y yo también! –se unió Mar, en el momento en que se enjabonaba el pelo.

Andrea estaba feliz. Veía cómo todos se sentían contentos e integrados con la población local, profundamente amable y simpática. Y hasta habían interiorizado por completo el saludo habitual del *namasté*, al que los locales respondían siempre de igual forma y muy risueños. Entre ellos mismos ya se daban los buenos días y las buenas noches diciéndose *namasté*. Incluso Javier.

Sin embargo, el tercer día de trekking había amanecido terrible en Chyamje. Ya no caía chirimiri: era una auténtica tormenta, con truenos y todo.

La ropa lavada el día anterior no solo no estaba seca, sino más empapada que tras haberla lavado, a pesar de haber estado a cubierto. Y es que la humedad era altísima. Así pues, la ropa estaba inutilizable y, lo peor, no iba a ser fácil transportarla sin que mojara todo lo demás. Lección a aprender.

Todos, *trekkers* y *bikers*, se habían tomado el desayuno con calma, con la esperanza de que la lluvia amainara un poco. Pero nada.

De modo que a las 8:30 decidieron todos iniciar ruta o de lo contrario se les iba a hacer de noche antes de llegar a su destino previsto, el pueblo de Bagarchap (2115 m). Tenían por delante un desnivel de 1750 m de subida y casi 1000 m de bajada.

Javier estaba especialmente serio y callado. Y andaba muy despacio. Algo parecía rondarle la cabeza. Andrea, no obstante, decidió que, si quería algo, debía afrontar la conversación por él mismo, sin ayudas ni invitaciones. Cosa que no tardó en hacer…

–Andrea, me gustaría comentarte algo que desde ayer me da vueltas en la cabeza –dijo calmado.

–Tú dirás… –respondió Andrea.

–Quiero que sepas que de verdad pienso que todo lo que hemos hablado tiene todo el sentido del mundo para mí y que seguro que, bien hecho, debe de funcionar…, pero sé que yo no lo voy a poder aplicar en mi día a día de ninguna manera –soltó por fin Javier.

Como tierra (en transición personal, pero terroso aún), era claro y contundente en sus afirmaciones. Sin embargo, Andrea no se inmutó, haciendo gala de su gran autocontrol, y acogió el comentario-crisis de enmienda a la totalidad con serenidad. Sabía que debía investigar las razones con él con calma.

–¿Y puedo preguntar qué es lo que te ha hecho darte cuenta de eso? –dijo tranquilamente.

–Bueno, este nuevo método requiere, sin duda, más tiempo para cada Venta. Un tiempo que yo no tengo. Si ya ahora a duras penas llego a realizar todas las tareas administrativas que están asociadas al trabajo que hago, si encima tengo que invertir más tiempo en cada venta, me será del todo imposible conseguirlo.

–Jajajajajaja –rio Andrea con una sonora carcajada de liberación.

–¿Por qué te ríes? –le dijo Javier muy serio–. No creo que lo que acabo de decirte tenga ninguna gracia, así que imagino que te ríes de mí y no me gusta. Además, rompe nuestra alianza –remató seco y dolido Javier.

–No, no, qué va –dijo Andrea rápidamente–. Perdona si mi risa te ha ofendido, pero es que hace días que espero esta objeción y me venía preguntando cuánto tardarías en lanzármela y con qué nivel de fuerza en la escala Richter de terremotos. En mis cursos de ventas mis Vendedores la lanzan a las primeras de cambio.

–¿Eso significa que tienes una buena respuesta para ella? –dijo Javier algo más aliviado.

–Bueno, yo como siempre tengo una explicación. Que se convierta o no en una buena respuesta para ti es un ejercicio personal tuyo –respondió Andrea intentando hacerle, como siempre, copartícipe de las posibles soluciones–. Y, por supuesto, mi explicación empieza por una pregunta para ti…

–Vale, dispara –dijo Javier atento.

–¿Serías capaz de determinar cuánto tiempo dedicas actualmente a cada una de las fases del proceso de venta? –preguntó Andrea.

–¿Quieres decir tiempo, tiempo, en minutos? –quiso concretar Javier.

–Sí, tiempo en minutos –respondió clara Andrea.

–Pues a ver –dijo Javier, parándose en medio de la lluvia y cogiendo una ramita para pintar en el suelo a falta de otra cosa–. En la Fase 0, actualmente invierto 0 minutos, ya que no hago trabajo sistemático alguno de preparación de mí mismo, ¿no?

–Bueno, pero preparas tu entorno de trabajo, tus herramientas… –convino Andrea.

–Ok, 5 minutos al día, a primera hora de la mañana –dijo él–. Si divido ese tiempo entre todos los procesos de venta o visitas que atiendo en el día, no me sale ni a 1 minuto por cada uno. Pongo 1 minuto, venga –cerró, pintando en el suelo *Fase 0 = 1 minuto*, tapándolo con el paraguas.

–Ok, venga, ¿siguiente? –aceptó Andrea.

–Fase 1 de Acogida del Cliente. Si tenemos en cuenta que debería incluir la observación consciente del Cliente, el saludo espejado, la sincronización con su estilo relacional y el inicio de la Triple C de la Confianza, pues invierto otro minuto porque no hago nada de todo esto, solo le doy la mano y la bienvenida al Cliente –reconoció, pintando en el suelo *Fase 1 = 1 minuto*.

–Vale, de acuerdo... ¿Seguimos? –sugirió Andrea.

–Fase 2 de Investigación de Motivaciones y Asesoramiento. Lo cierto es que en cuanto le pregunto en qué coche había pensado y le saco cuatro ideas básicas del tipo de motorización, combustible y acabado, saltamos directamente a la exposición a un coche concreto y ya le hablo de las características técnicas de ese vehículo, con un discurso que tengo aprendido, siempre el mismo. Vamos, que me quedo habitualmente en sus necesidades instrumentales y no mantengo una conversación con preguntas de seguimiento abiertas para conocer sus verdaderas motivaciones de compra, ni asesoro ni presento alternativas que encajen con esas posibles motivaciones de forma realmente personalizada. No invierto más de 15 o 20 minutos, es la realidad – dijo, escribiendo de nuevo en el suelo *Fase 2 = 15-20 minutos*.

–Bien, es lo que tú dices... ¿Más? –propuso Andrea.

–Veamos, Fase 3 de Presentación de la Solución. Aquí viene cuando, como dices tú, ya me «parapeto» detrás de mi mesa y nos ponemos a configurar la oferta, revisando una a una toooooodas las opciones del catálogo de producto en la aplicación que tenemos para ello. Imprimo la oferta, se la explico en detalle y le presento todos los posibles servicios adicionales que podría contratar (financiación, paquetes de mantenimiento, seguros, etc.). Eso me lleva al menos unos 40 minutos. Si además le propongo hacer una prueba del vehículo, que ya sé que no hay que hacerla aquí, pero es cuando yo la suelo hacer, debo sumar al menos 40 o 45 minutos más porque yo además acompaño siempre al Cliente –y escribió nuevamente en el suelo *Fase 3 = 40 minutos + 40 minutos (demo) = 80 minutos*.

–Ok, ya casi lo tenemos... ¿Y la que falta? –siguió Andrea.

–Vamos a ver, la Fase 4 de Cierre y Gestión de Objeciones (que incluye la negociación, como un tipo particular de objeción). Pues si cuento que suelo tener varias iteraciones, llamadas telefónicas, alguna nueva visita, que a menudo tengo que rehacer varias veces la oferta, hablar con mi jefe para conseguir descuentos, etc., yo creo que en total dedico una media de al menos 2 horas –reconoció él, pintando una vez más en el sueño *Fase 4 = 120 minutos.*

–Muy bien –dijo Andrea poniéndose junto a él y mirando todo lo escrito en el suelo, una fase debajo de la otra, con sus tiempos al lado–. ¿Te sientes cómodo con lo que has escrito o quieres modificar algo?

–No, está bien así –confirmó Javier.

–Bien. ¿Puedes asignar ahora la forma de un rectángulo a cada fase, haciendo que el largo de cada rectángulo sea aproximadamente de una longitud proporcional al tiempo de cada fase? –propuso Andrea.

Javier comenzó a dibujar en el suelo los rectángulos con la ramita. Los dos seguían parados, mirando el dibujo, que tapaban con sus paraguas. Cuando Javier terminó:

–¿Sabrías decir qué figura geométrica se vislumbra o conforman todos los rectángulos apilados unos sobre otros? –preguntó Andrea.

–¿Una pirámide? –dijo dubitativo Javier.

–Sí, ¿verdad? Una pirámide en la que las fases más cercanas a la base son las de los rectángulos de mayor duración o longitud, ¿no? –repitió Andrea.

–Sí, correcto, yo dedico en la actualidad mi tiempo de venta sobre todo a las Fases 3 y 4 –confirmó Javier.

–Perfecto. ¿Qué te parecería si ahora pensáramos y escribiéramos al lado los tiempos de las diferentes fases tal y como «deberían» ser, según todo lo que hemos hablado?

Javier acometió en silencio el mismo ejercicio que acababa de hacer, pero decidiendo los tiempos teóricos que debería aplicar para realizar cada fase según lo hablado con su tía.

–Creo que ya veo por dónde vas… –dijo mientras acababa de dibujar los nuevos rectángulos apilados de tiempos.

–¿Qué figura geométrica te sale ahora? –preguntó calmadamente Andrea.

–Una pirámide… ¿al revés? –dijo Javier dubitativo.

–Se llama **pirámide invertida de la venta consultiva** –respondió Andrea–. Fue Neil Rackham (una vez más) quien se dio cuenta de que la fase que más tiempo debía consumir era la de Investigación de Motivaciones (aunque él hablaba aún entonces de necesidades). Y es que, si hacemos realmente bien esa fase, las siguientes se reducen extraordinariamente, tanto en el «esfuerzo de ventas» como en el tiempo real invertido en ellas de manera total.

–Es decir, ¿tú defiendes que tu modelo al completo no consume más tiempo, sino que lo distribuye de otra manera? ¿Es eso lo que estás diciendo? –quiso confirmar Javier.

–Sí, eso mismo. ¿Recuerdas tus experiencias de compra con Robert y con Basú? ¿Y la de Hari en la agencia? Todas ellas sin excepción respondían a un modelo de venta por pirámide invertida, gracias al cual el esfuerzo y el tiempo que tuvieron que dedicar a las fases finales fue mínimo. Por haber hecho bien el trabajo en las fases iniciales.

Javier se quedó mirando en el suelo las pirámides que él mismo había dibujado. A continuación, sacó su móvil y les hizo una foto. De pronto apartó su paraguas y ambas pirámides empezaron a difuminarse con las gotas de la lluvia que seguía cayendo sin parar.

–Supongo que solo me queda atreverme a ponerlo en práctica, ¿no? –dijo, casi pensando en voz alta–. Creo que me haré un esquema básico de todo lo que representa la pirámide invertida, me lo plastificaré y lo tendré encima de mi mesa para mirarlo siempre antes de atender a un Cliente.

–Me parece una estupenda idea, Javier –dijo Andrea, reanudando de nuevo la marcha.

Al poco rato divisaron ya a Ainara y a Mar, que también habían parado y parecían tener algún tipo de problema.

–¡Me cago en la madre que las parió y en los progenitores que las engendraron a todas ellas juntas! –dijo Ainara, justo cuando Javier y Andrea las alcanzaban.

–Son hermafroditas, tienen 32 cerebros, una mandíbula con 3 hileras de 100 dientes cada una y 9 pares de testículos, cielo –le respondió Mar con calma–. Su padre y su madre son el mismo bicho.

–¡Madre mía! –exclamó Andrea al oírlas a las dos–. ¿De qué estáis hablando?

–¿No habéis notado nada en las piernas? –les dijo Mar.

–¡Sí, sí, levantaos los pantalones, que vais a flipar! –les gritó Ainara.

Al hacerlo, todos descubrieron sus piernas literalmente llenas de sanguijuelas que les estaban succionando la sangre.

–Pero, ¡¿qué demonios es esto?! –exclamó Javier.

–Hombre, ¡ya estaban tardando en aparecer! –dijo Andrea.

–¡¡¡¿Quéeeeee, que ya tardaban?!!! –gritó de nuevo Ainara–. ¡No me pueden dar más asco, por favor!

–Sí, salen con la lluvia intensa, como los caracoles y las babosas en nuestras latitudes –confirmó Andrea.

–Al menos no está descrito que propaguen enfermedades. Y antes de venir leí un artículo de la web de la BBC que decía que en la actualidad están usándose de nuevo con fines médicos. Especialmente en la cirugía reconstructiva. Es flipante, pero al parecer evitan que la sangre se coagule en las zonas implantadas, reducen la presión sanguínea en los vasos y favorecen que se formen nuevas conexiones vasculares –explicó Mar–. Las están volviendo a criar y comercializar desde laboratorios farmacéuticos de varios lugares del mundo… Hay que mirarse enteros, chicos. Inyectan un analgésico que hace que no te enteres de que te muerden. Venga, todos a desnudarse.

–¡¿Y cómo diantres se quitan?! –insistió Ainara, mientras empezaba a bajarse los pantalones de trekking.

–Con la uña basta. En realidad, una vez llenas de sangre, ellas solas se dejan caer otra vez…, pero imagino que no querrás esperar la media hora aproximada que tardan en llenarse del todo y hacerte una sangría en toda regla –dijo la doctora.

–Pues mira, es que, hablando de la regla, como la tengo ahora, ¡solo de pensar que se me haya podido meter alguna por ahí me pone los pelos de punta! –respondió Ainara, retorciéndose del asco.

–¡Arrrrrggggg, Ainara, qué imagen más horrible has traído a mi mente, hija! –dijo Andrea.

–Jajajaja, cómo sois, estoy casi segura de que habrán encontrado algún lugar donde morder mucho antes –intentó tranquilizarlas Mar.

El que menos se encontró fue Javier, que tenía 6. Pero las chicas llevaban todas entre 8 y 12 sanguijuelas cada una.

–¿Y ahora qué? –preguntó Ainara, una vez se las quitaron.

–Pues a seguir andando, revisando piernas cada 5 o 10 minutos. Con subir el pantalón hasta las rodillas creo que será suficiente si nos miramos con esa regularidad –explicó Mar–. Y, por si acaso, os podéis palpar más arriba. Las vais a notar al tacto si alguna escaladora ha conseguido subir más.

–Himavat, ¿a ti no te muerden? –le preguntó de pronto Ainara a Himavat, que observaba la escena divertido.

–¡No! –respondió en inglés y riendo–. Mi piel dura no les gusta. Prefieren la suya, más blandita.

–Será mamón el tío –dijo Ainara en español para no ser entendida–. Hasta para esto están adaptados estos sherpas de las montañas.

–¿Tú has visto la «suela» natural que tiene en los pies? –dijo Mar–. ¡No hay bicho que pueda morder eso!

Javier no hablaba, pero se notaba que no lo estaba pasando bien. Siguieron los 4 andando juntos bajo la incesante lluvia, arrancándose una nueva sanguijuela de vez en cuando. Al cabo de varias horas, Ainara ya no pudo más:

–¡Se acabó! ¡Estoy hasta los mismísimos de la etapa de hoy! ¡Estoy mojada, tengo frío y las malditas sanguijuelas no paran!

–Cielo, hoy debes de haber batido tu récord personal de maldiciones por minuto –le dijo Mar–. Pero estoy totalmente de acuerdo contigo. ¡Hoy esto ya es *too much*!

–¡Himavat, pleaaaase! –gritó Andrea.

Himavat, que iba como 20 m por delante, se detuvo, dio media vuelta y fue a su encuentro.

–No podemos más, hoy ha sido un día duro. ¿Cuánto falta para Bagarchap? –le preguntó Andrea.

–A su paso, 1 hora –respondió Himavat–. Pero aquí al lado hay otro pueblo, Dharapani.

–¿Crees que podríamos acortar la etapa de hoy y hacer noche en Dharapani? –le propuso Andrea.

–¿De verdad no vamos a llegar al final, solo por una hora más? No me parece muy buena idea no cumplir con los objetivos de cada etapa diaria… –dijo Javier secamente.

–¿No crees que a veces el bien del equipo debe estar por encima de los objetivos? –le preguntó Andrea.

–Bueno, no digo eso. Lo que digo es que los objetivos no pueden estar sujetos a los caprichos de algún miembro del equipo que en algún momento diga que no puede con ellos –respondió Javier, intentando que Ainara y Mar no le oyeran.

–Como bien sabes, los objetivos por definición deben ser, entre otras cosas, asumibles –le recordó Andrea–. Y, por tanto, si las circunstancias con las que se definieron cambian, deberían poder cambiarse también. Ya sabes, a veces es preciso dar un paso atrás para poder saltar más lejos. Como dijo Séneca: *«Errare humanum est, perseverare autem diabolicum, et tertia non datur»*. Que significa: «Equivocarse es humano, perseverar (en el error) es diabólico y una tercera vía no se dará (hasta que se reconozca el error)».

–Pues sigo pensando que esto en una organización empresarial es impensable –insistió Javier–. Y en nuestro caso, alterar los planes por una hora que falta… No sé, me parece que no vamos bien si empezamos a hacer esto en el trekking… ¿Seguro que no podéis seguir un poco más? –preguntó a Ainara y a Mar.

–No, Javi, no. Yo personalmente necesito parar, descansar y hacer *reset* para afrontar con mejor ánimo el resto del trekking –dijo Ainara, mucho más serenamente.

—Creo que a todos nos irá bien, si es viable. ¿Himavat? —le preguntó Mar.

—Sí, acabo de hablar con una familia que tiene una casa en la que podemos caber todos. Nos recibirán la madre y dos de sus hijas. ¡Y cocinan muy bien! —dijo contento Himavat.

—Vale, pues un segundo por favor que llamo a Marc a ver dónde están —dijo Andrea.

Afortunadamente, había cobertura local. Ya les habían dicho que la operadora que habían contratado era la que tenía mejor cobertura en las montañas.

—Hola, cariño, ¿dónde estáis? —le preguntó Andrea a Marc.

—En la entrada del pueblo de…, déjame ver…, Dharapani —dijo Marc—. Alberto ha pinchado y nos está costando un poco arreglar el pinchazo, pero ya casi lo tenemos.

—¡Ah, pues genial! ¡No por el pinchazo, claro, sino por dónde estáis! Es que hoy no podemos más… Entre la lluvia, el frío y las sanguijuelas estamos un poco al límite…

—Pero, ¿estáis bien? —se preocupó Marc.

—Sí, sí, estamos bien. Solo que proponemos acabar la etapa de hoy en Dharapani. Y como estamos a una hora de Bagarchap, no alteramos mucho el plan. Himavat ha localizado una casa donde nos podemos quedar.

—¿Y podrá localizar a los porteadores para que vuelvan también? Van algo por delante de nosotros y llevan millones de cosas que necesitamos… —dijo Marc.

—Sí, sí, les ha avisado ya. Están volviendo a Dharapani. Apenas habían salido del pueblo. Así que todo controlado —explicó Andrea.

—Genial, pues. ¿Os esperamos aquí a la entrada del pueblo? —dijo Marc.

—¡Claro! Nos vemos enseguida, amor. ¡Hasta ahora! —cerró Andrea.

La casa pertenecía a una madre, Santa, que tenía 4 hijos. Del padre no sabían nada desde hacía años. La hija mayor, casada, vivía en Katmandú. Y el único hijo varón estudiaba en Pokhara.

Como se había hecho tarde y a algo más de 2000 m de altitud el frío empezaba ya a notarse, todos se sentaron alrededor del fuego del hogar de la cocina, ubicada en un patio exterior de la casa guarecido de la lluvia por una especie de cornisa de una roca gigante contra la cual aquella estaba construida. Era como un porche natural.

Durante la espera correspondiente a la preparación de la cena y a las duchas de todos, Santa y sus hijas les prepararon trigo hinchado (hecho como las palomitas, aunque no explotaba tan fuerte) y unas patatas fritas deliciosas.

La ducha, caliente, la iban tomando por turnos en una caseta también exterior que tenía un barreño enorme en el suelo (resultado de cortar un barril de plástico gris por su base) en el que iban vertiendo agua calentada al fuego para cada uno de los que se iban duchando. Bastaba con meterse dentro de rodillas e ir echándose uno mismo agua con un cacito. Básico, pero efectivo.

Una vez duchados, con ropa seca, abrigados y cenados, los ánimos parecían ir reponiéndose poco a poco.

Así que, por primera vez en el viaje, Ainara sacó su guitarra. El concierto arrancó con una de sus canciones favoritas de Amaral, *Siento que te extraño*. Tras los acordes iniciales con la guitarra, empezó a cantar: «A los quince supe toda la verdad, que yo nací para volar…».

–Nunca me había dado cuenta de lo mucho que encaja la letra de esta canción con ella misma –dijo Mar–. Ahora comprendo mejor por qué le gusta tanto…

–Sí, es cierto –reconoció Andrea también–. Es curioso cómo tomar consciencia de las cosas nos hace darnos cuenta de detalles que antes nos pasaban por delante sin dejar huella…

Javier repasó mentalmente varias veces la frase de Andrea, para interiorizarla por completo. Había descubierto en piel propia cuán importante era «tomar consciencia» de las cosas y se sentía colmado de una paz interior, de un equilibrio que hacía meses que no tenía. Y que quizá, en realidad, se decía, nunca había tenido.

Se descubrió feliz y disfrutando del concierto. Ni siquiera le provocó la más mínima contrariedad descubrir que Ainara no solo había traído su guitarra, sino también una pandereta y una armónica, con las que de inmediato, y con extraordinaria alegría, se hicieron Andrea y Mar, respectivamente, para sumarse a Ainara en el improvisado *show* musical en vivo y en directo con el que las 3 deleitaron a todo el grupo. Hasta los porteadores se habían sumado al público. Las hijas de Santa no tardaron en salir a cantar también algunas canciones. Qué maravilla, pensó Javier para sí, tranquilo y sereno.

Y al final de la noche Ainara lo tuvo claro: les regaló 3 pares de chanclas a las anfitrionas por lo increíblemente hospitalarias que habían sido con todos ellos cuando más lo necesitaban.

–Creo que te debo una disculpa Ainara –le dijo Javier.

–¿Y eso, cariño? ¿Por qué? –respondió Ainara con sincera sorpresa.

–Esta tarde me puse un poco burro con lo de seguir adelante cuando vosotras propusisteis parar. Lo siento, de verdad. Me he dado cuenta de que fue una gran idea, teníais toda la razón. Lo necesitábamos todos –reconoció Javier.

–Gracias, cielo –dijo Ainara con una sonrisa, a la vez que le daba un fuerte abrazo.

–Y gracias además por haberte empeñado en traer la guitarra… y habernos «colado» además una pandereta y una armónica extras, jajaja –le dijo también Javier–. Y por regalarles las chanclas en agradecimiento de parte de todos nosotros. Qué gran idea y qué gran gesto. Les han encantado. Al final va a resultar que de verdad voy a tener que aprender algo de los aires…

–¡Jajajaja, eso ni lo dudes, Sr. Tierra! –rio también Ainara, encantada y agradecida con tanto reconocimiento.

3.25 LUZ DE LUNA
(CÓMO FIJAR UNOS OBJETIVOS DE VENTA REALMENTE MOTIVADORES PARA CONSEGUIR UN EQUIPO AUTOGESTIONADO)

–¡Por fin la luz del sol! –dijo Mar al asomarse por una de las ventanas de la sala en la que desayunaban en su *lodge* de Pisang.

–¡Ay, sí, menos mal! ¡Necesitamos ya una tregua de tanta lluvia, sanguijuelas y sustos varios, por favor! ¡Vaya 3 diitas llevamos! –se unió Ainara.

Y es que, si la etapa de las sanguijuelas de Chyamje a Dharapani (llegada a 2100 m, etapa 3) había sido dura, las dos siguientes, de Dharapani a Chame (llegada a 2750 m, etapa 4) y de Chame a Pisang (llegada a 3230 m, etapa 5), tampoco habían tenido desperdicio…

Habían iniciado la etapa 4 en Dharapani a las 8:00, tras una entrañable «foto de familia» grupal con Santa y sus hijas. Y nada más llegar a Bagarchap, el teórico final del día previo, se encontraron un monumento que se iba a repetir durante todo el día de manera constante: un monolito con una placa en memoria de tres montañeros desaparecidos en 1995 bajo una avalancha de rocas y árboles.

La sucesión de monumentos y placas similares, unida al sonido constante a lo lejos de lo que Himavat les dijo que eran detonaciones, les hizo avanzar a todos con el corazón en un puño durante todo día. Y ello a pesar de que la lluvia había remitido ligeramente y el entorno había mutado por completo, volviéndose majestuoso: de pronto se encontraban en medio de un paisaje completamente alpino, entre bosques de abetos gigantescos, más propios, sobre el papel, de las Montañas Rocosas, los Pirineos o los Alpes que de los Himalayas. Eso sí, las nubes seguían impidiendo ver un solo pico.

La etapa, con un par de caídas de los *bikers* por el barro sin mayores consecuencias más allá de unos rasguños, les guardaba su sorpresa en el pueblo de destino, Chame.

Chame era un pueblo con bastante vida, dado que era posible llegar a él también en jeep. Estaba atravesado por el que debía de ser el mismo río de todo el trayecto, pero que allí tenía una fuerza aún mayor si cabía. Así que el pueblo contaba con uno de los puentes colgantes más largos que habían visto hasta el momento, y uno de los que parecían más modernos y seguros, 100 % hecho de acero. Lo habían atravesado de ida y de vuelta desde su hotel, que se encontraba en la orilla norte del río, para ir a dar un paseo vespertino por el pueblo, en la orilla contraria, tras la ducha y el cambio de ropa. Y Javier había sido capaz de atravesarlo las dos veces solo y sin ayuda. Muy concentrado en su respiración y sus multiplicaciones, pero solo. Y el paseo había sido muy entretenido, con varias paradas para comprar en las tiendas locales (un pañuelo para el cuello que necesitaba Alberto, algo de fruta…). Andrea pensaba en la increíble capacidad que demostraban los grupos humanos para comunicarse entre sí, aun sin hablar unos ni una palabra del idioma de los otros. El poder del lenguaje no verbal.

Ya de vuelta, disfrutaron con tranquilidad del resto de la tarde y luego cenaron animadamente. Además de ducha caliente, había hasta televisión por satélite. Se lo habían pasado de lo lindo viendo los anuncios locales, en especial con uno de macarrones cuya banda sonora era *La Macarena* de Los del Río.

Nada les hacía sospechar que iban a tener que desalojar el hotel de urgencia a las 3:00 de la madrugada por un desprendimiento que lanzaría toneladas de rocas justo frente a la entrada, haciendo que el río desviara su curso y atacara directamente sus cimientos, que sin duda irían perdiendo consistencia con el paso de los minutos y las horas.

Suerte que Andrea se despertaba con el vuelo de un mosquito y había alertado a todos de un estruendo enorme, poco normal a esas horas de la noche.

Reubicados con rapidez, en medio de la lluvia, en otro hotel unos 200 m más arriba del río, lejos de la zona del desprendimiento, algunos habían vuelto a conciliar el sueño y otros no: aunque todo (la explosión, el aviso de Marc y Andrea a Himavat, y de este a los dueños del hotel, así como la decisión del desalojo al tomar consciencia de lo que había ocurrido y de lo que probablemente iba a pasar con el hotel, se había desarrollado con relativa serenidad, el susto había sido considerable, en especial al ver a la señora del hotel, cuando ya salían con las mochilas andando hacia el otro, gritándoles muy alterada: «*Go, go, leave everything, just go!*» (¡«Id, id, dejadlo todo, solo id!»). En fin, Andrea no quería darle muchas más vueltas al tema. Por suerte, no había pasado nada grave, y decidió pensar que era parte de las vicisitudes de un trekking así. Y, tras hablarlo, todos habían optado por tomárselo igual.

En cualquier caso, a la mañana siguiente, a la nueva etapa, la 5, de Chame a Pisang, habían tenido que sumarle, unos más y otros menos, sueño y escaso descanso. Afortunadamente, la etapa había sido ligera en términos de esfuerzo, dado que «solo» habían tenido que cubrir unos 800 m de desnivel, descendiendo unos 300 m, en una etapa de algo menos de 15 km y con más ratos sin lluvia que con ella, aunque con cielo todavía cubierto.

Pero iniciaban una nueva etapa, de Pisang a Manang (3560 m, la etapa 6), de solo 500 m de desnivel, sin apenas bajada y de 17 km de longitud. ¡Y POR FIN LUCÍA EL SOL! La necesaria tregua parecía que llegaba.

–Precisión total –dijo Javier–. Marc y tú, Andrea, ya nos habíais dicho que a partir de Pisang probablemente ya empezaríamos a tener tiempo despejado, ¿verdad?

–Sí –dijo Andrea–. Las nubes que traen los monzones no llegan hasta aquí. Digamos, simplificando, que hasta Chame vamos subiendo de sur a noroeste y tenemos constantemente encima las nubes que arrastran los monzones desde el sur, ya que no encuentran nada que les bloquee el avance. Pero en Chame giramos casi 90 grados hacia el oeste y entonces nos queda al sur, es decir, a mano izquierda mirando hacia delante por el camino, el Annapurna Range, todo un macizo montañoso que hace de barrera para las nubes que vienen del sur. Todo lo que hemos pasado era lo que quería ahorrarnos el señor de la primera agencia.

–¡No sabéis cuánto me he acordado de él! –reconoció Mar–. Igual lo de subir en jeep del tirón hasta Chame no hubiera estado tan mal, después de todo…

–¿Os arrepentís entonces de la decisión que tomamos? –preguntó Andrea seria.

–¡Para nada! –respondió instantáneamente Ainara.

–Yo tampoco –dijo Javier también de pronto. Y tras una leve pausa–: Ha habido momentos algo complicados, pero para mí el balance es 100 % positivo. Yo vine a hacer uno de los trekkings más impresionantes del mundo y ahora sé que lo es por muchas razones… –afirmó con cierta timidez, pero a la vez con sentido de trascendencia–. Además –siguió con algo más de pudor–, lo que hemos vivido juntos, a pesar de la lluvia, el esfuerzo y algún que otro incidente, no me lo quitará nadie jamás. Siento como que he crecido, que me he transformado. Me da la sensación de que veo las cosas de forma distinta…

–¡No puedo estar más de acuerdo contigo, Javi! –dijo Ainara contenta. Y automáticamente adoptó un tono más solemne–: Para mí, esto es realmente viajar. Nada que ver con hacer el turista en hoteles de 5 estrellas, que te lleven a todos sitios con el menor esfuerzo posible y sacar un montón de fotos de lugares bonitos. Si no remueve, si no duele un poco por dentro, si no hace pensar, no me vale. Llevamos casi 10 días de viaje y mi sensación es de llevar meses metida en una aventura de una intensidad extraordinaria… Viviendo un lugar, sus gentes, otras formas de vida desde dentro, mamándolo todo. Para mí esto alimenta mi vida. Le da sentido. No, Andrea, no me arrepiento en absoluto. Al contrario. Gracias, cariño –y cogió con su brazo derecho por el cuello a su amiga, dándole un sonoro beso–. Y sé que Raúl piensa lo mismo exactamente, porque lo hemos hablado justo hoy. Los *bikers* se lo están pasando de miedo. Encima están llegando como 2 o 3 horas antes que nosotros casi todos los días y están encantados. Y un poco misteriosos, por cierto, creo que traman algo… Pero no me imagino el qué… Cuando llegamos el otro día, de pronto Raúl hizo como un gesto raro y guardó algo en la mochila para que no viera lo que era…

–Síiii, tienes razón… Yo también he notado que Alberto tiene algún secreto entre manos…, pero bueno, no le doy importancia, nos estarán preparando alguna sorpresa, seguro… Y respecto a lo otro, supongo que tenéis razón. Es verdad que yo me siento…, no sé…, como todavía más unida a vosotros, si cabe. Nos hemos hecho más familia aún, compartiendo cosas buenas y otras no tanto. Algo que, al menos para mí, era el gran objetivo de este viaje. Pero igualmente os digo que no me hubiera importado ahorrarme algo, como el sustito del hotel de ayer… –dijo Mar sincera.

–Ya, lo entiendo Mar… –se sumó Andrea–. Está claro que ciertas situaciones, un tanto al límite, o te unen más o lo rompen todo. Y me siento realmente feliz de que, en nuestro caso, todo esto al menos haya actuado de pegamento…

Con este nivel de cohesión y dispuestos a disfrutar más aún del trekking, que ese día ya sí les ofrecía cielos despejados, empezaron a andar. Al poco se formaron de nuevo dos grupos naturales y Javier retomó su conversación particular con Andrea.

–¿Sabes? El comentario de Mar de antes me ha hecho pensar de nuevo en el tema de los objetivos… –le dijo.

–¿Ah sí, en qué sentido? –le preguntó Andrea.

–Nosotros, en la Concesión, cuando llegamos a situaciones límite no nos unimos más, sino que la tensión se dispara y hay hasta algunas discusiones fuertes entre compañeros –dijo Javier.

–¿Y por qué crees que os ocurre eso, todo lo contrario de lo que nos ocurre aquí? –volvió a preguntar Andrea, que quería que él mismo se diera las explicaciones.

–Imagino que Mar ha dado en el clavo, ¿no? Un objetivo común… Se me quedó grabada una respuesta que me diste en tu casa el día de nuestra primera reunión de preparación del viaje, cuando yo te dije que todos y cada uno de nosotros en la Concesión conocíamos nuestro propio objetivo y que con eso bastaba para que cada uno hiciera lo que tenía que hacer: «No sois un equipo», dijiste. «Sois un conjunto de personas individuales que trabajan en la misma ubicación física» –recordó Javier.

–Es una práctica común en el mundo empresarial actual a la hora de fijar objetivos. Se fijan objetivos individuales que, en realidad, promueven la competitividad pero no la mejora ni la colaboración del equipo. En muchas organizaciones hasta tienen un «ranking» público dentro de los equipos que permite comparar los resultados de la gente –explicó Andrea.

–¡En la mía! Este año han puesto en marcha un «concurso de ventas» interno que han llamado «el Vendedor del mes». De forma que quien llega al objetivo y además vende más que los demás, tiene un plus económico ese mes –explicó Javier.

–¿Y qué crees que promueve una política de objetivos así? –preguntó Andrea.

–Que vayamos todo el día dándonos codazos. Es verdad que, si le pides ayuda puntual a un compañero por algo, te la suele dar. Pero no siempre, también es cierto. Y, desde luego, no hay una actitud general de colaboración con los demás: cada uno va bastante a la suya… Todo esto me trae a la cabeza la «cultura cocodrilo» –dijo Javier sincero.

–Como ocurrió también en la tripulación del *Karluk*, ¿te acuerdas? –le dijo Andrea.

–Cuando las cosas se pusieron negras de verdad, cuando apareció el verdadero conflicto, acabaron matándose los unos a los otros, ¿no? –reconoció Javier.

–Porque cada uno se preocupó solo de sí mismo, sí –confirmó Andrea–. ¿Y cómo crees que se puede arreglar eso en términos de fijación de objetivos de un equipo?

–¿Con un objetivo de grupo? –respondió Javier. Y de inmediato él mismo se contestó–. Pero si el objetivo es solo grupal, también puede suceder que ciertos miembros del equipo pasen de todo, se apalanquen y «vivan» del cumplimiento de los compañeros, ¿no?

–Y entonces, ¿cuál te parece que puede ser la solución? –preguntó Andrea.

–¿Un objetivo mixto? –insinuó Javier.

–¡Claro que sí! Así cada persona del equipo tiene un objetivo individual y, además, un objetivo grupal. Y, ¿por qué no?, incluso un objetivo de compañía, para fomentar también la colaboración interdepartamental –explicó Andrea.

–Así, si el equipo entero logra el objetivo, la retribución de cada individuo será sensiblemente superior a la que obtendría si solo lograra su objetivo personal –conectó Javier.

–Y si además la compañía logra su objetivo global, su nivel de consecución crecerá más aún –dijo Andrea–. Un buen modelo de retribución puede conseguir disparar el compromiso de las personas con la organización. Y, ojo, que un modelo de retribución motivador no tiene por qué suponer salarios altísimos. Del mismo modo que una mala política de retribución (que tampoco es lo mismo que un mal salario) puede hundir la compañía. Este, aunque tampoco es el único factor que influye en el nivel de compromiso de las personas con su organización, es importante que al menos no lo dificulte. Para que nos entendamos, vosotros tenéis, si conseguís vuestro objetivo individual, un buen salario, pero la política retributiva de la organización no promueve la colaboración del equipo ni la consecución de objetivos superiores.

–Es cierto. Cuando un Vendedor llega a su 110 % deja de vender, se guarda las ventas para el periodo siguiente. Y le da igual cómo vaya el resto de compañeros –confirmó Javier, que siguió dándole vueltas a la cuestión–. ¿Y si, por ejemplo, todos se parten los cuernos por sus objetivos propios y por el equipo y el objetivo grupal no se consigue porque un solo miembro del equipo se ha columpiado? –preguntó de nuevo.

–Y qué más da que sea uno o que sean dos… El tipo de política retributiva que te he descrito, junto a un modelo de liderazgo adecuado (también hay que decirlo), lleva de forma natural a equipos autogestionados, los que defiende la famosa metodología del Manifiesto Agile –respondió directamente Andrea–. Es decir, el mismo equipo propondrá seguro una solución… Yo lo trabajo mucho con resultados extraordinarios.

–El Manifiesto Agile, lo conozco. Aunque nacido en el mundo del *software* como metodología para el desarrollo de proyectos, se puede aplicar a múltiples campos y, entre ellos, a las ventas y la gestión de equipos, claro –dijo Javier–. Así es…, el mismo equipo o ayudará al rezagado o le dará una colleja, ¿no?

–Es la magia de los equipos autogestionados, que aumentan su rendimiento de forma inmediata y natural –confirmó Andrea–. Así de simple.

–Ya veo… –dijo Javier.

Y antes de que pudiera añadir nada más…

—¡Andrea, Javier, levantad la cabeza y mirad a vuestra izquierda YA! —gritó Ainara, que estaba parada con Mar e Himavat ligeramente por delante de ellos.

De pronto, Javier y Andrea vieron, al levantar la cabeza y mirar hacia donde les habían indicado, magníficos e imponentes picos nevados. Ante ellos se mostraba, por fin, libre de nubes y deslumbrante, el Annapurna Range. El grandioso espectáculo dejó a todos sin habla por unos segundos. El sol quedaba algo a la derecha, al oeste, de manera que además la luz era mágica. Los móviles empezaron a funcionar frenéticamente: todos querían guardar esa visión para siempre, no solo en sus mentes.

Fue Himavat quien habló, para contarles que ante ellos tenían, de izquierda a derecha según ellos estaban mirando (hacia el sur), el Annapurna II (7937 m), el Annapurna III (7555 m), el Gangapurna (7455 m) y el Tilicho (7134 m). La belleza del paisaje, que tanto se les había resistido por el camino hasta ese momento, aparecía por fin ante ellos y los tenía sobrecogidos. Todo el esfuerzo había valido la pena.

No tardaron en llegar al pueblo de Manang, una localidad que respiraba espíritu 100 % tibetano. Con todas sus pequeñas casas de barro y piedra orientadas al sur y llenas de cientos de banderas de oración de todos los colores colgadas por doquier como si fueran guirnaldas de fiesta, la imagen era sublime.

Y el albergue que los esperaba en esta nueva parada también tenía un encanto especial: con placas solares para el agua caliente y un amplio patio-terraza al sol, invitaba a disfrutar de una tarde espléndida y hasta de una noche mágica a la luz de la luna.

Como habían llegado poco antes de la hora habitual de comida, lo primero fue comer algo todos juntos. Hasta Himavat parecía más animado de lo habitual y se emocionó contándoles con intensidad supuestos avistamientos del Yeti en las montañas colindantes.

—¿De verdad aquí creéis que el Yeti existe? —le dijo de pronto Javier, incrédulo y sorprendido de que Himavat, un joven bastante formado y culto, contara con tanta convicción esas historias.

–¿Y qué es lo que a ti te hace pensar que pueda no existir? ¿De verdad crees que solo existe lo que tus ojos pueden ver? –le respondió Himavat con serenidad.

Javier, sin responder, se sorprendió de pronto a sí mismo pensando que quizá, después de todo, su verdad no fuera la única. Parecía claro que no había «evidencias científicas» al uso, pero –se decía– si había yaks endémicos que solo vivían por encima de 3000 m de altitud, ¿por qué no podría existir una especie de osos también endémicos o algo parecido a un mono prehistórico en aquellas montañas aisladas de todo y de todos durante miles de años? En cualquier caso, se sentía feliz observando cómo su propia mirada había cambiado: ya no descartaba sin más las creencias de Himavat ni las despreciaba, sino que respetaba que las tuviera y comprendía que quizá entenderlas no estuviera al alcance de su propio pensamiento. Además, pensaba, la emoción que imprimía Himavat a sus historias mostraba claramente que el pueblo nepalí vivía de, para y por sus maravillosas montañas. Le parecía asombroso cómo la orografía de un pueblo podía marcar tan profundamente sus creencias y modos de pensar.

Nada más acabar la comida, Himavat les propuso una nueva miniexcursión por los alrededores: subir la pequeña montaña que quedaba justo enfrente del albergue para ver el lago Gangapurna hacia el sur y, al volver, ver Manang y todas sus terrazas cultivadas de *dhal* (las lentejas habituales de su dieta), de color rojizo y naranja gracias a la luz del atardecer. Y de paso, el Chulu East (6584 m) al norte. No les llevaría más de una hora, y todos aceptaron. El espectáculo no les decepcionó en absoluto. Y es que la excursioncita les reservaba una sorpresa más: desde la pequeña montaña, detrás del lago, algo más a lo lejos apareció ante ellos majestuoso el Annapurna I (de 8091 m), el primer ochomil que veían y rey absoluto del Annapurna Range. Décima montaña más alta de la Tierra y considerado uno de los ochomiles más difíciles de escalar (y con más alta siniestralidad registrada), fue, sin embargo, el primer ochomil en ser coronado, por Maurice Herzog y su expedición francesa en 1950.

Después de un gran día de trekking, todos se sentían especialmente animados y contentos, así que Marc pensó que eran el día y el lugar perfectos para sacar la pelota de fútbol. Todo el grupo, hombres y mujeres, se sumó inmediatamente al partido. Sabían que los locales no iban a poder resistirse, como así fue: en menos de 5 minutos ya se habían montado dos equipos mixtos de 11 contra 11 en el patio de tierra del albergue, que era realmente grande.

—¡Oye, Marc, cuidado con tu peroné, que esto es más duro que el patinaje y tú ya tienes una edad, no te lo vayas a romper otra vez y nos fastidies el trekking a todos! —le soltó Javier con sorna a tu tío.

—¡A los perros ladradores que se despistan les meten más goles, ¿lo sabías?! —le respondió Marc a la vez que lanzaba un potente chut de gol directo al equipo de Javier, tras el que soltó una gran carcajada.

Tras el partido, reparto de camisetas del F. C. Barcelona a los niños, duchas calientes espectaculares (de depósito negro calentado al sol y alcachofa para la salida del agua) y una deliciosa cena (que había incluido hasta una lasaña). Todos se sentían intensamente felices.

De pronto, en medio de la animada sobremesa, los propietarios del lugar, con traducción simultánea de Himavat, les confesaron con timidez que les habían dicho que en el grupo viajaban unas cantantes famosas...

—Jajajaja, ¡¿cantantes famosas?! ¿Eso te han dicho, Himavat? —preguntó Ainara, absolutamente encantada con el malentendido.

—Sí —respondió Himavat—. Imagino que quizá Santa y sus hijas los habrán llamado y avisado de que veníamos. No sé... Pero me preguntan si por favor podríais cantar para ellos y algunos amigos del pueblo...

—¡Diles que por supuesto, Himavat! ¡Será un placer y un honor! ¡Y una chulada, jajaja! —respondió Ainara feliz mirando a todos sus compañeros, que también reían a gusto con la divertida confusión.

—¡Quéee bueno, por favor, cantantes famosas! —repitió Mar con alegría.

Los propietarios pidieron unos minutos: risas nerviosas, pequeños gritos, idas y venidas sin control precedieron a la salida precipitada y a la carrera de algunos niños del albergue. Y en menos de lo que se hubieran imaginado había unas 50 personas en la terraza del albergue, dispuestas para un concierto en toda regla. Además, muchos de los asistentes traían lo que parecían sus propios instrumentos y ropajes coloridos. Los viajeros no sabían con certeza si serían sus ropas habituales o si se trataba de prendas especiales para la ocasión, pero para el caso daba igual, eran simplemente maravillosas…

Ainara, completamente en trance, metida en su salsa de artista con público, no podía estar más contenta: su plan iba a tener la mejor realización posible…

–Jajaja, madre mía, chicas, ¡qué poder de convocatoria tenéis! –dijo Marc encantado–. ¡Esto promete!

Rápidamente, entre todo el grupo, dispusieron una pequeña tarima al final de la terraza utilizando unos palets de madera que tenía el albergue. Y los asistentes, sin que nadie les dijera nada, colocaron sus sillas alrededor en formato anfiteatro.

Todo estaba listo para empezar. Incluso un increíble cielo: sin contaminación lumínica en kilómetros a la redonda, cientos de miles de estrellas brillaban como preparadas y relucientes con sus mejores galas para semejante concierto a la luz de una tenue luna, que les cedía, generosa, parte de su protagonismo.

–Chicas –dijo una Ainara carismática en voz muy baja–, el universo entero se ha reunido para nosotros y nos regala una noche mágica. ¡Vamos a darlo todo!

–¿Por cuál empezamos? –preguntó Mar.

–¿Podemos empezar por nuestra favorita, Ainara? –rogó Andrea a su amiga.

Las 3 amigas se abrazaron emocionadas y se dirigieron hacia la tarima del escenario como si realmente fueran auténticas cantantes superstar que iban dar el concierto más importante de sus vidas. De inmediato se hizo un respetuoso silencio.

Mar cogió la guitarra y tocó los primeros acordes de *Por fin* en su formato en directo y acústico. Ainara y Andrea, como si fueran Pabló Alborán y Bebe en el Tour Terral, de pronto dijeron: «¡Va por nuestros maravillosos maridos… y por todos vosotros!», y empezaron a cantar: «Qué intenso es esto del amor, qué garra tiene el corazón, sí, jamás pensé que sucediera así…».

En un instante, más de 50 personas estaban coreando, sin saber lo que decían porque no comprendían el idioma, una canción himno que tanto significaba para casi todos los miembros del grupo. Al acabar, aplauso ensordecedor. Siguieron varias canciones icónicas con el solo acompañamiento de una guitarra: *Million Reasons* de Lady Gaga, *Con las ganas* de Zahara, *Just Give Me a Reason* de Pink, *Lost on You* de LP… Y entonces, de pronto, Ainara interrumpió el concierto y dijo:

–Himavat, cielo, ¿puedes venir aquí a mi lado y traducirme a vuestro idioma para que me entiendan todos? –y con Himavat ya al lado, prosiguió en voz alta–: En esta noche mágica, no queremos ser las únicas en cantar. Cantar es conectar con el alma colectiva de todos los que estamos aquí y con el universo, y por eso nos gustaría que todos lo hicierais también. Así que os proponemos un *talent show*. ¡Todo el que sepa o quiera cantarnos algo está invitado a subir a esta tarima y deleitarnos con su arte! ¡Con premio final y todo!

Todos abajo empezaron a hablar animadamente entre nervios y risas. En ese instante, Raúl les dijo a los chicos:

–¡Ha llegado el momento compañeros, al ataque!

Y los cuatro hombres de la expedición, con Javier incluido, salieron corriendo hacia el interior del albergue. En menos de 2 minutos aparecieron los 4 vestidos cada uno con un monotraje brillante de purpurina (azul, verdoso, rojo y anaranjado), un móvil conectado a un altavoz inalámbrico y la banda sonora de *Waterloo* de ABBA sonando a todo volumen. Las chicas no daban crédito, mientras se morían de la risa, al igual que todo el público. Les debía de parecer realmente gracioso ver a 4 hombres occidentales vestidos así, con aquellos trajes brillantes marcando todo su cuerpo, cuellos de pico largo, escote casi hasta el ombligo y pantalones de campana.

Los 4 hombres, sin dudarlo, se hicieron con el escenario y empezaron un increíble popurrí de canciones de ABBA, como si fueran

Pierce Brosnan, Colin Firth y compañía cantando en los créditos de la película *Mamma Mia!* ¡Simplemente genial y maravilloso! ¡Todos los asistentes se pusieron de pie y bailaron alegres!

Al cabo de 15 intensos minutos, jadeantes y sudorosos, los chicos bajaron del escenario, entre risas y montones de aplausos. Turno de los locales, que de inmediato subieron a cantar sus propias canciones, ya totalmente desinhibidos.

Andrea, que estaba feliz, se abrazó y besó emocionada a su adorado marido, al que todavía le iba el corazón a toda máquina. Y tras unos segundos le dijo:

–¡Sois los mejores, mi amor, qué numerazo, quéeeeeee cracks! ¡Gracias!

–¿Te ha gustado, cielo? ¡Es nuestro regalo por este fantástico trekking que nos has montado a todos! ¡Gracias a ti, mi amor! ¡Ah, y no sabes lo que nos ha costado convencer a Javier para que se nos uniera, pero al final lo hemos conseguido y el tío se ha metido por completo en el papel, ¿eh?!

–¡Eres lo mejor del mundo, mi amor, gracias, jajaja! –le respondió entre risas Andrea.

–¡Nuestro granito de arena en su camino de transformación personal! –dijo Marc humilde.

–Oye, confiesa, ¿habéis sido vosotros los de la idea de avisar al albergue diciendo que venían cantantes famosas, verdad? –le preguntó Andrea curiosa.

–¡Claro! Compinchados con Himavat, jajaja –confesó Marc.

–Por eso os veíamos tan misteriosos estos días, ¿no? –insistió Andrea.

–¡Síiiii, Ainara casi pesca un día a Raúl! ¡Pero teníamos que prepararnos! Eso sí, confieso que la idea original ha sido de Raúl. Él sabía que Ainara quería montar un *talent show*-karaoke para los locales y regalarles cosas y se le ocurrió la idea de la sorpresa. Lo llevábamos todo en el equipaje de las bicis, jajaja.

–¡Ha sido realmente genial, insuperable! –dijo Andrea volviendo a abrazarle y a besarle.

La noche se alargó una hora más con números maravillosos de los vecinos de Manang. Himavat, como traductor oficial, iba explicando en detalle cada número, el tema de cada canción, qué representaba, etc., a un atento público que no podía estar más metido ni disfrutar más del maravilloso regalo que les estaban ofreciendo todas aquellas personas. ¡Hasta los porteadores cantaron con Himavat una canción!

Qué día tan intenso. Solo por aquella jornada el trekking ya había valido la pena para todos.

3.26 MANANG-LETDAR-THORONG PHEDI (4500 M) (FASE 5: EL SEGUIMIENTO COMERCIAL Y CRM NECESARIO EN LOS TIEMPOS ACTUALES)

No habían bebido alcohol en absoluto, pero todos sentían una especie de borrachera de alegría a raíz de la noche anterior. Así que no les había costado iniciar de nuevo el camino a la mañana siguiente. Además, el sol lucía en un cielo completamente azul y el paisaje se ofrecía en todo su esplendor.

Al cabo de muy poco rato, Javier volvió a sus preguntas:

–Oye, Andrea, otra cosa más…

–Pareces Steve Jobs con su «*one more thing*» final de cada presentación… –rio Andrea–. ¿¿¿Te estás guardando muchas más "bombas de profundidad" para los últimos días???

–Jajaja, ¡no! Pero voy pensando y analizando y me van surgiendo dudas. Ya sabes, yo el analítico –reconoció Javier.

–Claro, claro. Y eso demuestra tu interés. Estoy encantada, de verdad. Venga, dispara –pidió Andrea.

–Ahí va –dijo Javier, intentando ordenar sus ideas–. Tú has acabado tu modelo del proceso de venta con el cierre. Bien, termina en rigor la venta. Pero ¿y el seguimiento posterior a la venta para la fidelización y la venta futura, dónde queda? A mí me insisten muchísimo en que lo haga, que llame a los Clientes periódicamente para ofrecerles de forma discreta novedades, preguntarles si tienen algún conocido que pueda estar interesado en comprar… Sin embargo, la verdad, no lo veo claro… De hecho, además, no me da la vida, no tengo tiempo… Si debo vender lo que tengo que vender al mes, no me da el día a día para además llamar a aquellos a los que ya les vendí un coche hace 6 meses… No me quiero ni imaginar cómo hacen los Vendedores que llevan trabajando 4, 5 o más años para llamar a todos sus Clientes que hayan comprado, a medida que su cartera se vaya incrementando… Pero es que además los Clientes tienen cada vez más un periodo de renovación natural ya fijado por el producto de financiación que han contratado… Creo que nos arriesgamos a perder la confianza del Cliente con llamadas extras para intentar venderle más cosas como sea… No me gusta y no me siento cómodo haciéndolo.

–¡Qué gran cuestión, Javier, gracias! –dijo Andrea entusiasmada–. Bueno, yo creo que para tratar el tema ordenadamente, ante todo hay que distinguir los tipos de seguimiento comercial que existen, ¿no crees?

–¿Seguimiento preventa, seguimiento de la venta y seguimiento postventa? –se atrevió Javier.

–¡Perfecto! –animó Andrea–. En múltiples sectores solo existe el seguimiento preventa, antes de llegar a formalizar la venta o el pedido, y el seguimiento postventa, una vez ya se ha adquirido el producto o servicio. Solo en los casos en los que la entrega del producto o servicio no es inmediata al firmar el pedido o contrato, debe haber un seguimiento de la venta, que, en realidad, constituye un seguimiento del Cliente, con una finalidad informativa, formativa y tranquilizadora, hasta la completa entrega del producto o servicio.

–Como en nuestro caso, que acostumbramos a tener un periodo de espera entre la firma del pedido por parte del Cliente y la entrega de su vehículo, que se debe fabricar de forma personalizada, ¿verdad? –siguió Javier.

–En efecto –respondió Andrea–. Si te parece, podemos ir paso a paso, como siempre hacemos. ¿Qué opinión tienes sobre el seguimiento preventa? Quiero decir, ¿te parece necesario? Y en caso de que sí, ¿quién crees que debería realizarlo en la Concesión?

–Me parece imprescindible. Si cuentas con un potencial Cliente entre manos, con el que tienes un proceso de venta en curso, sin duda es preciso realizarle un seguimiento. Además, creo imprescindible ser absolutamente riguroso con los plazos y términos acordados con el Cliente –explicó Javier.

–Lo cual significa… –insinuó Andrea para obtener mayor concreción de Javier.

–Significa que si, por ejemplo, tengo un *lead* o potencial que me ha llegado por la web solicitando información, o he quedado con uno de ellos para una segunda visita mañana a las 17:00, o he acordado enviarle a otro algún tipo de información complementaria, debo ser riguroso y cumplir escrupulosamente mis compromisos (horarios, acciones, etc.) con todos ellos, ¿no?

–Por supuesto. ¿Y con qué pauta y a través de qué medio? –prosiguió Andrea.

–Pues con la pauta de contacto y el medio que el Cliente determine, claro –dijo Javier seguro.

–Es decir, el Vendedor de nuevo deberá preguntar y dejar claras estas cuestiones, ¿no? –siguió Andrea.

–Sin duda. Y todo esto creo que sí, que es y debe ser responsabilidad total del Vendedor –aceptó Javier.

–Recordemos que el cumplimiento de los compromisos alimenta la Confianza (mientras que lo contrario la mina) –puntualizó Andrea.

–Sí, por supuesto –aceptó Javier.

–Y yo te planteo algo adicional: ¿qué piensas de que se deba seguir llamando con cierta constancia o regularidad a aquellos Clientes a los que presentaste una propuesta comercial pero dijeron que, por ejemplo, no lo veían claro y no han vuelto a dar señales de vida? ¿Crees que el seguimiento en este caso tiene sentido y que también esa labor la debe realizar el Vendedor? –preguntó nuevamente Andrea.

–Tienes razón, en este caso no lo veo tan claro. Más que seguimiento, me parece «insistencia machacona», y dudo de que pueda dar de algún modo fruto en los tiempos actuales. Desde luego, no lo veo como una función del Vendedor –dijo Javier–. ¿Y tú qué piensas?

–Los datos nos dicen que, en nuestra cultura actual de la inmediatez, el resultado de la primera visita es determinante. Y que, pese a lo que se decía hace 15 años, nada hoy demuestra que un seguimiento intensivo de preventa sobre potenciales Clientes que han demostrado ya su «no interés» en primera visita dé resultados, en efecto –dijo Andrea.

–Entonces, ¿propones que nos olvidemos de los que no compran o demuestran interés claro de compra en primera visita? –preguntó sorprendido Javier.

–No, para nada. Lo que digo es que, dado que alguna vez estuvieron interesados, creo que deberían seguir siendo impactados en el futuro –por ejemplo, siempre que haya nuevos lanzamientos o para invitarlos a conocer o probar productos o servicios (de forma gratuita) de su posible interés–, pero que esa función no debe corresponder al Vendedor, sino al departamento de CRM *(Customer Relationship Management)* de su organización –explicó Andrea–. Y, atención, eso no quita que también creo que debe haber un estudio cualitativo y cuantitativo constante de los «no compra» para comprender claramente las causas que hay detrás de su decisión.

–Ok, comprendido y totalmente de acuerdo. Pero no es lo que se nos impone, por desgracia –confesó Javier.

–Lo sé y creo que eso os genera una sobrecarga administrativa con poco sentido… –expresó Andrea–. Yo considero que el equipo de Ventas de tienda debe centrar todos sus esfuerzos en la venta en el corto plazo, pero que promover posibles ventas (o re-ventas) en el medio y el largo plazo deben ser responsabilidad del área de CRM de la organización. Y entonces sí, cuando el potencial Cliente vuelva a mostrar interés por la compra (o por la re-compra), solo entonces, debe entrar de nuevo en juego el equipo de Ventas.

–Lo compro, me parece totalmente razonable. Aprovechar la fuerza de Ventas para las potenciales ventas en el corto plazo, me gusta –dijo Javier.

–¿Vamos con el seguimiento de la venta? –propuso Andrea.

–Vale. En los mismos términos, ¿verdad? Es decir, si le veo sentido y utilidad y además quién debería llevarlo a cabo, ¿no? –validó Javier.

–Exacto… –aceptó Andrea.

–Pues también lo veo claro. Creo que es absolutamente imprescindible. Y debo decir que muchos de mis compañeros, una vez han firmado el pedido con un Cliente, se desentienden o se olvidan un poco de él (para ocuparse de otros potenciales). Pero yo creo de verdad que los Clientes desean sentirse acompañados durante esa espera. Es decir, que la mayor parte de ellos desean que su Vendedor les vaya contactando con regularidad para confirmarles cómo va todo, aunque sea para decirles «*no news, good news*» (sin noticias, buenas noticias) –explicó Javier–. Muchos necesitan un ser humano para informarles puntualmente de qué pueden esperar, cuál es el siguiente paso, etc. Yo además aprovecho para ir aclarándoles dudas o para ir explicándoles, por ejemplo, el funcionamiento detallado de algunos componentes de su vehículo. Como para seguir manteniendo la ilusión y que esta no decaiga –explicó Javier–. Esa función informativa, formativa y tranquilizadora de la que hablábamos.

–Efectivamente, Javier, coincido por completo contigo, aunque con un matiz. ¿Crees que TODOS los Clientes esperan los mismos tiempos de seguimiento? Me refiero de nuevo a la pauta y a la regularidad de los contactos... –preguntó de nuevo Andrea.

–¿Quieres decir que aquí también se aplican los estilos relacionales? –dijo Javier con sorpresa.

–Javier, vuelvo a repetir, se aplican en TODO el proceso de venta –aclaró Andrea–. Es evidente que no espera el mismo seguimiento de venta un fuego que un agua...

–Un agua necesita contacto humano más regular, ¿no? –reflexionó Javier.

–Claro, de hecho, si no le llamas casi cada semana en un periodo de espera de meses, probablemente sentirá que le has abandonado... –concretó Andrea.

–... y un fuego tendrá suficiente con un seguimiento más espaciado en el tiempo, ¿verdad? –dijo Javier–. A cada Cliente con la pauta temporal que necesite, ¿es eso?

–Claro. Y, ojo, eso no es contrario tampoco a que las marcas puedan activar además programas de espera que ofrezcan contenidos de todo tipo a los Clientes (del estilo, «su pedido ha entrado en fabricación» o «su producto ha sido enviado a su punto de entrega local», etc.). En cualquier caso, estamos de acuerdo en que el Vendedor consultivo no puede desaparecer del mapa, no puede desentenderse de sus Clientes que aún no han recibido los productos o servicios que él personalmente ha vendido –convino Andrea–. Yo lo comparo con el caso de un paciente que ha sido operado y está en proceso de recuperación en una habitación del hospital. El paciente, claro, espera que el médico que le ha operado sea el que le visite y le diga cómo ha ido la operación y cómo va evolucionando su estado, hasta que llegue el día del alta. ¿Alguien entendería que el cirujano se limitara a operar y tras ello diera por acabado su trabajo, sin interesarse por el resultado final y sin ver al paciente sanado acabando su estancia en el hospital?

–Me gusta la comparación… –reflexionó Javier–. O que firmes la reforma integral de tu casa con un arquitecto y que luego no aparezca ni un día por la obra para ver cómo va, ¿no?

–¡Genial, Javier! Tienes razón, el «seguimiento de obra» también es un tipo concreto de «seguimiento de venta» –reconoció Andrea–. En tu ejemplo se ve quizá incluso más claro.

–Gracias –dijo Javier.

–Y llegamos por fin al seguimiento posterior a la venta, o más bien, en realidad, posterior a la entrega definitiva. En tu caso, de un vehículo. En el caso del arquitecto, de la obra finalizada…

–La verdad es que yo veo aquí varias partes… –dijo Javier.

–Bien, ¿cuáles ves? –inició Andrea.

–Pues veo diferencias entre el seguimiento inmediatamente posterior, es decir, en el corto plazo, y el seguimiento más a medio o largo plazo –sugirió Javier.

–De acuerdo, ¿me cuentas en detalle las diferencias que ves, por favor? –le dijo Andrea.

–Yo sí le veo sentido a un seguimiento inmediatamente posterior, en el corto plazo y responsabilidad del Vendedor. De hecho, yo siempre llamo a mis Clientes 1 día o a lo sumo 2 después de entregarles los vehículos para ver si han llegado bien a casa, si todo les funciona correctamente… A veces, hasta les llamo el mismo día para verificarlo, si los he visto muy preocupados o temerosos. Me intereso por saber si se sienten cómodos con la conducción de su vehículo o si por el contrario tienen cualquier tipo de duda o incluso problema. Creo que mi responsabilidad es estar ahí para eso, del mismo modo que entiendo que la del arquitecto debería ser interesarse por saber si todo funciona perfectamente (el aire acondicionado, la calefacción, los baños, etc.) en la nueva casa del Cliente. Al menos es lo que yo haría… Aunque, pensando en todos nuestros ejemplos, el cirujano no te llama a casa para interesarse por cómo has llegado, ¿no? –se quedó pensativo Javier.

–Pero, o bien te emplaza a una visita de control en su consulta al cabo de unos días (más o menos días en función de la gravedad de la intervención o de la dolencia), o bien le pasa el testigo a tu médico de cabecera para que este haga ese seguimiento, ¿no? –confirmó Andrea.

–Sí, es cierto, ahora sí me cuadra –aceptó Javier aliviado.

–Bien, y ¿qué pasa con el seguimiento a medio o largo plazo después de la entrega del producto o la finalización del servicio? –preguntó de nuevo Andrea.

–Este es el seguimiento que no veo ni que tenga sentido ni que tenga que hacerlo el Vendedor –dijo directamente Javier.

–Pues te voy a decir que estoy 100 % de acuerdo contigo –dijo Andrea, para sorpresa de Javier.

–Pensaba que me lo ibas a rebatir con alguno de tus argumentos irrefutables –confesó Javier.

–Jajaja, pues no. De hecho, aquí también, como en tantas y tantas cosas, mi modelo de referencia es el de Apple –explicó Andrea–. Modelo que explicó claramente, en mi opinión, Ron Johnson, Vicepresidente de Retail de Apple en 2010 y creador, junto a Steve Jobs, del concepto de tiendas Apple, aún hoy vigente, en una entrevista que apareció en la *Harvard Business Review* en diciembre de 2011, titulada *Retail Isn't Broken, Stores Are* y que para mí lo cambió todo…

–¿Y en qué consistía su visión? –preguntó Javier curioso.

–Bueno, la entrevista es una de esas, en mi opinión, para leer y releer tantas veces como quieras. Y cada vez sacarás algún aprendizaje extra. Pero para el tema que nos ocupa, creo que contiene fundamentalmente una idea básica –prosiguió Andrea.

–Caramba, ¿cuál? –invitó Javier.

—En mi opinión, sentó las bases de lo que debía ser el nuevo CRM, dado que expresó la absoluta necesidad de cambiar *«from a transaction mind-set ("how do we sell more stuff?") to a value-creation mind-set»*, es decir, pasar de pensar solo en cómo vender más cosas a los Clientes a pensar en cómo crearles más valor. Y, además, hacerlo, si era posible, a través de las tiendas, creando así tráfico de exposición constante.

—Mucha gente se llena la boca diciendo siempre lo importante que es aportar valor al Cliente, pero poca lo consigue hacer realmente, ¿no? —replicó Javier.

—Sí, y acaban bombardeando al Cliente con correos electrónicos en los que le anuncian nuevos posibles productos o servicios de interés, campañas de venta especiales, etc. —respondió Andrea—. Que no es, a mi entender, exactamente el concepto de aportación de valor que él lanzó. En todos esos casos, sin duda se espera una nueva compra como objetivo principal. A cambio, además y en muchas ocasiones, de entregar enormes cantidades de dinero (es decir, de sacrificar rentabilidad) en campañas comerciales («venga a nuestra semana especial y disfrute de un ticket del 20 % de descuento»). Las compañías cada vez «tiran» más dinero en campañas comerciales tácticas de descuento y menos en inversión destinada a desarrollar valor, experiencia y calidad para los Clientes.

—¿Y qué cambio él? —preguntó Javier.

—Yo creo que en realidad él creó el concepto de «dar» al Cliente en lugar de «pedirle» de forma más o menos sutil. Es decir, de darle de verdad sin esperar una venta a cambio —dijo Andrea—. Y de dar algo que no fuera dinero o un descuento.

—¿Y qué hizo? —preguntó curioso Javier.

—Creó el concepto de «enriquecer la vida de los Clientes». Y lo hizo con multitud de acciones concretas, de las cuales yo destacaría una en particular: creó el Genius Bar®: un lugar en la tienda en el que puedes encontrar los mayores expertos en todo tipo de productos, aplicaciones y usos del mundo Apple —explicó Andrea.

—Que tantas y tantas marcas han imitado: desde Microsoft con su Guru® a las diversas marcas de automoción con sus propios «sabios» –dijo Javier.

—En efecto. Lo que ocurre es que, en la mayor parte de esos casos, el sabio de turno está orientado al apoyo a la venta, como experto de producto. Sin embargo, en el caso de Apple, el Genius® nació orientado fundamentalmente a que el Cliente consiguiera conocer y disfrutar al máximo de sus productos ya adquiridos, es decir, al servicio postventa, si lo quieres llamar así. De hecho, nació, entre otras cosas, para dar píldoras formativas, individuales o colectivas (y siempre gratuitas), sobre múltiples usos y aplicaciones de los productos. Esa es la gran diferencia. Proponerle al Cliente volver a la tienda, no con una campaña de descuento para ver si compra algo más, sino pura y llanamente para darle un curso gratis sobre cómo, no sé, aprender a hacer mejores vídeos con sus fotos en su iPad –explicó Andrea.

—Como hacen los de Thermomix, ¿verdad? –dijo de pronto Javier.

—Pues sí, Javier, ¡muy bien! –respondió sorprendida Andrea–. Los usuarios de Thermomix forman «legión», son casi como una «secta», es de verdad sorprendente. Y es que la marca está constantemente apoyándoles y ofreciéndoles nuevas ideas sobre platos, formas efectivas y saludables de cocinar, etc. Y no hace falta nadie que les diga: «Cómprate el último modelo, aquí tienes un descuento». Todos los Clientes están atentos a las novedades de forma proactiva gracias a todo lo que la marca les «da».

—«Dar en vez de pedir a los Clientes», lo veo claro. A cambio de nada, muy fuerte –dijo Javier–. Un gran cambio, claro. Y eso atrae a los Clientes a las tiendas. De forma masiva. Y probablemente ellos solos querrán en algún momento comprar algo, pero nadie se lo está machacando de forma continua ni les regala dinero.

—Exacto. ¿Qué crees que tendría más valor para los Clientes de tu tienda, hacerles una llamada para hablarles de nuevos lanzamientos y ver de paso si pueden estar interesados en renovar su vehículo o, por el contrario, invitarles, por ejemplo, a minicursos gratuitos para que se conviertan en usuarios avanzados en el uso de algún tipo de equipamiento complejo de su vehículo, que sepáis u os conste que provoca dudas generalizadas entre los Clientes de forma regular? –preguntó Andrea.

–Está clarísimo... –comprendió Javier–. Y eso, además de que tiene un impacto mucho más positivo en los Clientes, aumenta su confianza en nosotros, trae personas a la tienda... y no tiene sentido que lo haga el Vendedor, ¿verdad?

–Tú lo has dicho. Es ideal justamente para esos sabios de los que hablábamos. En definitiva, estoy de acuerdo contigo en que tanto los contenidos del CRM como los medios y finalmente los objetivos deben cambiar en el medio y largo plazo –concluyó Andrea–. Para mí es un error pretender que el equipo de Vendedores sea el responsable de un seguimiento comercial intensivo, de llamar de manera regular (cada 6 meses, cada año, etc.) a los Clientes para ver si pueden (ellos o algún amigo) estar interesados en volver a comprar... Creo sinceramente que no es una fórmula válida para los tiempos actuales y además no está demostrado que dé resultados –expresó Andrea contundente.

–Siento interrumpir, pero tenemos el Thorong Phedi y el Thorong La Pass ante nosotros, chicos –los avisó Ainara.

–La verdad es que impresiona –reconoció Javier.

Al día siguiente les esperaba la jornada más importante del trekking.

3.27 EL PASO DEL THORONG LA (5500 M) (PARA QUE UN EQUIPO DE VENTAS DÉ UN ALTO RENDIMIENTO HAY QUE DESARROLLARLO COMO TAL, NO BASTA CON EXIGÍRSELO)

–¡Madre mía, no he pegado ojo, con lo cansada que estoy! –exclamó Ainara bostezando–. Es noche cerrada, ¿queréis decir que habrán «puesto el camino» ya? –dijo mirando por una de las ventanas del comedor del *lodge* del Thorong Phedi.

Eran las 4:00 de la mañana, hora a la que habían acordado despertase todos a propuesta de Himavat, con el objetivo de empezar a andar a las 4:30 y superar el paso antes de las 10:00.

–Si te hubieras tomado un hipnótico inductor del sueño, como te dije, ahora estarías estupendamente como yo, que he dormido del tirón desde las 20:00 de ayer a las 4:00 de hoy –le respondió Mar–. Pero como te niegas a hacer caso a tu doctora…

–¡Es que me alucina lo pastilleros que sois todos los médicos! –respondió Ainara, a lo que todos rieron, pese al sueño que tenían–. «Ay, me duele una uña, me tomo una pastilla. Ay, me ha salido un moco, me tomo otra pastilla» –se puso a parodiar a Mar, para disfrute de todos–. A veces he viajado con ella en vuelos largos en los que la tía se ha metido una pastillita nada más despegar y ha dejado de existir hasta el aterrizaje. Me da miedo que un día hagas un Michael Jackson, cariño, de verdad… –todos seguían riendo.

–Jajaja, pobre Michael, qué pena, no, no, para nada… Cielo, ¡los 10 mg del hipnótico de corta duración que nos hemos tomado Alberto y yo antes de ir a dormir no matarían ni a un gato! –respondió Mar–. ¡Qué poca confianza, por favor!

–Pues yo, la verdad, con lo cansada que estaba de la etapa de ayer, caí muerta también a las 20:00 y he dormido como un verdadero tronco –dijo Andrea, aún divertida por las bromas de Ainara, mientras Marc reproducía como un mimo cómo había caído en la cama y se había quedado completamente KO y ocupando su lado y parte del de él, de nuevo para jolgorio de todos, Andrea incluida.

–Pues yo he dormido a ratos… –dijo Javier algo más serio–. Y a mí, además, hoy me duele la cabeza. Y eso que me tomé para dormir una infusión de hierbas naturales mezcla de pasiflora, tila, valeriana y no sé cuántas hierbas más con nombres rarísimos y que desconocía por completo.

–Todo normaaaaal, chicos, en cuanto bajemos se nos pasarán todos estos efectos de la altura y la falta de oxígeno. Eso sí, por favor, os quiero a todos bien hidratados, bebiendo sin parar, aunque no tengáis sed, cada media hora, ¿vale? –dijo Mar a todos–. Y Javier, por cierto, te puedes tomar una Coca-Cola: aunque te parezca raro, te puede ir genial para el dolor de cabeza.

–¡Vaaaaaale, doctora, a sus órdenes! –dijo Ainara por voz de todos.

Y es que si hasta Manang se habían movido en alturas consideradas de nivel «gran altitud» (de 1500 m a 3500 m), de ahí en adelante, desde la etapa 7 –en que habían partido de Manang (a 3500 m), habían pasado por Letdar (a 4000 m) y habían llegado al Thorong Phedi 4500 m)– habían entrado en la zona considerada de «muy gran altitud» (que se estima de 3500 m a 5500 m). Y aunque no iban a superar la cota de la «extrema altitud» (por encima de 5500 m), los síntomas habituales de la altura, tales como el insomnio, la sensación de falta de aire para respirar, ligeros dolores de cabeza, etc., ya habían hecho su aparición.

Además, todos sabían que la etapa 8 que tenían por delante, partiendo del Thorong Phedi (a 4500 m), pasando por el Thorong La Pass (a 5500 m), para descender a Muktinath (a 3800 m), con casi 1000 m de subida y 1700 m de bajada, iba a ser muy dura y estaban algo inquietos, especialmente los ciclistas, que la noche anterior habían debatido sobre si hacer la subida con la bici o andando:

–Marc, Alberto, ¿veis claro lo de subir mañana al Thorong La Pass con las bicis? –había preguntado Raúl en mitad de la cena–. Ayer ya lo pasamos algo mal con la falta de oxígeno a partir de los 4000 m, al menos yo. Y además Himavat dice que la subida al Thorong La Pass no es ciclable en más de un 90 % del recorrido… ¿Cómo lo veis?

–Si realmente la subida no es ciclable, igual tienes razón y no es mala idea subir andando todo el grupo junto, que los porteadores nos suban las bicis en los animales (van ligeros, con muy poco peso, creo que podrán) y que nos esperen arriba para darnos las bicis para la bajada, ¿no? –propuso Alberto.

–A mí, la verdad, confieso que me haría ilusión que subiéramos en grupo y poder así coronar el paso todos juntos –dijo Andrea.

–Sí, y a mí. Me parece muy buena idea la propuesta –secundó Mar, mirando a su hijo y a todos.

–Esperad, que falta el «picao» de Marc por hablar, que ahora dirá que no ha venido hasta aquí para que le suban la bici los porteadores y blablablá blablablá o alguna «machada» así –dijo Ainara mirando a Marc con cara de pilla provocadora.

–Pues mira, le estaba dando vueltas, la verdad. Y si bien es cierto que me hubiera gustado hacer tooooodo el recorrido con la bici, si Himavat dice que el terreno no es ciclable, creo que no hay muchas vueltas que darle al asunto –dijo Marc–. Y si encima mi esposa dice que le hace ilusión que subamos juntos, pues todo queda dicho por mi parte. ¡Hala, lista –se dirigió a Ainara–, para que veas que ya me he hecho mayor y he madurado!… Eso sí –dijo mirando a los *bikers*–, tendremos que preparar bien el material que deberá estar a mano arriba, porque la ropa y el calzado de la subida no nos van a servir para la bajada en bici, ¿no os parece?

Así, a las 4:30 el grupo al completo empezaba a andar. El camino salía casi de la puerta del *lodge* del Thorong Phedi, cuyo nombre significaba, no por casualidad, «a los pies del Thorong». El ascenso, en zig-zag y que parecía no tener fin, era realmente infernal.

–Thorong La Pass, ¡allá vamos! –gritó Marc para motivar al grupo.

–¡¡Yuuuuujuuuuuuu!! –gritaron todos emocionados.

–Eso sí, si alguien me hubiera dicho que iba a andar a 5000 m de altura, de noche, sin apenas dormir, con un frío que pela, con niebla, con un dolor de piernas, de pies, de todo que no veas, sin apenas poder respirar ni hablar y por propia voluntad, le habría dicho que estaba completamente loco, ¡¡os lo aseguro!! –dijo Ainara.

—No creo que ese sea el pensamiento más adecuado para tener ahora, Ainara, cambia el chip, cariño, o esto se nos va a hacer interminable —le respondió balbuceando Mar.

—Vaaaaaale, tienes razón, ¡¡¡en realidad me mola mucho!!! Y la noche de Manang quedará en mi memoria (y en mis fotos, fliparéis cuando las veáis) por siempre —dijo Ainara de nuevo.

Tras varias horas andando, solo se oía el ruido de las respiraciones y de los pasos. A 5000 m de altura y para una persona «normal», dar un paso significa lanzar un pie, parar, respirar 3 veces y lanzar otro pie hacia adelante, volver a parar, respirar 3 veces y lanzar un nuevo paso. Y así una y otra vez. Y no perder nunca la concentración. Parecía mentira lo que condicionaba tener aproximadamente un 45 % menos de aire disponible. Iban andando, despacio, a paso extralento, y se sentían como si estuvieran corriendo una maratón. El paisaje lunar aportaba un plus de épica a la subida.

De pronto, cercanos ya al paso, Javier dijo:

—No me encuentro muy bien, tía Andrea —y en ese momento cayó clavando sus rodillas en el suelo, mientras se cogía el costado derecho con la mano, encogiéndose todo él de dolor.

—¿Qué tienes, cielo, qué notas? —corrió a él alarmada Andrea de inmediato. Todos saltaron instantáneamente también adonde se había quedado.

—A ver, por favor, dejadme sitio —pidió de pronto Mar, que sabía que debía tomar el control de la situación. Todos le hicieron caso—. Javier, ahora voy a necesitar que me cuentes cosas, ¿vale? —dijo mientras se quitaba su mochila y sacaba a toda prisa su botiquín—. Y el resto, silencio, por favor. Necesito que le sentéis y le aguantéis, que no se caiga. Venga, Javi, ¿qué sientes exactamente?

—Un dolor muy fuerte aquí, en el costado derecho, como que me baja por momentos hacia la parte baja del abdomen, por delante, hacia…, ya sabes…, y tengo como náuseas… —dijo como pudo Javier, muy lentamente, con los ojos cerrados y un rictus de dolor.

–Costado derecho. Genial –dijo Mar haciendo una leve mueca–. Vale, este dolor tan agudo, ¿dirías que nace más bien de la zona lumbar o de la parte anterior del abdomen? ¿O sea, de la espalda o de la tripa por delante? –preguntó al tiempo que sacaba de su botiquín su fonendoscopio y el termómetro.

–Creo que de la zona lumbar, como del riñón –respondió Javier.

–Vale, te voy a tomar la temperatura, necesito saber si tienes fiebre y también revisar tus constantes vitales, ¿ok? –le dijo enseñándole el termómetro y poniéndoselo después. El silencio se podía cortar mientras el resto sostenía a Javier y escuchaba atentamente. Al cabo de un momento: Muy bien, no tienes fiebre. Ahora te voy a hacer alguna pregunta más, ¿vale?

–Vale –respondió Javier.

–¿Has notado pérdida de apetito estos días y anoche en concreto? –preguntó Mar de nuevo.

–No, apetito normal –dijo Javier–. Bueno, igual algo menos anoche, pero pensé que era por la altura y el esfuerzo.

–Bien. ¿Has ido al baño normalmente? –volvió a preguntar.

–Sí, esta mañana tras el café, antes de salir –respondió Javier.

–¿Y ha sido normal? –insistió mar.

–Sí, totalmente –asintió Javier.

–Y a la hora de hacer pis, ¿has notado alguna molestia o has visto si el pipí tenía un color diferente? –preguntó una vez más Mar.

–Puede ser, sí, como un cierto escozor. Y quizá sí, tienes razón, como un pis algo más oscuro –dijo Javier–. No le di más importancia porque lo asocié al tipo de alimentación, algo más picante aquí.

–Bien, Javi. Ahora te voy a hacer una exploración física. Necesito que me digas de 0 a 10 la intensidad del dolor que sientes en los puntos en los que yo te explore cuando te pregunte, ¿vale? –le dijo.

Javier se preparó para sentir dolor. Al acabar de explorarle…:

–A ver, Javi, un dolor tan intenso como el tuyo en el costado derecho que irradia hacia la zona genital podría significar varias cosas distintas… –empezó a decir Mar.

–¿Como una apendicitis? –la cortó Javier, verbalizando una idea que a todos les rondaba por la cabeza.

–A ver, por lo que me cuentas, por el lugar en que parece localizarse el dolor, porque no me parece que el peritoneo adyacente esté inflamado (que no tienes la tripa dura, vamos) y porque no tienes fiebre, me inclino a pensar (sin descartar nada) en un cólico nefrítico. ¿Sabes lo que es, verdad? –le preguntó Mar.

–Como una piedrita en el riñón o en las vías urinarias, ¿no? –respondió Javier.

–Sí, eso. ¿Nunca habías tenido uno, no? –le volvió a preguntar.

–No, nunca –confirmó Javier.

–Ok, puede deberse a múltiples causas, pero el esfuerzo de estos días, quizá junto a una hidratación no del todo adecuada, podría ser la causa más probable. En cualquier caso, la prioridad ahora es cortar el dolor y sacarte de aquí. Así que te voy a pinchar un par de cosas, ¿vale? –le dijo Mar.

–¿Y tienen que ser pinchadas? No me gustan mucho las agujas… –confesó Javier.

–Ya, cariño, pero el efecto es mucho más rápido y tenemos que salir de aquí cuanto antes –le dijo Mar, sin dar opciones–. Te voy a pinchar un Voltaren® y una Buscapina®. Y te vas a tomar bebida esta ampollita de Nolotil® con un buen trago de agua –y mientras le decía esto último, sin que apenas se diera cuenta, ya le había pinchado.

–¿Ya me has pinchado? –le dijo Javier.

–Sí. Y te volveré a pinchar en 4-6 horas otra vez si no te ha desaparecido casi por completo el dolor. Y, por supuesto, si notas cualquier cosa, me lo dices inmediatamente, ¿vale? –dijo segura Mar.

–Vale –dijo Javier. Y tras un breve silencio–: Muchísimas gracias, Mar.

–No hay de qué, cielo, solo faltaría –le respondió satisfecha Mar.

Acto seguido, Andrea le dio un abrazo a Mar y un beso muy fuerte. Su querida amiga, siempre cuidando de todos. Ainara, emocionada, le dio un pellizco cariñoso en la mejilla.

–«Pastillera», eres simplemente la mejor –le dijo.

En apenas 15 minutos Javier ya sentía la mejoría. Entre todos le ayudaron a levantarse y a reiniciar la marcha. Marc hizo que le echara el brazo por encima de su cuello para que caminaran juntos, y Raúl se colocó al instante al otro lado. Entre ambos se asegurarían de que pudiera seguir avanzando: mover 80 kg y 1.80 m de altura en esas circunstancias requería de toda la ayuda posible.

Cuando por fin alcanzaron el Thorong La Pass, todos explotaron en saltos de alegría, lloros emocionados y abrazos y besos. ¡Parecía que hubieran alcanzado la cima del Everest! Fotos y más fotos para inmortalizar el momento.

Y cuando los porteadores empezaron a descargar las bicis, Marc de pronto dijo:

–Casi no me creo lo que voy a decir, pero, Himavat, por favor, diles que no descarguen la mía, que bajaré andando con mi sobrino y el resto de caminantes –dijo guiñando un ojo a su esposa.

–Nooooo, de verdad, no hace falta, me encuentro mucho mejor, apenas me duele ya –dijo Javier de inmediato.

–No pienso discutir ni un segundo sobre el tema. Me voy a saltar la mejor bajada de *mountain bike* de la historia, la bajada por la que llevo 8 días subiendo como un cabrón, y espero que lo recuerdes por siempre, sobrinete: que te quede claro que me vas a deber una por los siglos de los siglos, jajaja –dijo haciéndole una mueca simpática–. Pero voy a bajar contigo sí o sí, digas lo que digas. No me iría tranquilo si no lo hiciera –y le hizo un gesto cariñoso enmarañándole el pelo con su mano–. Así que está todo dicho.

–Pues si tú no bajas en bici, yo tampoco –dijo Raúl de pronto.

–Ni yo, está claro –se sumó Alberto.

No hubo más protestas. Javier estaba en realidad muy agradecido y se sentía íntima y profundamente acogido y unido a sus amigos y sus tíos. Ya no se encontraba mal, pero lo cierto era que él y todos se sintieron mejor al pensar que iban a seguir todos juntos, por lo que pudiera pasar.

La bajada, también de varias horas, fue casi más dura para las piernas que la subida. Sin embargo, cada vez les iba resultando más fácil respirar. Además, a partir de cierto momento, cercanos ya a Muktinath, apareció frente a ellos el inicio del fantástico cañón del Kali Gandaki, considerado el más profundo de la Tierra y vía de acceso al reino perdido de Mustang. Y a lo lejos, la maravillosa vista del Dhaulagiri, de 8167 m, la séptima montaña más alta del mundo.

Llegaron realmente animados a Muktinath, con la sensación de que, aunque aún quedaba una etapa del trekking hasta el aeropuerto de Jomsom, y pese a todas las dificultades que habían tenido, ya habían conseguido superar su gran reto.

Una vez instalados en un agradable hostal y tras comer, se fueron a dar un paseo por el pueblo. Curiosamente, al atravesar el Thorong La Pass habían dejado atrás la influencia budista y Muktinath era, de hecho, un lugar de intensa vida y peregrinación hinduista. El templo hindú del pueblo era sencillamente maravilloso. Dentro había imágenes del mismo y de los alrededores nevados. Debía ser realmente impresionante visitarlo en época de nieve.

¡Y qué decir del Bob Marley Hotel & Bar! Decidieron tomarse una cerveza para celebrar el éxito de la expedición, y al entrar sonaba *No Woman, No Cry*. Al escuchar la canción, Andrea no pudo evitar ponerse a llorar de emoción. Todos la abrazaron y besaron.

–Perdonad, chicos, esto ha sido tan intenso, ya sabéis, yo la llorona… –dijo entre lágrimas de felicidad.

–No hay nada que perdonar, amor –le dijo Ainara–. Todos estamos muy emocionados y encima esta canción… Además, yo, cuando te veo llorar así, sé que todo está bien…

–No te preocupes por Javi, está bien, cielo –le susurró Mar al oído cuando también la abrazó.

La cerveza los sosegó a todos y empezaron a recordar momentos del trekking: las sanguijuelas, los desprendimientos, el cólico de Javi, etc. De pronto, Andrea dijo:

–Chicos, se me acaba de ocurrir una idea, a ver qué os parece… Veréis, la etapa de mañana es básicamente plana y de 24 km. Tiene la gracia de atravesar dos pueblos muy chulos, Jharkot y Kagbeni, y a continuación se coge ya el cañón del Kali Gandaki, el más profundo de la Tierra. Muy bonito, completamente plano, sencillo, pero andando son más de 6 inacabables horas llenas de polvo que se hacen algo largas… He mirado el Google Maps y se puede hacer en jeep en 1 hora –contó Andrea.

–¿Y? –dijo Marc.

–Me preguntaba si podríamos hablar con Himavat para que nos consiguiera un transporte rodado hasta allí y que entonces los *bikers* pudierais volver a subir al Thorong La Pass desde Muktinath y hacer la bajada en bici que hoy no habéis podido hacer… No sé, creo que si os apetece sacaros la espinita, tenemos la posibilidad de hacerlo sin demasiada complicación y sin alterar los planes de vuelo mañana… –dijo Andrea.

–¡Qué idea más genial, mamá! –dijo Marc inmediatamente–. ¿Qué os parece, *bikers*?

–¡Brutal! –dijo Raúl–. La pista de subida, la misma que hemos bajado, de 1700 m, tiene en realidad un desnivel bastante asumible en bici, era todo pista en buenas condiciones. Yo calculo que la podemos subir en 2-3 horas. Eso más 1 para bajar, nos da unas 4 horas. Si salimos a las 6:00 de la mañana, antes de las 11:00 podemos estar aquí de vuelta. Me parece un planazo. ¿Qué decís los demás?

–¡A mí me parece también superbuena idea! –dijo Alberto.

–¡Genial! Y mamá, estoy pensando que, si queréis, vosotras con Javier podéis ir tirando en jeep o andando, como queráis, y visitar por la mañana Jharkot y Kagbeni. Y nosotros podemos ir directos a Jomsom en bici y encontrarnos allí. Al final es todo bajada neta. Calculo que podemos llegar sobre las 12:30 como tarde –dijo Marc.

–Tenemos el vuelo a las 14:30, así que sobre el papel encaja. Y hay vuelos cada media hora. Y la previsión del tiempo es buena –confirmó Andrea.

–¡Pues vámonos pitando al hotel a hablar con Himavat del cambio de planes! –exclamó Ainara.

De camino al hotel, Javier buscó de nuevo un momento para hablar a solas con Andrea:

–No se te escapa una, estás en todo… –le dijo. Ella, sorprendida, le miró de pronto.

–No has dicho nada del cambio de planes, ¿te ha parecido bien? –le preguntó Andrea.

–¡Por supuesto! –dijo Javier–. ¿Y sabes qué? Entre todos me habéis demostrado lo que significa ser un equipo autogestionado que en realidad tiene la metodología Agile profundamente interiorizada, tal y como me contabas a raíz del tema de los objetivos.

–¿Ah, sí? Qué bueno, ¡nunca dejas de sorprenderme! –exclamó Andrea.

–Sí, **me habéis demostrado cómo funciona un equipo autogestionado, con alto grado de confianza entre sus miembros. Un equipo así es capaz de adaptarse y buscar soluciones con suma rapidez y flexibilidad ante cualquier cambio** –reflexionó Javier.

–Ya veo, estás viendo el trekking como si hubiera sido «un proyecto» de equipo, ¿no? –dijo Andrea.

–Sí, exacto, es como si cada etapa hubiera sido una parte de un proyecto mayor, el trekking. Y cada etapa tenía un plan previsto inicialmente, pero cuando ha sido preciso porque los requisitos han cambiado, el plan se ha adaptado con extraordinaria flexibilidad y rapidez. De forma «ágil». Y todos, cada uno en vuestra especialidad, habéis aportado vuestra visión multidisciplinar y complementaria en pro de un resultado extraordinario para todos. Digamos que sois enormemente productivos en la gestión de prioridades y resultados, preservando siempre el bien de todas las personas del equipo. Alucinante, la verdad –explicó Javier.

–Bueno, tú también has sido parte de eso, ¿no te parece? –confirmó Andrea.

–Me ha costado entrar, pero supongo que sí, que al final sí –dijo él.

–¿Y cómo te hace sentir eso? –preguntó Andrea.

–Pues muy conectado a todos vosotros, claro… Siento que soy parte de «la familia» que formáis, que formamos. Y me siento capaz de afrontar cualquier reto todos juntos –reconoció feliz aunque contenido Javier.

–Qué lectura más chula, Javier… ¿Te imaginas esto trasladado a un equipo de ventas (o a un equipo de lo que sea)? –le dijo Andrea.

–Sería un equipo absolutamente imbatible, sin duda –confirmó Javier.

3.28 EL MANDALA YA DEBE ESTAR ACABADO
(FASE 6: UNA ENTREGA MEMORABLE SÍ O SÍ)

–¡No deja de venirme a la cabeza el vuelo de ayer de Jomsom a Pokhara! –dijo Mar de pronto, sacando a todos de su sopor–. Creo que ha sido el vuelo más corto de mi vida, de solo 20 minutos, y, a la vez, ¡en el que más miedo he pasado!

–Cuando la azafata se acercó con un cuenco ofreciéndonos algo justo antes de despegar pensé que nos ofrecía caramelos o algo así… ¡y resultó que eran trozos de algodón cortados así, a mano, para ponerse en los oídos! Me pareció alucinante, la verdad –dijo Javier–. Primero opté por no ponérmelos, pero cuando despegamos, el ruido de los motores de hélice era tan brutal que me los tuve que poner.

–Yo no me los puse, preferí mis cascos sin sonido, me pareció una solución más higiénica –dijo la doctora–. Pero, sobre todo, me impresionó volar entre tantas montañas y las caídas que íbamos sufriendo todo el rato por las pérdidas de sustentación debidas a las diferencias de presión entre las montañas. Qué miedo, por favor –insistió.

–¡Ya estamos con los supertacañones del grupo! ¡Sois, de verdad, la alegría de la huerta! –exclamó Ainara–. ¡Pues a mí me pareció una experiencia increíble! ¡Parecía realmente que pudieras estirar la mano por la ventana de la avioneta y tocar las montañas! ¡Hice unas fotos alucinantes, ya las veréis!

–¡Jajaja, yo estoy de acuerdo contigo, Ainara, el paisaje me cortaba la respiración y el subidón que te da el vuelo no lo tienes ni con la montaña rusa más bestia del mundo! –dijo Andrea riendo sonoramente.

–Sí, es verdad, el paisaje era chulo, pero no me quiero ni imaginar la de cancelaciones y accidentes que debe de haber aquí, ¿no? –insistió Mar.

–Bueno, la compañía con la que nosotros volamos en 1997 –contó Andrea, más seria–, la Lumbini Airways, había sido fundada en el año 1996 y, buscando billetes para este nuevo viaje, leí por casualidad que había finalizado sus operaciones en 2001… Según parece, tuvieron un accidente en 1998 en el que murieron los 18 ocupantes del vuelo.

–¿Lo veis? –se reivindicó Mar–. ¿De qué me suena el nombre de Lumbini, por cierto?

–Lumbini es la localidad natal de Buda, que está muy cerca de Sidhharth Nagar, y que está situada al oeste del país –confirmó Andrea–. Buda, al parecer, nació en Nepal, sí. ¿Te suena de eso quizá?

–Eeeeeso, sí, gracias –dijo Mar–. Nepal protagonista una vez más de algo importante en la historia de la humanidad…

–¿Y por qué fue el accidente de la Lumbini Airways, qué pasó, lo sabes? –siguió Javier con el tema del avión.

–No conozco las causas exactas. ¡Lo que sé es que chocaron contra el Annapurna I! –explicó Andrea abriendo mucho los ojos.

–¡Pues a mí me da más miedo el jeep en el que vamos ahora, tal como conducen aquí, que el vuelo de ayer! ¡Seguro que hay más accidentes y más muertos en las carreteras que en esos vuelos de Jomsom a Pokhara! Además, ¿no os flipó eso de que funcionen como un autobús de línea, con vuelos cada media hora? –dijo Ainara de nuevo–. Me parece que debería ser una de las vivencias imprescindibles para quien visite este país: un viaje en avioneta entre las nubes y las montañas. Para mí es la esencia de lo que es y de lo que te hace sentir este país…

–Por cierto, ¿nos sigue el otro jeep con los *bikers*? –dijo Mar girándose de pronto inquieta.

–Sí, sí, van pegados a nosotros, no te preocupes, Mar –respondió Javier.

–A mí me pareció una despedida sublime, como la mejor posible de esas montañas mágicas… –dijo Andrea sentida.

–Despedida… Uff, no me creo que ya se haya acabado el trekking… –empatizó Mar, con un punto de tristeza–. Parece increíble que ayer a estas horas estuviéramos andando de Muktinath a Jomsom por el cañón del Kali Gandaki, escuchando de Himavat todas las historias del reino de Mustang, y que ahora estemos de nuevo en un jeep camino a Katmandú desde Pokhara. Me parece, no sé, como irreal, la verdad.

–Sí, a mí también. Era mi segunda vez y me vuelve a parecer casi un poco «inaceptable» que se haya vuelto a acabar. Como un sueño recurrente que he vuelto a soñar y del que me he vuelto a despertar con la misma sensación de cierto vacío, de no querer que acabara nunca –dijo Andrea, contagiada de la misma sensación–. Sin embargo, a la vez me siento serena, feliz. Hasta me he «reconciliado» con Pokhara. No contemplaba pasar ni un minuto en la ciudad, pero durante el paseo de ayer por la tarde hasta mi mirada había cambiado.

–La verdad es que solo por haber podido disfrutar del paseo por el lago Phewa, con el macizo del Annapurna detrás, ha valido la pena que nos hayamos tenido que quedar a dormir en Pokhara y viajar a Katmandú hoy por la mañana pronto –dijo Mar.

–Sí, estoy de acuerdo. La vez anterior las montañas estaban tapadas por las nubes y no las pudimos ver –recordó Andrea.

–Este viaje quedará por siempre grabado en nuestros corazones –dijo de pronto Ainara–. Al menos para mí ha sido, sin duda, uno de los viajes emocionalmente más intensos de toda mi vida. El esfuerzo al límite, pero compartido, la admiración de la belleza sublime, la potencia de nuestro vínculo personal, no sé, todo ello me ha dado como una paz y un equilibrio interior que me resulta difícil de expresar… Como dijo Maya Angelou, la escritora americana, «la gente olvidará lo que dijiste, olvidará lo que hiciste, pero nunca olvidará cómo les hiciste sentir» –Andrea dio un abrazo a su querida amiga.

–Ostras, gracias, Ainara –se sumó Javier, repentina y anormalmente impactado con este tipo de pensamientos–. Me acabo de dar cuenta de que eso debe de ser realmente la clave de la famosa «Experiencia de Cliente», ¿verdad? Hacerles sentir…

–Pues con toda seguridad tienes razón, Javi –convino Andrea sorprendida con Javier.

–Y debo decir –continuó Javier bajando la voz casi a un susurro para que solo le oyera Andrea– que me siento también algo «huérfano» al pensar que nuestras conversaciones diarias sobre el mundo de las ventas vayan a acabar con el viaje… No sé bien qué tengo que hacer ahora, me siento un poco perdido… –reconoció.

–Yo te diría –dijo Andrea, volviendo súbitamente a la realidad –que tengas cuidado con pretender crear un «plan de acción» demasiado complejo… Que sé que tú eres el rey de la planificación concienzuda. Y es que comprendo que necesites recapitular, repasar, escribir, esquematizar, recomprender, estudiar un poco… Pero piensa, por favor, que, sobre todo, es imprescindible ¡ponerlo en práctica lo antes posible! Ya sabes, se aprende haciendo…

–¿Qué sería lo antes posible para ti? ¿Quizá que inicie ya el próximo año con todo ello? –dijo Javier.

–¿Quéeeeeeeeeee? ¿El próximo año? Pero ¡si estamos en agosto! ¿Quieres esperar 4 meses? Creo que eso no funcionará –le dijo Andrea con cierta decepción. Y reponiéndose de inmediato–: Mira, te propongo que empecemos por hacer varios *role plays* (simulaciones) tú y yo estos dos días que nos quedan en Katmandú.

–¿Lo dices en serio? –dijo Javier–. No creo que pueda, no lo voy a saber hacer bien, seguro. No sin tenerlo todo atado y bien atado antes.

–¿Qué te parece si aprovechas este viaje en jeep que tenemos por delante para repasar y organizar las ideas en tu cabeza? ¿Te ves capaz de hacerte un esquema de una hoja de todo lo que hemos hablado? –le propuso Andrea–. Y luego, si quieres, lo revisamos juntos.

–Ok, vale, eso sí lo puedo intentar –aceptó Javier.

–Y oye, no te olvides nunca de que aprendemos a andar cayéndonos una y otra vez. Para aprender de verdad hay poner en acción lo aprendido y equivocarse una y mil veces. Sócrates decía que hacer el bien hacía a los seres humanos felices. Y que, para hacer el bien, bastaba con comprender qué era el bien. Pero la filosofía y la psicología moderna le han quitado la razón en la segunda parte (¡no en la primera!): conocer el bien no nos habilita directamente para hacer el bien. Puedes explicar a alguien qué es la música y cómo funciona y se toca un piano y que esa persona lo comprenda perfectamente, pero necesitará años y años de práctica y más práctica y miles de errores hasta conseguir tocar una fantasía de Mozart. A nadie le cuentan cómo se nada, uno se tira al mar y nada. Así que, no, no te saldrá bien a la primera. Pero es que eso es lo normal. Te equivocarás seguro y aprenderás de cada error. Y también cada vez te saldrá mejor, ¿ok? Así que, ¿practicaremos en Katmandú? –preguntó Andrea.

–Vaaaaaale, de acuerdo –aceptó Javier.

Tras ello, prosiguieron su viaje de vuelta a Katmandú. De pronto, Javier recibió un whatsapp en su móvil. Los monjes de la escuela-taller le habían enviado una foto de todo el equipo señalando su mandala sobre una mesa de madera y con un mensaje que decía: «Javier, tu mandala está acabado y te está esperando». Y que podía pasar esa misma mañana a recogerlo. Se la enseñó enseguida a Andrea con una sonrisa en la cara. Qué gran noticia. Además, tras consultarlo con Himavat, resultó que podían parar un momento por la escuela-taller porque estaba de camino al nuevo hotel previsto. Así Javier podría recoger directamente su mandala. El plan no podía ser mejor.

Habían salido de Pokhara a las 6:00, de modo que llegaron a Katmandú sobre las 12:00. Javier quiso bajar solo, pero de pronto Ainara le dijo:

–Por favor, Javi, déjame acompañarte. Ni te enterarás de que estoy ahí, pero daría lo que fuera por poder hacer unas fotos de lo que va a ocurrir ahí dentro... Y quizá se las querrás enseñar algún día a tu chica...

Javier apenas tuvo de tiempo de reaccionar y, aunque no muy convencido, hizo un gesto de aceptación.

Los demás se quedaron en los jeeps durante la espera y Javier y Ainara se dirigieron hacia la escuela-taller. Eso sí, lo que creían que iba a ser una simple recogida de 5 minutos se alargó casi 1 hora.

Al cabo de ese tiempo, Javier y Ainara aparecieron, ambos con una sonrisa de oreja a oreja y un pañuelo blanco atado al cuello. Javier llevaba el mandala enrollado en un tubo, por lo que no estaba a la vista. Una vez en el todoterreno de nuevo, reiniciaron la marcha camino del hotel:

–Pero bueno, venga, ¿qué habéis hecho tanto rato? ¡Estamos en ascuas! –les preguntó Mar.

–Bueno, no sabéis la recepción que han montado –respondió Javier, aún sorprendido y abrumado.

–¿Ah, sí? –preguntó Andrea muy interesada–. ¿Puedo preguntarte cómo te han hecho la entrega del mandala exactamente?

–Bueno, para empezar, parecía que todos estuvieran esperando el momento de mi llegada. Nada más entrar, todos sabían mi nombre y me recibían diciendo «Namasté, Javier», uniendo sus manos delante de su pecho y haciéndome una leve reverencia. La presencia de Ainara creo que les ha despistado un poco inicialmente por lo inesperado, pero también la saludaban, ¿verdad, Ainara?

–Sí, aún estoy alucinada. ¡Sin habla! ¡Imaginad, con lo que yo soy! Y eso sí, me he portado de maravilla, chicas, me he hecho invisible, hubierais estado orgullosas de mí. Me he medio escondido para no molestar, pero a la vez me he situado en un sitio estratégico para verlo todo como espectadora de lujo. No he tenido tiempo de verlas aún, pero creo que las fotos que he hecho son increíbles, ya las veréis… –dijo Ainara impresionada.

–Qué amables, ¿no? Seguramente entendían que era algo importante para ti y querían transmitirte que entonces también lo era para ellos –supuso Andrea–. Empatía profunda.

–A continuación han avisado al que he entendido que era como el monje de mayor rango en la escuela-taller, que también nos ha venido a saludar con gran ceremonia. E inmediatamente después nos han ofrecido un té y nos han llevado a una sala en la que nos hemos sentado todos en el suelo –explicó Javier.

–Ahí ha sido cuando yo me he escondido –confirmó Ainara.

–Y entonces me han hecho como un descubrimiento maravilloso del mandala: me lo han traído otros dos monjes jóvenes, tapado con una tela y llevándolo con sumo cuidado, y me lo han destapado lenta y ceremoniosamente –y tras una breve pausa: Reconozco que en ese momento me he emocionado un poco.

–¡No me extraña, no ha sido para menos! –dijo Ainara de pronto–. ¡Yo he flipado, parecía que le estuvieran entregando una reliquia sagrada!

–Madre mía, ¡qué experiencia, Javi, qué chulo! –expresó Mar, imaginándose la escena.

–Sí, la verdad –reconoció Javier–. Y entonces me han explicado el mandala con todo detalle, haciéndome ver que todo encajaba con lo que habíamos acordado en cuanto a la estructura, colores, simbología… Me habían dado un librito con todo eso, que yo me he ido estudiando por las noches durante el trekking, ¿no os lo había dicho?

–Pues no, ¿se puede ver el librito? –preguntó Mar, a la vez que Javier se lo acercaba–. Qué bonito, por favor. Es una auténtica joya. ¿También lo guardarás, no?

–Por supuesto –respondió Javier.

–Bueno, ¿y entonces? –preguntó Andrea, que quería saber cómo seguía el protocolo de entrega del mandala.

–Pues acabadas las explicaciones, han traído de pronto dos pañuelos blancos que nos han atado con mucho cuidado al cuello y con los que, según nos han explicado, ellos demuestran su profundo respeto y aprecio a los invitados –prosiguió Javier–. Y ya nos han acompañado a la puerta todos para despedirnos. Suerte que me he acordado de pagarles en el último momento, porque si por ellos hubiera sido, ¡creo que no me habrían pedido nada!

–¡Qué gran honor, qué maravilla, Javi, felicidades por tan bonita experiencia! –dijo Mar.

–Bueno, y a todo esto…, ¿cómo te ha quedado tu obra de arte? ¡Yo ni la he visto bien! ¿Nos la enseñarás, no? –dijo rápidamente Ainara.

–Bueno… –respondió Javier–. Me da un poco de vergüenza, la verdad…

–Anda, pero si yo hasta te he visto, tocado y pinchado el culo. ¿Ahora vamos a estar con vergüenzas, de verdad? –dijo también Mar.

Javier se dio cuenta de que no podía dejar de enseñar el mandala a sus compañeras de trekking, pese a sus reparos. Tocaba desnudar su alma una vez más con ellas:

–Tenéis razón, perdonadme, soy un tonto –dijo, sacando su mandala del tubo–. Aquí está –y al desenvolverlo dejó ver un lienzo de unos 60 cm de largo por unos 40 cm de ancho. Desde luego, el azul era el color predominante, que se combinaba con blancos, ocres, marrones, rojos y anaranjados. En el centro tenía una estructura cuadrada con diferentes ornamentos, rodeada de varios círculos concéntricos de cada vez mayor radio. Casi todo el tercio inferior estaba ocupado por una especie de paisaje de un océano de aguas turbulentas. Y el tercio superior, por otro como de un cielo tormentoso. Y por todo el mandala se veía una gran cantidad de imágenes de Budas sentados (con diferentes posiciones de manos), distribuidas armónica y proporcionadamente por el conjunto.

–Caramba, ¿de verdad has hecho tú este mandala? ¡Es espectacular, Sr. Tierra! –exclamó Ainara.

–Bueno, no del todo. Ellos te preguntan por la estructura, tú eliges la composición general, qué quieres en el centro, arriba y abajo, los colores dominantes, los motivos básicos y pintas un poquito. Mirad, esta parte central sí la he pintado yo –les dijo, señalando una zona concreta del mandala. El resto, los monjes de la escuela. Pero debo decir que lo siento realmente mío, íntimo y personal, la verdad.

–¿Y se lo vas a regalar a tu chica, no? –dijo de pronto Ainara.

–Ay, Ainara, hija, ¿es que nunca te vas a estar calladita con estas cosas? –le dijo Mar, poniendo una mueca de desaprobación.

–Ostras, perdón, que lo habíais dejado, ¿no? –volvió a decir, tapándose la boca con la mano derecha.

–Venga, sigue, anda, arréglalo más… –dijo Mar, poniendo los ojos en blanco.

–No os preocupéis, de verdad. Sí, fui un tonto absoluto y la expulsé de mi lado. Al volver intentaré hablar con ella y pedirle perdón… ¡Y espero que este mandala me ayude en esa tarea! –confesó abiertamente Javier a todas «sus chicas de Nepal».

Todas le aplaudieron. Andrea observaba la escena, dándose cuenta del enorme esfuerzo de apertura que Javier ya estaba siendo capaz de realizar con sus amigas.

–Pues que sepas que si mi chico me regalara un mandala como este, tan lleno de bebés gorditos, interpretaría que quiere tener muchíiiiiiiiiisimos hijos conmigo y todos ellos calvorotas –soltó Ainara una vez más, para risa de los cuatro, Javier incluido.

—No son bebés gorditos, sacrílega, son Buditas —le dijo Mar, riendo todavía.

—Ya lo sé, doctora sabionda, pero eso es lo que a mí me inspiraría un regalo así de mi novio —repitió Ainara divertida.

—Según me han contado —explicó Javier sereno—, un Buda es un ser humano que ha alcanzado el estado de *samyaksambodhi* y que, por tanto, es la personificación de la Visión Clara, la Libertad, la Felicidad, el Amor y la Compasión. Por eso hay tantos, para que me ayuden a encontrar mi *bodhi*, mi «sabiduría».

—Qué chulo, Javier, encima has aprendido cosas del budismo y de la simbología mandálica. Pues a mí me gusta en especial este mar de la parte de abajo. Parece sacado del cuadro de *La gran ola de Kanagawa* de Hokusai. Me chifla, Javier, una preciosidad —dijo Mar, que, como siempre, dejó a todos atónitos por su sensibilidad artística y la apreciación de detalles y de conexiones que nadie más era capaz de hacer.

—Sí, y al fondo, en vez del monte Fuji, como en el cuadro de Hokusai, los Annapurnas, ¿no? —dijo Ainara—. ¿Todo eso significa algo también?

—Pues sí, es exactamente así, sois unas máquinas —respondió Javier—. La parte de abajo representa el pasado, lo que dejo atrás.

—Dejas atrás aguas revueltas… —conectó Mar—, ¿y qué representa la montaña?

—Bueno, me contaron que Annapurna significa «diosa de las cosechas» o «diosa de la abundancia» —contó Javier—. Según yo lo sentía, el Annapurna representaba la esperanza. Confiaba en que la montaña me ayudaría, me daría algo que apaciguara todas esas aguas…

—¿Y ha sido así? —le preguntó Mar suavemente.

—Sí, más de lo que hubiera podido imaginar… —confesó Javier.

—¿Y la parte de arriba? —preguntó Ainara de pronto—. Esos cielos tormentosos me recuerdan los del Greco en la *Vista de Toledo*.

—Pues la parte de arriba representa de alguna manera la visión del futuro… Ahora lo hubiera pintado algo más claro y soleado, igual solo con alguna nube, la verdad, pero cuando lo encargué, antes del trekking, supongo que aún lo veía negro y tempestuoso… –dijo Javier, reflexionando en voz alta.

–Caramba, Javi, parece como si este mandala fuera el dibujo de tu vida y de tu transformación personal en Nepal, ¿no? –reconoció Mar–. Felicidades. Si yo fuera tu chica, tras esta explicación, caería seguro rendida en tus brazos, que lo sepas…

–Me conformaría con que me perdonara y me diera una nueva oportunidad… –dijo él pensando en su adorada Laura.

–Bueno, al menos ahora pareces capaz de contárselo todo. Y encima, según su estilo, sabes cómo hacerlo, ¿no? –volvió a decir Mar, animándole.

Andrea observaba la conversación en silencio y no se podía sentir más feliz por su sobrino y por cómo, al final, todos habían conectado. De pronto, el jeep se detuvo y apareció Marc abriendo la puerta trasera.

–¡Hemos llegado a nuestro nuevo hotel! –dijo–. ¡Himavat y su tío Hari nos han conseguido las 4 habitaciones que hay en la planta del ático, que además comparten una terraza al sol en la que, dicen, podremos desayunar cada día unas *french toasts* estupendas!

–¿Una terraza al sol? ¡Qué genial! –exclamó Andrea. Y mirando a su sobrino–: Ideal para nuestros *role plays* del proceso de ventas.

–Vaaaale –dijo Javier poniendo cara de circunstancias–. ¿Qué es una *french toast*?

–Creo que es lo que viene siendo una torrija –le respondió Andrea–. Y oye, ¿has encontrado similitudes entre la entrega que te han hecho a ti de tu mandala y la entrega que hacéis vosotros a vuestros Clientes de sus coches? –le dijo de pronto. Javier se quedó callado un momento.

–Ostras, acabo de comprender de golpe lo que deben de sentir los Clientes el día de la entrega de sus coches… –reconoció. Y tras otro silencio: Imagino que esto es algo más que me han enseñado los nepalíes y de lo que debería tomar nota para mis entregas a Clientes, ¿no?

Andrea respondió levantando las cejas y asintiendo con la cabeza. Y añadió:

–La entrega debe ser un acto memorable y, eso sí, adaptado también al estilo relacional de cada Cliente, ¿no te parece?

Ya en el hotel, todos se instalaron en sus habitaciones. Ducha y 30 minutos de relax antes de ir a comer. Mientras, Andrea y Javier aprovecharon para hacer su primer *role play* en la terraza, colocando 4 sillas que simulaban un vehículo en medio de la exposición de su Concesión. Javier como Vendedor, Andrea como Clienta. Al acabar la simulación, hicieron un análisis detallado de lo que le había salido bien y de lo mejorable, fase por fase del proceso completo puesto en acción por Javier.

–¿Ves cómo te ha salido mejor de lo que esperabas? ¿Cómo te has sentido? –le dijo Andrea.

–Sí, cómodo, la verdad. Pero he visto que me cuesta sobre todo la conversación inicial de investigación de motivaciones y no lanzarme de cabeza al vehículo. Caramba, qué difícil es formular en la práctica las preguntas abiertas, parece mentira –dijo Javier.

–Claro, la parte ancha de la pirámide invertida de la venta consultiva. Es lo que más dificultades os plantea a todos los Vendedores porque es a lo que menos estáis acostumbrados. Es preciso vencer la impaciencia por saltar al coche de inmediato –le dijo Andrea–. Pero lo has hecho francamente bien.

–¿Qué, nos vamos a comer ya? –dijo Marc, apareciendo en escena.

–Sí, por favor. Me muero de hambre desde que habéis nombrado las torrijas –respondió Javier.

En un instante, todos aparecieron en la terraza.

–¿Nos vamos o qué? –dijo Ainara–. Ah, y ¿esta tarde podremos hacer unas compritas? He decidido que me quiero comprar una alfombra nepalí.

–¡Ostras, qué buena idea, Ainara! –exclamó Mar–. Pues creo que yo también, ¡yo te acompaño seguro!

–Chicas, habéis hecho que se me ocurra una idea… –dijo Andrea mirando a Javier, que al segundo intuyó que el tema iba a tener que ver con él.

Mientras comían, Andrea llamó por teléfono a Himavat. Estaba segura de que les podría acompañar a una buena tienda de alfombras nepalíes.

–¿Cómo lo tienes para comer con nosotros y luego acompañarnos a esa tienda de alfombras que me has dicho que vale tanto la pena? –le oyeron decir a Andrea.

En 10 minutos Himavat estaba con ellos compartiendo una deliciosa comida y una animada conversación. Andrea siguió dando forma a su plan, delante de todos:

–Himavat, necesito pedirte un favor –le dijo Andrea.

–Adelante, estoy a tu total disposición, ya lo sabes, Andrea –respondió amable Himavat, que les había cogido tanto cariño como ellos a él.

–Verás, Javier ha aprendido en este viaje un nuevo método de ventas y necesita ejercitarse. Se me ha ocurrido que quizá podrías adelantarte con él a la tienda de alfombras y… ¿cómo verías pedirle a tu amigo el dueño que le contara a Javier todos los tipos de alfombras que tiene, sus calidades, materiales, métodos de fabricación, rango de precios, etc. y que dejara que fuera Javier quien hiciera de Vendedor en la tienda para nosotros? Tú ya lo sabes, somos gente de total confianza. Y en realidad tu amigo va a hacer un buen negocio con nosotros. Solo necesitamos que le convenzas de que le deje a Javier hacer por una tarde de Vendedor en su tienda. Y como en 1 hora iríamos nosotros allí a comprar. ¿Cómo lo ves? –Javier y todos escuchaban con atención, medio divertidos, medio intrigados.

–Sin problema, mi amigo Kalkin es muy amigable, amable y abierto y estará encantado de participar en vuestro juego –respondió Himavat contento.

–¿Estás segura Andrea? –le dijo Javier, que, claro está, era de todos el que se mostraba algo más reticente al plan.

–¿Qué problema le ves, cariño? –le respondió ella, sabiendo que no podía decir que no.

Inmediatamente, Javier e Himavat salieron del restaurante en dirección a la tienda de alfombras. Los demás tendrían tiempo de tomarse el café y hablar con tranquilidad de todo lo vivido y de los planes para los 2 días que les quedaban en Katmandú antes de volver definitivamente a Barcelona.

Una vez en la tienda, Javier, metido a fondo en su papel de Vendedor de alfombras, puso en acción todo lo aprendido. Por su cabeza fluían Robert, Basú, Hari y todas las conversaciones con su tía y, asombrosamente, todo se colocaba en su sitio y cobraba sentido. Y, para su sorpresa, se sentía bien, cómodo, auténtico y profesional.

En menos de 2 horas había vendido una alfombra a Ainara y Raúl, otra a Mar y Alberto… ¡y otra a Andrea y Marc!

Cuando ya se disponían a marchar, de pronto entró en la tienda un grupo de unos 10 turistas occidentales. Javier, atónito, oyó cómo Kalkin le decía:

–¿Me puedes ayudar con ellos? Lo estás haciendo realmente bien, ¡hasta he aprendido cosas de ti!

–Claro, Kalkin, será un placer, gracias –respondió Javier satisfecho y sintiéndose seguro de su manera de hacer.

Andrea les dijo a los demás que se fueran, que ella se quedaba con Javier, para acompañarle y verle en acción al tiempo que tomaba notas de detalle para su mejora.

En menos de 1 hora, Javier había vendido 3 alfombras más. Kalkin le dio las gracias con efusividad y le dijo:

–¡Puedes volver a mi tienda a hacer de Vendedor cuando quieras! Ha sido muy divertido, interesante e instructivo, ¡gracias! Ah, y espera un momento, por favor –tras lo cual salió corriendo al almacén, para volver con un paquete de reducidas dimensiones–. Es una pequeña alfombra de seda, en colores azules que tanto te gustan, totalmente hecha a mano. Una de mis favoritas. Espero que luzca hermosa en tu hogar y que te sirva para acordarte siempre de Nepal y de mi humilde tienda –y le entregó el paquete haciéndole una pequeña reverencia y diciéndole «Namasté».

–Ohhh, Kalkin, qué detalle, no era necesario, de verdad… Pero GRACIAS, MUCHÍSIMAS GRACIAS –dijo Javier, devolviéndole la reverencia y el saludo de despedida–. Te aseguro que ocupará un lugar especial en mi futuro hogar y también en mi corazón.

De camino ya al punto de encuentro con el resto del grupo, Javier se sentía exultante y mucho más seguro de su nuevas habilidades y competencias. Andrea compartió con él un rápido análisis de todo lo hecho. Javier, plenamente consciente de todo ello, se sentía sereno:

–Caramba, parece que se me da mejor vender alfombras nepalíes que coches, ¿no? –le dijo a Andrea.

–Jajaja, ¿y no crees que quizá no sea cuestión de alfombras o de coches y que haya podido tener algo que ver tu nuevo método de trabajo, Sr. Escéptico? –le respondió Andrea riendo irónica.

–Bueeeeno, es verdad, a lo mejor tienes un poco de razón –reconoció cariñoso y agradecido, también riendo–. Tengo ya ganas de ponerlo en práctica en mi Concesión. Ahora ya me veo capaz. Una vez más…, gracias, Andrea, por todo –remató él mirándola a los ojos.

–De nada, cariño, ha sido un verdadero placer –contestó ella. Y de pronto vino a su cabeza algo que había quedado pendiente–. Por cierto, ¿te puedo preguntar cuánto les pagaste finalmente a los monjes por tu mandala? –ella sabía que, según un estudio reciente de Think Jar, el 86 % de los Clientes estaba dispuesto a pagar más si la Experiencia de Compra mejoraba.

–Bueno, puedes preguntarlo, pero no te pienso responder –dijo Javier, guiñándole un ojo a su querida tía.

3.29 UNA VENTA CASI HECHA
(¡CÁMARAS, ACCIÓN! ¿BAÑO DE REALIDAD?)

Eran las 8:00 y ya estaba sentado en su mesa de trabajo, aunque la Concesión abría al público a las 9:00. El resto de los Vendedores aún no había llegado y la exposición estaba completamente en silencio. En medio de la quietud, pensaba que solo habían pasado algo más de 15 días desde la última vez que había estado allí, pero le parecía que hubieran pasado meses o incluso años sin haber pisado ese lugar. Se sentía extraño, como si todo hubiera sido un sueño. Y es que habían llegado de viaje el día anterior.

La vuelta había sido divertida y todos habían reído y disfrutado recordando momentos y anécdotas del viaje. El recibimiento en el aeropuerto había sido particularmente intenso y él había sentido una inusual alegría al volver a ver a su familia y, en especial, a su madre, a la que abrazó y besó como pocas veces había hecho antes, al menos en su edad adulta. Al fin y al cabo, sabía que ella, desde un profundo y silencioso cariño y respeto, había hecho que todo ocurriera. «Lo siento por mis últimos meses, mamá, y… muchas gracias», había sido capaz de decirle en un susurro al oído. Ella, al instante, se había puesto a llorar emocionada. Las Mir siempre tan lloronas.

Después de una alegre comida en familia, llena de historias y risas, incluso se había atrevido a llamar a Laura. No a enviarle un mensaje, no. A llamarla. Sin éxito, eso sí. El móvil no había dado ni señal. Y al no conseguir hablar con ella, había llamado entonces a su «exsuegra». Esta le había respondido con frialdad al principio, pero había ido cambiando el tono a medida que Javier le había ido explicando todo y le expresaba su intención de hablar con Laura para pedirle perdón y una nueva oportunidad.

–Está en Tailandia, Javier. Se ha ido de vacaciones con un grupo de amigos y amigas y volverán a finales de agosto. Están haciendo en parte cooperación en una ONG y en parte turismo. Tiene una tarjeta de una operadora local que solo es de datos. Pero Javier… –dijo la madre de Laura haciendo una larga pausa.

–¿Sí? –respondió él.

–Como comprenderás, se ha ido como una mujer soltera y sin compromiso, así que no sé bien con qué te vas a encontrar, la verdad.

–Lo entiendo, claro, solo faltaría –había aceptado él–. Gracias por todo en cualquier caso. Creo que le pondré un mensaje simplemente para decirle que a su vuelta me encantaría poder quedar un día para hablar con ella, si lo ve posible.

Y ahora volvía a estar allí, en el lugar en el que tanto había sufrido en los últimos meses. En el origen de todo. El viaje había sido transformador para él y había llenado su mochila de un sinfín de herramientas que creía saber manejar, pero una vez más no podía evitar sentir un terrible vértigo. Aunque esta vez de otro tipo: su vida personal y su carrera profesional estaban en un claro *impasse*, completamente en el aire, colgando de un finísimo hilo…

Estaba tan sumido en sus pensamientos que ni siquiera había reparado en que su Jefe de Ventas también había llegado y se encontraba sentado en su despacho, desde donde asomó la cabeza para sacar a Javier de su estado de aparente sopor.

–Javier, a mi despacho –le dijo sin más preámbulos.

Este último, amante de las formas y que en otras circunstancias se habría molestado por el tono directo y sin ni un buenos días, máxime después de más de 2 semanas de vacaciones fuera de la Concesión, esta vez se levantó sereno, comprendiendo que su fueguísimo Jefe simplemente actuaba según su estilo.

–Hola, Román, dime, ¿de qué se trata? –dijo Javier afable y dispuesto.

–¿Tus vacaciones bien? Espero que hayas cargado las pilas –le respondió sin demasiada expresividad y sin esperar escuchar respuesta alguna sobre posibles detalles de sus vacaciones.

–Sí, todo bien, gracias –respondió Javier tranquilo–. Cuéntame qué necesitas –volvió a decir, sabedor de que los fuego sentían el impulso de ir siempre al grano de forma inmediata.

–A las 10:00 va a venir la Sra. Irene Agramunt. Su marido es Cliente desde hace más de 20 años y tiene al menos 4 coches de nuestra marca y de altísima gama en el garaje de su casa. Viene a tiro hecho, yo ya he hablado con ella y la venta está acordada. Le he vendido el Coupé que tenemos en la exposición para regalárselo a su marido por su 60 cumpleaños. Te la paso para que hagas tú el pedido y que te cuente a ti la operación para el objetivo del trimestre, que lo llevas fatal. Así que le he dicho que pregunte directamente por ti al llegar. Encárgate de ella como corresponde, ¿vale? –y tras una leve pausa: ¿Serás capaz? –le dijo directo y provocador. Javier reconoció todas las pautas de su estilo comunicativo.

–Por supuesto. Me ocupo. Gracias –respondió Javier, dándose media vuelta y saliendo sin más del despacho de su Jefe. Ahora comprendía que su jefe no esperaba que le diera ningún otro tipo de explicación: solo esperaba de él que hiciera lo que tenía que hacer. Y punto.

Javier se volvió a sentar en su mesa y pensó que era la primera oportunidad para poner verdaderamente en acción todo lo aprendido. La venta estaba hecha, así que no podría meter la pata de ninguna manera. Además, tenía tiempo. De modo que se puso a repasar mentalmente las fases del proceso de trabajo que debía seguir.

Puntualmente a las 10:00, la Sra. Agramunt llegó a la Concesión, preguntando en recepción directamente por Javier, que salió de inmediato a recibirla.

–Buenos días, Sra. Agramunt, soy Javier Prado, su Asesor Comercial. La estábamos esperando, bienvenida a nuestra casa –dijo Javier, con un saludo perfectamente espejado, amable, cálido y muy cordial, acorde con el estilo agua de la Clienta que había identificado de inmediato, nada más verla entrar. Tenía claro además que, aunque la venta estuviera en principio cerrada, no podía ir al grano: tenía que ser capaz de establecer una conversación.

–Buenos días, Javier, gracias –respondió ella, con una suave sonrisa.

–¿La puedo invitar a un café o a alguna otra cosa? –le ofreció Javier afable.

–Pues sí, ¿puede ser un té? La verdad es que no me suelo levantar tan pronto en vacaciones y he salido de casa sin desayunar –respondió ella, como justificándose–. Y, por favor, tutéame. Aunque a buen seguro podría ser tu madre, ¡me haces sentir demasiado mayor si me llamas de usted!

–Jajaja, pues gracias. Y entiendo a la perfección lo de las vacaciones. Yo, de hecho, empiezo hoy a trabajar después de las mías y confieso que me ha costado algo levantarme. ¿Me quieres acompañar hacia aquella zona de allí, donde tenemos la máquina de café y té? –dijo Javier, al tiempo que empezaba a andar con ella hacia donde había indicado. De camino hacia allí, Javier siguió conversando con toda tranquilidad–. Román ya me ha puesto en antecedentes de tu caso y, como creo que sabes, me ha pedido que me encargue yo de atenderte de la mejor manera posible –explicó Javier servicial.

–Sí, ya me lo había comentado, gracias –respondió ella amable, pero muy poco efusiva, sin dar más explicaciones.

Javier se sintió de pronto algo despistado… Intuía que algo no acababa de ir bien, pero no sabía qué era. Y estaba hablando mucho más que ella. Debía empezar a preguntar… y apuntando muy bien.

–¿Te importa que te haga unas preguntas para asegurarme de que he comprendido bien lo que necesitas? –acertó a decir para volver a la «casilla de salida». Investigación de motivaciones precedida de anticipación, se repetía en su cabeza. «Debo iniciar una conversación, aunque el Cliente tenga aparentemente claro lo que quiere. Conectar con sus porqués».

–Adelante… –respondió ella, asintiendo con un movimiento de cabeza pero sin mirarle a los ojos.

–¿Qué objetivo concreto quieres conseguir con tu compra? –dijo Javier, pausada y educadamente.

Estaban sentados en el sofá de la zona de acogida, uno junto al otro. Ella levantó poco a poco la cabeza y giró la cara para mirarle fijamente a los ojos, en un silencio que hasta a Javier se le hizo algo largo.

–Perdona, ¿he dicho algo inadecuado? Es que Román me había contado que querías comprar el Coupé de la exposición para regalárselo a tu marido por su cumpleaños y solo quería confirmarlo directamente de ti –se excusó Javier, mostrándose mucho más agua de lo que él se hubiera creído capaz nunca.

–Oh, perdóname tú, te he incomodado, ¿verdad? –respondió ella de pronto, como saliendo de sus pensamientos–. Sí, la verdad es que eso es lo que creía que quería… –dijo ella, con algo de timidez, enfatizando el «creía».

El diálogo interno de Javier de pronto entró en pánico: «Mierda, mierda, mierda –se decía–, ¿he alimentado sus dudas naturales en vez de conducirla tranquilamente hacia el pedido? ¿De verdad he sido tan inútil?». Y, de repente, ella prosiguió.

–Pero Javier, esto no tiene nada que ver contigo, ¿sabes? Desde que Román me llamó hace un par de semanas para convencerme de lo del Coupé, no paro de darle vueltas. Él, ya sabes, nos conoce desde hace mucho tiempo e insiste en que es lo que Carlos, mi marido, necesita para animarse después de su episodio de marzo. Pero lo cierto es que no toca sus otros «coches-juguete» desde entonces y no me parece que sus pensamientos vayan ahora por ahí… –explicó.

Javier consiguió retomar su autocontrol y decidió que debía recoger el «globo sonda» que Irene le había lanzado.

–No quisiera ser indiscreto, pero… ¿te puedo preguntar qué significa «el episodio de marzo» de tu marido? –preguntó cauto Javier.

–Veo que Román no te ha contado todos los antecedentes –dijo, haciendo de nuevo una pausa–. Carlos, mi marido, el superhombre, el todopoderoso, el jefe de todo y de todos, tuvo un ataque al corazón este mes de marzo pasado. Estaba en casa, así que lo detectamos rapidísimo, llamamos al 112 y en menos de 20 minutos ya estaba en el quirófano del Clínico. Dos cateterismos. Y poca zona infartada en el corazón. Pero algo ha cambiado en él, más allá de los nuevos hábitos saludables que ha tenido que incorporar –explicó ella, como quitándose un peso de encima al hacerlo. Javier se dio perfecta cuenta, una vez más y de forma plenamente consciente, de lo mucho que los aguas necesitaban ser escuchados.

–Caramba, no sabía. Comprendo lo que me explicas. No es para menos: imagino que en efecto un susto así te hace parar y pensar. ¿Y por dónde crees entonces que van ahora sus pensamientos? –empatizó Javier.

Se dio cuenta de que ella le miraba entre sorprendida y agradecida. Suponía seguramente que, como parte del equipo de Román, él iba a intentar quitarle ese tipo de ideas de la cabeza e insistir en el coche. Y ella no habría podido resistirse a su empuje e insistencia, la verdad. Pero Javier no lo había hecho. Se había interesado por comprender. Así que ella siguió hablando.

–No estoy segura. No habla de ello con nadie, creo. Supongo que tiene algo de miedo y que no es capaz de reconocerlo. Pero el caso es que de pronto está supercomprometido con «limpiar» la ciudad de contaminación. Dice que no podemos dejar este legado a las generaciones futuras. Ya no va al despacho en coche. Ha probado a ir en transporte público (y ha sido demasiado para él, excesivo contacto humano), andando (y lo ha descartado porque llega demasiado sudado), en patinete eléctrico (y dice que van como locos, que es un peligro y que encima no anda nada y lo necesita)… De ahí las dudas sobre regalarle «otro supercoupé» deportivo. Y, por favor, no me digas lo que me dijo Román, que tenéis «los vehículos con mejor eficiencia y que menos contaminan de todos y bla, bla, bla…».

–¿Y qué más se ha planteado, que tú sepas? –preguntó Javier. Irene volvió a mirarle a los ojos, para retirar la mirada inmediatamente. En realidad, no sabía ni por qué había ido a la Concesión. En su camino hasta allí se había sentido como un corderito que iba por su propio pie al matadero. Y, para su sorpresa, se había encontrado con alguien que parecía interesarse de verdad en lo que le preocupaba… No acababa de creérselo. Pero se sentía escuchada y decidió continuar explicando…

–Bueno, ha pensado en una bici, algo tipo Brompton®, pequeña, plegable, compacta, pero la ha descartado igual porque dice que también va a llegar demasiado sudado al despacho. Es que lo tiene en la avenida Tibidabo y nosotros vivimos en Pedralbes, cerca de El Corte Inglés de Diagonal.

–¿Y una bici eléctrica? –propuso Javier.

–Un amigo tiene una y, bueno, son enormes, ¿no? –dijo ella.

–No soy un experto, pero creo que las hay tipo *mountain bike* que parecen casi una moto, sí, y también las hay urbanas, mucho más compactas y flexibles. ¿Quizá podría encajarle algo así? Combinaría algo de ejercicio, sin necesidad de sudar en las subidas, con la sostenibilidad y la practicidad que él parece buscar… –dijo Javier, pensando casi en voz alta, «proponiendo, no imponiendo», se decía de forma natural.

–Ummm, podría ser una opción, sí… Pero, no sé, me parece «poco regalo». Estaba pensando en gastarme más de 50 000 euros en el Coupé, ¿sabes? –dijo ella mirándole y guiñándole un ojo.

–¿Qué más crees que parece ocupar sus pensamientos? –volvió a preguntar Javier.

Irene le volvió a mirar sorprendida. Javier seguía sin presionarla ni intentar venderle el coche. Además, le estaba gustando su forma de hacer y le resultaba muy fácil hablar con él de todo lo que pensaba. Y eso le estaba sentando de maravilla. Por su parte, Javier se sentía también cada vez más a gusto con la conversación y a decir verdad se había olvidado un poco de la venta inicialmente prevista. «Para cumplir con tu objetivo, debes olvidarte del objetivo»: las palabras de Andrea resonaban como un eco en su cabeza.

–Bueno, la verdad es que nunca ha sido muy niñero ni se ha ocupado mucho ni de nuestros hijos ni de nuestros nietos. Si venían a nuestra casa el fin de semana, pues estupendo, pero él rara vez se preocupaba por hacer u organizar nada con los peques y a media tarde ya se le veía ansioso por que se fueran y dejaran de hacer ruido y jaleo en casa. Pero hace un par de semanas me sorprendió diciéndome: «Vemos muy poco a los chicos; me perdí la infancia de mis hijos trabajando y forjándoles un futuro, pero no quiero perderme la de mis nietos; tenemos que hacer más cosas con todos ellos» –explicó Irene.

–Ya veo, es probable que muchas prioridades te cambien tras una experiencia como la que él ha pasado. ¿Y qué te ha hecho plantearte eso que te dijo? –prosiguió Javier.

–No sé ni por qué te lo cuento… –dijo, buscando aprobación empática en la mirada de Javier–, y seguramente te vas a reír, pero había pensado en regalarle un viaje con nuestros hijos y sus familias al completo. Su cumpleaños es en septiembre. Un momento ideal para viajar, en particular para él que odia el calor extremo. Además, en la primera quincena los niños aún no tienen cole. Y siempre soñó con ir a Yellowstone y nunca lo hemos hecho –confesó Irene–. ¿Te parece una locura?

–¿Y por qué me iba a parecer una locura? –respondió Javier con sincera incredulidad–. Yo, de hecho, acabo de volver de un viaje a Nepal con parte de mi familia que sé que me ha marcado de por vida y que recordaré siempre como algo extraordinario –y poniendo voz solemne, girando su cara una vez más y mirando a los ojos de Irene, dijo–: Yo creo en el profundo poder transformador de los viajes. Me he dado cuenta de que en realidad no convivimos tan intensamente con nuestros seres queridos como pensamos. Y las vacaciones en general, y los viajes en particular, creo que son una oportunidad magnífica para descubrir y vincularnos más aún a esos desconocidos que son nuestros familiares.

Esta vez fue Irene la que se quedó mirando con fijeza y en silencio a Javier, que a su vez la miraba tranquilo. Ya no se sentía incómodo en absoluto. De hecho, se sentía íntimamente libre.

–La intensidad de compartir cada momento del día en un entorno que no es el tuyo, ajeno al día a día, a la rutina, ¿no? –empatizó ella, dándose cuenta de lo que Javier había expresado.

–Sí, supongo que tiene mucho que ver con eso –aceptó él–. Yo he descubierto y he verbalizado cosas de mí mismo que nunca hubiera imaginado…

De nuevo se produjo una larga pausa en su conversación, que ambos aprovecharon para acabar el té que estaban tomando.

–Javier, ha sido un verdadero placer hablar contigo y no te puedes ni imaginar lo mucho que me has ayudado y la fuerza que me has dado. Espero que ni tú ni tu jefe os enfadéis conmigo, pero no voy a comprar ese coche. De hecho, nunca lo he querido, pero no fui capaz de decir que no a Román. Ahora tengo que irme de inmediato a organizar y contratar un viaje sorpresa a Yellowstone con mi familia y a comprar una bici eléctrica plegable y pequeñita –dijo ella de pronto, súbitamente decidida.

–Solo faltaría, Irene. Yo estoy aquí para ayudar a mis Clientes en lo que necesiten. Y el placer ha sido mío, de verdad –dijo sincero Javier.

–Oye, ¿tú por casualidad no sabrías de una tienda donde comprar una bici de esas de las que hemos hablado, verdad? –dijo finalmente Irene. Javier pensó unos segundos y de pronto cayó en la cuenta.

–Conozco a un especialista en material deportivo 100 % profesional que a buen seguro te podrá ayudar. Tiene una tienda muy agradable aquí en Barcelona –dijo mientras escribía los datos en un papel–. El propietario se llama Robert. Le puedes decir si lo deseas que vas de mi parte, Javier Prado, el sobrino de Andrea Mir. Su estilo de trato a los Clientes es, digamos…, como el mío, para que me entiendas. Creo que te sentirás muy cómoda y muy bien tratada y atendida por él.

–¿Tú podrías llamarle y decirle que le iré a ver? –pidió ella con una ligera súplica.

–Por supuesto, buena idea, ahora mismo le llamo –asintió Javier servicial.

Entonces Irene Agramunt le dio un sentido abrazo y un beso a Javier, quien, curiosamente, no se sintió nada incómodo al recibirlo. La acompañó a la puerta y la siguió con la mirada mientras se alejaba, con una sonrisa de satisfacción en la cara. No había vendido el coche, pero, sin saber por qué, se sentía muy satisfecho con su trabajo y con él mismo.

Román le sacó de su ensoñación en un instante. Sin duda, había estado mirando a escondidas, y en cuanto la potencial clienta salió por la puerta acudió raudo a hablar con Javier.

–No os he visto firmar el pedido –le dijo con un tono agresivo y retador.

–Es que no lo ha firmado ni lo va a firmar –le respondió Javier firme, tranquilo y seguro.

–¡¡¡Pero ¿qué coño has hecho?!!! –empezó a vociferar–. ¡¡¡Te paso una maldita venta segura y te la cargas!!! ¡¡¡Definitivamente eres un puto inútil, joder!!! ¡¡¡Estoy harto de que la Marca me envíe niñatos de mierda como tú que no tienen ni la más remota idea de la profesión!!! Pero te digo una cosa: ¡¡como que me llamó Román Aguilar que de esta te pongo en la puta calle, por más que seas el jodido niño bonito del mismísimo Presidente!! ¡¡¡Joooooooodeeeerrrrrrr!!! –vociferó Román, fuera de sí.

En otras circunstancias, Javier no habría sabido responder con contundencia a semejante bronca de su jefe, pero esta vez conocía las herramientas y sabía que debía responder con el mismo nivel de seguridad, con aplomo y convicción y sin venirse abajo. Así pues, arrancó con voz sólida y alta:

–Mira, Román, esta Concesión lleva meses con un grave problema de modelo de ventas. Los Clientes han cambiado y esperan de nosotros coherencia y gran capacidad de venta consultiva y acompañamiento. Y la prueba es lo que ha ocurrido con esta Clienta. Hoy en día ya no funciona ni el «por mis cojones» ni la presión total. Los Clientes, insisto, han cambiado. Y esta Clienta no era ni mucho menos una venta segura. Era una Clienta presionada hasta la extenuación, aprovechando una situación personal de debilidad. La hubiéramos perdido para siempre de presionarla más.

–¿Cómo te atreves a darme ni una sola puta lección, novato de mierda? –respondió Román iracundo, marcando cada sílaba. Su cara estaba por completo encendida–. ¡¡Un Vendedor medianamente cerrador hubiera firmado el pedido en menos de 1 minuto!! –vociferó.

–Un Vendedor «cerrador», de tu estilo, probablemente. ¿Y sabes qué hubiera ocurrido después? –dijo Javier seguro–. Que Irene te hubiera llamado en un par de días para disculparse y anular el pedido, casi entre lágrimas.

–¿Irene? ¿Pero tú de qué coño vas, chaval, y quién demonios te crees que eres? –respondió Román incrédulo, con expresión de claro desprecio.

–Alguien que construye relaciones de confianza con sus Clientes. Y que no los considera meros «objetos» a los que convencer y enchufar coches –respondió firme Javier.

En ese justo momento, el móvil de Román empezó a sonar. Lo sacó de su bolsillo y, sorprendido, dijo:

–¡Es la Sra. Irene Agramunt! ¡Me voy a mi despacho a arreglar el puto embrollo que has montado! Pero no he acabado contigo. Cuando cuelgue, te quiero allí. Esto no se va a quedar así, te lo aseguro –dijo amenazante, mostrando a Javier su índice derecho, mientras caminaba hacia su despacho a toda prisa, respondiendo empalagoso a la Sra. Agramunt por teléfono. Javier le oyó empezar a decir en voz bien alta:

–¡Buenos días, Sra. Agramunt! ¡Ante todo, mis más sinceras disculpas! Pasé su caso a un Vendedor con poca experiencia, porque ya sabe, estamos en cuadro por las vacaciones, pero intuyo que el trato no ha sido el que usted esperaba. Nos va a tener que disculpar. Pero, por supuesto, estoy seguro de que podemos arreglarlo si usted me da un minuto para explicarle las condiciones tan ventajosas en las que se encuentra ahora mismo este vehículo único…

Javier se daba cuenta de que no sentía miedo, aunque sí cierta tensión. Tenía la seguridad de que había actuado bien, pero no podía dejar de experimentar cierta angustia. Se avecinaba un momento crucial en la relación con su jefe.

De pronto, Andrea apareció por la puerta de la Concesión. Sabía que era el primer día de trabajo de Javier y no quería dejar de desearle lo mejor. Le imaginaba sin demasiado trabajo a mediados de agosto y, la verdad, le echaba de menos. Se había acostumbrado también a sus conversaciones diarias. En cuanto Javier la vio dirigiéndose hacia él, salió raudo a interceptarla, con expresión muy plana y seria.

–¿Qué haces aquí? Márchate, Andrea, ya, ahora mismo –le dijo cogiéndola de un brazo, dándole la vuelta y andando con ella cogida de nuevo hacia la puerta.

–Caramba, Javier, menudo recibimiento. Me esperaba que nuestra luna de miel hubiera durado algo más, la verdad –dijo ella sin entender nada.

–No está la cosa para bromas, Andrea. Vete. Acabo de aplicar tu modelo de ventas con una Clienta y… no sé si me van a despedir o qué va a pasar. No puedo hablar contigo ahora –replicó él con una frialdad extrema en el preciso momento en que alcanzaron la puerta. La soltó y se dio media vuelta hacia el interior de la Concesión, dejándola allí abandonada.

Andrea estaba completamente estupefacta. No daba crédito a la escena que acababa de tener lugar. No, después de todo lo vivido juntos.

Habían pasado ya algunos días desde el incidente y Andrea había decidido no darle muchas vueltas. Con toda probabilidad había una causa razonable para que Javier se hubiera comportado de aquella manera. Si él se la quería contar, genial. Y si no, pues también. Él ya era adulto y habían compartido suficientes herramientas como para ser capaz de solventar lo que fuera por él mismo. Y a nadie más que a él le correspondía hacerlo. Separación de tareas. Y esta le tocaba a él.

Apenas había pasado una semana desde el incidente y Javier, que sabía por su madre que Andrea estaba trabajando en casa preparando un nuevo curso (mientras Marc y Gabriela habían subido unos días a la Costa Brava a casa de la abuela paterna), se presentó allí a media tarde. Cosa rara en él, no había avisado por móvil de la visita: se había plantado allí y estaba llamando directamente por el interfono.

–¿Sí? –respondió Andrea, que se sorprendió nada más ver en la pantalla a su sobrino.

–Hola, Andrea, soy Javier, ¿puedo subir? –le dijo él mirando a la cámara. Andrea apretó el botón de apertura sin decir nada. Cuando Javier salió del ascensor, Andrea le esperaba en el umbral de la puerta de su casa, que mantenía abierta. Estaba expectante.

–¿Y bien? ¿No deberías estar trabajando a estas horas? –preguntó de pronto, con voz neutra, sin agresividad alguna, recordando que su sobrino le había dicho que quizá le iban a despedir.

–Me he tomado unas horas y he salido antes, hay poco movimiento previsto en la Concesión y... tenía un tema personal muy importante que resolver y que no podía esperar más –dijo él frente a ella, ladeando ligeramente la cabeza.

Andrea captó al instante su tono y su lenguaje no verbal y no le hizo falta más para mostrarse completamente predispuesta y positiva, abriéndole los brazos para que él se acercara a abrazarla, ante lo cual él también reaccionó de inmediato. Mientras mantenía a su tía fuertemente abrazada contra él, Javier le dijo:

—Lo siento mucho, Andrea, te ruego que me perdones. La verdad es que en los últimos tiempos no hago más que pedir perdón a las personas que más quiero. Pero, ¿sabes? Me está haciendo reconciliarme conmigo mismo, además de con los míos.

—Pedir perdón está al alcance solo de los más valiente, cariño —le respondió Andrea dándole un fuerte beso—. Te lo agradezco, cielo. Estás más que perdonado. ¿Me vas a querer contar algo de todo lo sucedido?

—Por eso he querido venir personalmente, para contártelo todo —respondió él.

—Me encantará escucharte, ya lo sabes —respondió Andrea—. ¿Quieres pasar? ¿Te puedo ofrecer algo para beber?

—¿Sabes qué he pensado al venir? El calor ya está bajando y hace una tarde maravillosa; me encantaría hablar mientras damos un paseo por el parque del Putxet. Hace años que no lo piso y será un poco como si siguiéramos con nuestras conversaciones del trekking. Y, además, el parque me trae recuerdos de infancia, me encantaba que me llevaras allí a jugar a los columpios y a corretear por todos sus caminos cuando me hacías de canguro. ¿Qué te parece? —preguntó él.

—¡Me parece una idea estupenda! Dame un minuto que me cambie y me ponga algo ligero, ¿vale? —respondió ella, entrando rauda en su habitación.

El parque estaba a 5 minutos andando desde casa de Andrea. Se trataba de uno de los rincones favoritos de ambos en la ciudad. Poco conocido en general y nada concurrido por los turistas, se mantenía como un reducto exclusivo para los vecinos del barrio. Ubicados en la cima del Turó del Putxet (de 178 m de altitud), estos jardines se abrían a Barcelona a los cuatro vientos y gozaban de unas panorámicas privilegiadas, incluyendo vistas al mar y al Tibidabo. Ello, unido al hecho de ser «un bosque ordenadamente ajardinado», con una vegetación abundante y muy diversa (según estaba leyendo Andrea en la web del ayuntamiento), le confería una especial personalidad.

Una vez más, Andrea sabía que debía dar tiempo a su sobrino y no lanzarse de cabeza al tema en cuestión.

−Caramba, lo que acabo de descubrir, ¿sabías que en este parque resulta que tenemos cedros del Himalaya? −dijo de pronto Andrea al llegar allí, mientras consultaba los datos sobre su vegetación en la web−. Estaba claro que, de alguna manera, teníamos que acabar viniendo aquí a andar y a hablar…

−¿En serio? −contestó Javier incrédulo−. No tenía ni idea. ¿Cuáles son?

−Creo que esa especie de abetos de ahí delante, según las fotos que veo en mi móvil, ¿no te parece? −le dijo Andrea enseñándole el móvil y señalando a la vez una especie de coníferas enormes de color verde azulado.

−Sí, tienes razón, esos parecen. ¡Qué sorpresa tan chula, la verdad! ¡Parece que el Himalaya está presente en mi vida, vaya donde vaya y haga lo que haga, jajaja! −rio Javier, satisfecho.

Acto seguido, Javier le contó con todo detalle la visita de Irene Agramunt, el resultado, la bronca de su Jefe y cómo él había sido capaz de responderle con convicción y solvencia en medio de la monumental reprimenda.

−Qué importante es esto de comprender los estilos relacionales de las personas −reflexionó en voz alta Javier−. Antes de nuestro viaje, ante una de sus broncas de este nivel (aunque esta ha sido sin duda la más grande que he tenido con él) seguramente me habría costado más replicarle. Ya sabes que no soporto los gritos… Pero en esta ocasión era plenamente consciente de que se trataba de un «gran fogonazo» propio de su estilo y que yo debía mantenerme sólido y no dejarme impresionar ni pisotear. Y le respondí de inmediato, con sobriedad y claridad, sin agresividad y de forma muy directa, que en realidad en los últimos meses la falta de resultados (no solo mía, de todos) denotaba claramente un problema más bien de fondo, vinculado a la falta de un modelo de venta consistente y consultivo.

−¿En serio? Caramba, Javier, ¡felicidades! −respondió impresionada y orgullosa Andrea−. ¿Y qué hizo o dijo él entonces?

−Me respondió fuera de sí, con amenazas y soltando palabrotas a todo meter −confirmó él.

–¿Y cómo reaccionaste tú? –volvió a preguntar Andrea.

–Me mantuve en mi sitio, dándole respuestas convincentes que, estoy seguro, él no esperaba –confirmó Javier.

–¿Y fue entonces cuando te dijo que te iba a despedir? –preguntó Andrea.

–Bueno, eso ya me lo había dicho antes. No, le llamó de pronto la Clienta en cuestión –explicó Javier–. Y justo entonces apareciste tú.

–¡Vaya, ya veo, en pleno fragor de la batalla! –comprendió ella en ese instante.

–Sí, y que conste que no me justifico. Lo siento, de verdad. No era el momento y no tenía tiempo para explicaciones. Tú no tenías culpa de nada, al contrario –dijo él mirándola a los ojos.

–¿Eso lo has pensado después o lo pensabas ya entonces? Quiero decir, ¿en algún momento pensaste que todo lo que habías trabajado conmigo era la causa de tus males? –quiso saber Andrea.

–No, de verdad, te aseguro que no. En realidad, en todo momento estuve seguro de haberlo hecho bien con la Clienta –respondió él–. Pero estaba tenso y supongo que me salió mi «frialdad de Sr. Tierra».

–Sí, el Sr. Implacable, jajaja. Necesitabas que me fuera sin más y punto, ¿es eso? –comprendió Andrea, sin darle más vueltas al tema. Javier asintió–. Y oye, ¿se puede saber qué le dijo la Clienta a tu Jefe, por qué le llamó? ¿Te lo dijo él? –preguntó nuevamente.

–No, él no me dijo nada. Al acabar con ella, se encerró en su despacho todo el día y no quiso seguir su conversación conmigo –contó Javier.

–¿Y entonces? –volvió a preguntar Andrea, que ya intuía por dónde iba el tema.

–¿No te lo imaginas? –le dijo Javier con cierta expresión de triunfo.

–Siendo una Clienta tan agua, tan empática e intuitiva, y conociendo como conocía a tu Jefe, a buen seguro pensó que te había puesto en riesgo ante él… ¿Le llamó para disculparse de modo personal y asegurarse de que no tomara represalias contra ti? –insinuó Andrea.

–Esto de los estilos da un poder insospechado, es increíble cómo permite incluso predecir comportamientos… –reconoció Javier–. Pues sí, exactamente eso. Y lo sé porque tan pronto como colgó con él me llamó a mí para explicármelo y para decirme que nunca la habían tratado tan bien y que me iba a enviar a varios amigos suyos que necesitaban un coche para que los atendiera yo.

–Si un agua te acepta y confía en ti, seréis «amigos para siempre». Son la representación de la lealtad absoluta –confirmó Andrea–. ¿Y sus amigos te fueron a ver?

–Sí, y llevo tres coches vendidos en la primera semana de vuelta de vacaciones, en pleno agosto –confirmó Javier contento.

–Jajaja, felicidades, campeón de la venta consultiva basada en los estilos relacionales y la hiperpersolización de la comunicación con los Clientes –exclamó Andrea aplaudiendo contenta–. Ya te vi maneras en Nepal vendiendo alfombras. ¿Ahora ya no dudas en absoluto?

–Por supuesto que no… ¿Y sabes qué? –siguió reflexionando él.

–¿Sí? –preguntó Andrea.

–No sé bien cómo explicarlo, me da incluso hasta un poco de vergüenza verbalizarlo… –prosiguió Javier. Andrea no dijo nada, se limitó a esperar dejándole vía libre y demostrando, como siempre, total aceptación. Javier ya había aprendido que le podía contar todo–. Es como si algo de verdad hubiera cambiado en mí. Me siento, no sé, una persona distinta… –y tras una leve pausa: Creo que me siento… simplemente FELIZ. ¿Crees que esto que digo tiene algún sentido, Andrea?

Andrea le miró unos segundos con profundo respeto y «acariciándole» con los ojos, sintiéndose íntimamente vinculada a él.

–¿Sabes, cariño? Me has conectado con algo en lo que ando trabajando mucho últimamente, con este curso que estoy preparando justo ahora. Me has llevado a los trabajos y las enseñanzas del gran Martin Seligman, creador de la Psicología Positiva, sobre el bienestar, el florecimiento de las personas y, en última instancia, la verdadera felicidad –respondió Andrea.

–¿Quieres decir que mi «proceso» tiene que ver de alguna manera con lo que él explica? –preguntó muy interesado Javier.

–Pues sí, podríamos decir que sí –dijo ella, pensando y construyendo sus explicaciones en tiempo real–. Verás, él ha demostrado a través de múltiples experimentos sociales que la auténtica felicidad de las personas no solo no es una quimera, sino que es alcanzable y que además es posible trabajar de forma continuada para incrementarla a lo largo del tiempo.

–¿En serio? –replicó Javier sorprendido.

–Él defiende que el bienestar de las personas tiene que ver con 5 elementos, cuyas siglas en inglés son PERMA –confirmó Andrea.

–PERMA –repitió Javier.

–Sí, la P de *Positive Emotions* (emociones positivas), la E de *Engagement* (implicación, compromiso, *flow*), la R de *Relations* (relaciones personales), la M de *Meaning* (propósito, significado, sentido) y finalmente la A de *Achievement* (logro) –descifró Andrea.

–¿Y cómo mi proceso te ha conectado con todo esto? –volvió a preguntar Javier.

–Bueno, si te parece, podemos ir paso a paso, como siempre –propuso Andrea, mientras seguía construyendo mentalmente a la vez que hablaba.

–Sí, por favor –aceptó Javier.

–Vamos con las *Positive Emotions*, las emociones positivas. En mi opinión, gracias a la toma de conciencia sobre los estilos comunicativos has cambiado tu actitud personal de forma profunda. Para mí has pasado de un posicionamiento, digamos, mucho más escéptico y negativo sobre muchas personas y sobre muchos aspectos de la vida y del mundo que te rodea, a otro de mayor aceptación, de comprensión e, incluso, de identificación. Yo creo que hasta tu lenguaje ha cambiado y se ha vuelto más positivo en su conjunto –expresó Andrea.

–He aprendido a conectarme con la lista blanca de personas de las que antes solo veía su lista negra, es verdad, qué fuerte –confirmó él–. Sí, yo también me siento más positivo, como menos crítico y enfadado con todo y con todos, es cierto.

–Así lo veo yo también. ¿Sabes que Martin Seligman ha trabajado personalmente con Google Earth, con Facebook y con Twitter para analizar el léxico de millones de personas de cada estado americano y ha demostrado que existe una correlación directa entre el lenguaje utilizado en los medios sociales (más positivo o más negativo, más o menos alineado con el PERMA) y la tasa de mortalidad por cardiopatías de origen esclerótico y otro tipo de enfermedades? –explicó Andrea.

–¿Análisis del lenguaje utilizado en medios sociales para estudiar y predecir la mortalidad? –reformuló Javier para confirmar.

–Tal cual, ¿no te parece brutal? –corroboró Andrea. Javier asintió. Se sentía como una verdadera esponja en la que todos estos conceptos penetraran con suma facilidad.

–Cambia tus palabras, cambia tus emociones, cambia tu vida. Sí, alucinante. Sigue, por favor –pidió él.

–Vamos a por el *Engagement*. Él defiende que es crucial que las personas busquemos llevar a cabo en nuestras vidas tareas con las que nos sintamos íntimamente comprometidos. Entonces, como explica también Mihály Csíkszentmihályi en su *best seller Fluir (Flow)*, entramos en un estado en el que parece que no exista el tiempo ni apenas nada más a nuestro alrededor… –prosiguió Andrea.

–Creo que yo me sentí así efectivamente en mi conversación con la Clienta. Se me olvidó todo, los objetivos, la necesidad que tenía de cerrar… Todo. Solo estaba en ese momento, en esa conversación con ella –confirmó Javier.

–Sí, en efecto, el *Flow* tiene mucho que ver con vivir el momento. ¿Te acuerdas de la escena final de *El guerrero pacífico*, la peli sobre la vida de Dan Millman que tantas veces te he puesto? –recordó Andrea.

–«¿Dónde estás, Dan? Aquí. ¿Qué hora es? Ahora. ¿Qué eres? Este momento» –recordó Javier impresionado–. ¿Sabes? Nunca había comprendido muy bien todo eso… hasta ahora. Gracias, Andrea –dijo Javier con un punto de emoción.

–Si todos fuéramos capaces de entrar en *Flow* con todo lo que hacemos, conseguiríamos, al menos en parte, ser más felices. Así de simple. Y ojo, que en ese estado no solemos reír ni estar contentos. Es casi un estado de no-emoción, de no-sentimiento. Solo de atención plena en la tarea realizada –siguió Andrea.

–Atención plena… –repitió Javier–. Sí, creo que ahora comprendo lo que significa. Creo que también entro en *Flow* cuando corro maratones. Llega un momento en que me siento un poco como «en trance» y ya no percibo dolor ni nada de nada.

–Sí, qué bueno, Javier –convino Andrea.

–¿Vamos a por las *Relations*? –preguntó Javier.

–Claro. En este caso hay muchísimos experimentos que demuestran que las personas que son capaces de socializar, de crear y mantener relaciones de calidad a lo largo de su vida, no solo tienen una vida más larga y sana, sino también más feliz. Son muy conocidos el experimento de Harvard *Study of Adult Development*, dirigido por Robert Waldinger, o el estudio de las *Blue Zones* del mundo de Dan Buettner, de la mano de la National Geographic –introdujo Andrea.

–¿Las *Blue Zones* del mundo? –preguntó Javier.

–Son los lugares del mundo donde las personas viven, de media, hasta los 100 años –confirmó Andrea.

–Hasta los 100 años, vaya, y… ¿cuáles son? –volvió a preguntar curioso Javier.

–Okinawa en Japón, Cerdeña en Italia, Nicoya en Costa Rica, Ikaria en Grecia y Loma Linda en California –enumeró Andrea.

–¿Y viven hasta los 100 años solo gracias a sus relaciones? –insistió de nuevo Javier.

–No, claro. Todas estas poblaciones comparten varios hábitos y comportamientos saludables (ejercicio físico diario, alimentación, etc.). Y también un tipo de relaciones, digamos, especial.

–¿Especial en qué sentido? –preguntó Javier.

–Okinawa es la referencia mundial. Tiene lo que se llaman los moáis –explicó Andrea.

–¿Pero los moáis no son las estatuas esas de la Isla de Pascua? –recordó Javier.

–También. Pero para los habitantes de Okinawa son otra cosa –respondió Andrea.

–¿Y qué son para ellos? –dijo Javier.

–Creo que la definición es algo así como «reuniones para un propósito común» –explicó Andrea–. Según parece, son grupos de 5 amigos que se comprometen de por vida a prestarse apoyo social, logístico, emocional y financiero. Se acompañan para siempre y saben que pueden contar los unos con los otros a las duras y a las maduras. Quedan cada día, conmemoran juntos las cosas buenas de la vida y están siempre cerca en los momentos difíciles. Saben que cuentan con una ayuda y una referencia incondicional de por vida, pase lo que pase. Y Dan Buettner defiende que son la base fundamental de la larga longevidad de los habitantes de Okinawa.

Javier permaneció callado unos instantes, profundamente impactado por lo que acababa de oír.

–Quiero pensar que he comprendido, después de este viaje, quiénes formáis mi propio moái –le dijo Javier a Andrea, con un punto de emoción. Andrea le cogió la mano con una sonrisa–. Y quiero pensar también que ahora estoy más preparado para relacionarme más y mejor con otras personas. Incluidos también mis Clientes, claro.

–Yo también lo creo, cariño. ¿Recuerdas? Yo también pasé por este momento hace muchos años. Y también formaron parte de ello Mar y Ainara. Han sido protagonistas en ambos procesos. Así que comprendo bien lo que dices –y tras una pausa: ¿Estás bien, cielo? –le dijo Andrea al verle tan impresionado. Pero no quiso sacar aún el tema de Laura.

–Sí, muy bien, Andrea, gracias. Me siento como más en paz conmigo mismo. Y arropado –confirmó él. Y tras un momento: ¿Hay más, verdad?

–*Meaning*, propósito, significado, sentido –confirmó Andrea–. Martin Seligman también nos cuenta que todos necesitamos pertenecer y servir a algo mayor que nosotros mismos.

–¿Puedes creer que mi episodio con la Clienta me hizo pensar que había realizado una buena acción con ella, que la había ayudado? –dijo Javier.

–¿Y cómo te hizo sentir? –preguntó Andrea.

–Pues eso, feliz, satisfecho conmigo mismo –confirmó Javier.

–Es muy evidente que se halla en las antípodas de la «venta cocodrilo». Términos tradicionales del mundo de la venta tales como «persuadir», «convencer», etc. son claramente contrarios al concepto de *Meaning*. Si solo el Vendedor «gana», puede que sienta una satisfacción instantánea, pero el significado, funcionar con un propósito mayor que nos trasciende, nos proporciona una satisfacción mayor y más a largo plazo. Y eso solo ocurre si realmente trabajamos para que ambas partes ganen. Así, aparecen conceptos tales como «ayudar», «asesorar», «acompañar», etc. asociados a la venta. Asesores en lugar de Vendedores –compartió Andrea.

–La vida y la venta se mezclan de una forma sorprendente –confirmó Javier–. Y de nuevo la comunicación y un lenguaje especial juegan un papel determinante.

–Es que no podemos disociar nuestra vida de nuestra profesión. No tendría sentido. De lo contrario tendríamos un sentimiento de incoherencia insoportable –reflexionó Andrea.

–Una lección de vida. No solo he aprendido a vender, sino en realidad a vivir mi vida de una manera mejor. No sé cómo podré agradecerte nunca todo lo que me has dado –dijo Javier entregado.

–Tú crees que solo yo te he dado cosas a ti, pero me gustaría que comprendieras de una vez por todas que yo siento que tú también me has dado y aportado, al menos en la misma proporción, si no más allá. Yo también he crecido contigo. Me has inspirado, me has hecho pensar muchísimo, replantearme tantas cosas, recordar, recuperar lo importante… Sinceramente, creo que el vínculo que se ha creado entre nosotros es uno de los mayores tesoros de mi vida. Por ello, gracias a ti también, cariño –dijo mientras se limpiaba una lágrima de emoción que aparecía en sus ojos–. Ya sabes, yo la llorona, jajaja –Javier la abrazó con todo el cariño del que era capaz.

–¿Nos queda una pieza del PERMA, no? –dijo él, soltándola.

–Sí, el *Achievement*, el logro –respondió Andrea.

–¿Resultados, cumplimiento de objetivos? –preguntó Javier.

–Bueno, Martin Seligman no lo enfoca solo en términos de resultados económicos o similares. Para él, el sentimiento de logro se obtiene también por el hecho de llegar a dominar algo, lo que sea, que ha requerido un gran esfuerzo por nuestra parte –explicó Andrea.

–¿Como llegar a dominar un nuevo modelo de Ventas? –preguntó Javier.

–Claro. En tu caso, probablemente en estos momentos tienes un gran sentimiento de logro, ¿es así? –dijo Andrea.

–Por supuesto, siento que he subido una gran montaña que se me resistía, jajaja –respondió Javier divertido.

–¡Y nunca mejor dicho! ¡Y en los Himalayas, sin ir más lejos! –convino Andrea.

–Ahora de verdad entiendo cómo me siento. Y estoy totalmente de acuerdo contigo y con Martin Seligman y su PERMA para el bienestar y el florecimiento de las personas –dijo Javier feliz.

–A todo esto Javier, me gustaría hacerte una última pregunta, si me lo permites… –empezó a decir Andrea.

–Por el preludio que le pones, tiene que ver con Laura seguro, ¿verdad? Me puedes preguntar abiertamente, sin tanta prevención –dijo él tranquilo–. Pero ya te avanzo que está en Tailandia de vacaciones y que aún no he podido hablar con ella.

–¡Madre mía, Ainara, Raúl, cómo está esto de lleno, no cabe ni un alma más! ¡Además, conozco a tanta gente que de tanto saludar me ha costado una barbaridad llegar hasta vosotros! ¡Y eso que aún falta 1 hora para el pase del documental! ¡Menuda *première*, hija! –dijo Mar, más alterada de lo normal, hablando y dándoles besos a la vez.

–¡Caray, sí, felicidades! –les dijo Alberto, el hijo de Mar, ante lo que Ainara se tapó los oídos con las manos, cerró los ojos con fuerza y aguantó la respiración.

–Alberto, cariño, a los artistas no se les felicita antes del estreno, ¡que son muy supersticiosos y creen que les dará mala suerte! –indicó cariñosa Mar a su hijo.

–¡Upppps, perdón, no lo sabía! –se disculpó Alberto–. ¡Es que yo también estoy nervioso! ¿Salimos todos en el docu, no?

–¡Por supuesto, sois los protagonistas absolutos! ¡Y sí, quéeeee nervios, por Dios! ¡Mar, quédate aquí a mi lado, por favor, no te vayas, que me va a dar algo! –respondió Ainara excitadísima. Mar le dio inmediatamente la mano, apretándosela con fuerza–. ¿Andrea no ha llegado aún? No la he visto…

–Me acaba de enviar un whatsapp diciendo que llegaban en 5 minutos los tres –respondió Mar.

–¿Andrea, Marc y Javier? –dijo Ainara sin pensar.

–No, hija, Andrea, Marc y Gabriela –replicó Mar–. De Javier, no sé apenas nada. La verdad es que no sé si viene al final o no. Andrea estuvo muy preocupada por él…, algo les pasó justo a la vuelta de vacaciones, que no sé cómo acabó. Hemos intentado quedar mil veces, pero con sus viajes continuos y mi comisión de servicio en Mallorca este otoño, hemos estamos las dos tan liadas que no ha habido manera de quedar y hablar de cosas importantes.

–¡Yo le envié a él personalmente las invitaciones para el estreno y me respondió que sí venía! Escueto, pero que sí –explicó Ainara–. Bueno y, ahora que lo pienso, me preguntó a cuántas personas podía traer y le dije que a las que quisiera, y me pidió 6 entradas en total. Pero no sé más.

—Síiiiii, está claro que todos hemos tenido un último trimestre de año muuuuy loco, supongo que él también —respondió Mar, disculpando (sin motivo) a Javier, como siempre hacía con todo el mundo.

—Mirad, ahí llegan Andrea *and family* —dijo de pronto Raúl.

Estaban en pleno mes de enero de un recién estrenado y frío año y Andrea, Marc y Gabriela llegaron haciendo gestos mezcla de nerviosismo y tiritera. Apenas entraron, fueron directos donde estaban sus 4 amigos, saludando con la mano a los conocidos sin detenerse. Y, sin ni siquiera quitarse los abrigos, todos los amigos se fundieron en un abrazo, como si fueran un equipo de básquet que afrontara el último minuto de la prórroga del partido final por el título.

—¡Por fin el día del estreno, qué pasada, no sabes el increíble regalo que esto es para todos, Ainara! ¡Jamás hubiera imaginado que nuestro viaje a Nepal pudiera acabar siendo un proyecto taaaan chulo, eres nuestra supercrack, amor, gracias! —le dijo Andrea emocionadísima, dándole un gran beso.

—¡Gracias a ti que en realidad inventaste este viaje! ¡Y no te me vayas a poner a llorar, ¿eh?! ¡Que te estoy viendo venir y si te pones a llorar hoy me voy a contagiar, se me va a ir el todo el maquillaje a la mierda! ¡Y tengo que salir a hablar ante 400 personas al final del pase! —le dijo Ainara nada más verle la cara a Andrea—. ¡Ha venido hasta el embajador de Nepal desde Madrid!

Y es que Ainara había tenido una gran idea de las suyas: ¿por qué no convertir aquella maravillosa aventura en una gran exposición de fotografía acompañada de una película documental para dar un empujón a Nepal en su recuperación? La fotografía de viajes no era su especialidad habitual, pero lo cierto es que al ver las fotos con detenimiento le habían parecido sensacionales.

Así que dicho y hecho: se había puesto en contacto con Rajiv y su tío Hari de la agencia y ellos a su vez con algunas instituciones de Nepal. El proyecto había convencido a todos de inmediato. Al fin y al cabo, se les pedía apoyo institucional, no fondos. Se notaba que Rajiv y su familia estaban muy bien conectados y eran respetados porque habían tardado muy poco en conseguir apoyos. Y, finalmente, incluso un pequeño patrocinio.

De forma que Ainara había iniciado el proyecto sin más dilación y había vuelto a Nepal en el mes de octubre con un pequeño equipo de grabación para tener, además del material fotográfico, algunas escenas grabadas en vídeo y poder hacer un montaje en condiciones de una pequeña película documental de 30 minutos.

A partir de ahí, su bien ganada fama y su agente habían hecho el resto: la exposición de fotografías estaba garantizada en uno de los museos más conocidos de Barcelona durante 1 mes. La exposición incluiría el pase del documental a horas programadas varias veces al día, documental que iba a lanzarse en primicia en un cine de Barcelona, con gran apoyo en las redes sociales, una buena forma de promocionar la exposición y atraer público. Desde Barcelona, la exposición y su película asociada irían a salas expositivas de Madrid, Ámsterdam, Roma, París, Londres y Berlín. Y luego, para acabar, a la mismísima Katmandú. Todos los ingresos generados irían destinados a una ONG de ayuda a la reconstrucción y el desarrollo de Nepal. Y todo ello, organizado en un tiempo récord.

–Bueno, ¿Javier viene, no? –preguntó Ainara impaciente.

–Sí, sí, claro, ¡de ninguna manera se lo perdería! –confirmó Andrea–. Llegará enseguida. ¡Es que no sabes cómo está el tráfico para llegar aquí ahora! ¡Hija, media Barcelona está viniendo a tu estreno!

–Andrea, ¿y está todo ok entre Javier y tú? –preguntó Mar, siempre atenta a esas cuestiones.

–Mejor que nunca, ya os contaré en detalle. Pero os confirmo que el niño definitivamente ha crecido –dijo Andrea satisfecha.

Y es que ninguna de sus amigas conocía los pormenores de la importantísima conversación que habían tenido en el parque del Putxet una semana después de que Javier echara literalmente a Andrea de la Concesión.

En aquel justo instante apareció Javier por la puerta del cine. Le acompañaban sus padres, sus dos hermanos pequeños… y una persona más.

–¿Es Laura? –preguntó Mar, que conocía de sobra a la hermana de Andrea y a su familia, pero no a la persona adicional que los acompañaba. Andrea le respondió sin hablar, solo con una sonrisa y un movimiento afirmativo de su cabeza. Mar salió disparada hacia ella.

–Creo que eres Laura, ¿verdad? Yo soy Mar, una de las *trekkers* compañeras del viaje a Nepal de Javier. No sabes lo feliz que me siento de conocerte y de que estés aquí –se presentó, serena pero a la vez emocionada.

–¡Lo mismo digo, Mar! No sabes la especial ilusión que me hace conocerte a ti también. Javier me ha contado que, en gran parte gracias a ti, ha aprendido a comprenderme mejor. Así que, no sé bien cómo lo has hecho, ¡pero gracias! –respondió Laura, algo tímida pero con la sensación de conocerlos ya a todos gracias a lo que Javier le había explicado.

–Si puede ser, no les cuentes las intimidades ni nada de todo lo malo que te he contado de ellos, ¿vale? –bromeó Javier.

–¡Menuda joyita te llevas, reina! –rio Ainara aceptando, como siempre, la invitación a la broma de Javier–. ¡Pero perdona, hola y bienvenida! ¡Un placer para mí también, yo soy Ainara! –le dijo dándole dos grandes besos, mostrándose todavía más efusiva de lo habitual, por lo nerviosa que estaba–. ¡No sabes la de veces que he llegado a meter la pata por ti en el viaje, bonita! ¡Menos mál que ya estás aquí, así no la cagaré más! –ante lo cual todos estallaron a reír, una vez más.

–Eres realmente incorregible, Ainara. Y tu capacidad de ser incorrecta, cariño, simplemente infinita –le dijo Mar, riendo aún y haciéndole una caricia en la cara.

–¡¿Pero qué he hecho ahora?! –replicó Ainara también riendo–. Y, oye, Laura, que porque esta mujer le haya visto y tocado el culo a tu chico y lo salvara de morir en medio del Thorong La Pass, encuentro que no es del todo justo que se lleve todo el mérito de su metamorfosis. Reivindico públicamente mi papel crucial, como antagónica suya, en devolvértelo totalmente arregladito, que conste en acta –sentenció de nuevo, para risa de todos–. Ah, y, por cierto, también soy la de las fotos. Me vas a querer pedir toneladas de copias. Me he dado cuenta de que le he sacado cientos. Debió de ser por lo mucho que me tocaba constantemente las narices. Y encima le he sacado de un guapo increíble. ¿Te ha contado lo del mandala en la escuela-taller? Por cierto, ¿caíste o no caíste en sus brazos cuando te lo contó? –le dijo guiñándole un ojo a Laura y sin parar de gesticular–. Las fotos de ese momento son brutales, aunque esté mal que lo diga yo –soltó del tirón Ainara, que claramente estaba en modo verborrea descontrolada debido a su estado de excitación. Laura, por supuesto, estaba algo desbordada.

–No te asustes, cielo, con el vendaval Ainara, hoy está un poco venida a más, pero es buena gente, de verdad –dijo Mar, también bromista, pero en realidad sufriendo un poco por la pobre Laura.

–¡No hace falta que la protejas, Mar, creo que ella, aunque esté calladísima, se basta solita, ¿verdad, cariño?! –se quejó Ainara.

Así siguieron hasta que por fin llegó el momento de entrar a la sala. La proyección fue levantando constantemente «ohhhhs» del público, por la grandiosidad y la calidad de las imágenes. En los ojos de más de uno, y no solo del grupo, apareció alguna lágrima de emoción. El documental era tan impresionante como evocador.

A la salida de la sala, en el hall, donde se servía un pequeño piscolabis, gran parte de los asistentes comentaba lo mismo: las inmensas ganas de ir y vivir todo aquello que les había despertado el documental. Y cómo además les había sensibilizado para hacer algo por aquel lugar recóndito del mundo que era Nepal, que nunca aparecía en las noticias. La importancia de pasar a la acción con hechos concretos.

–Brutal, pedazo de documental. Todo, las imágenes, la estructura, el guion, el ritmo, es una crack total. Nadie como ella para contar historias. Y miradla, está completamente en su salsa con las cámaras, las entrevistas, los focos, los micros, recibiendo felicitaciones… Es todo un arte y ella, sin duda, es la mejor en él –dijo Andrea *en petit comité* de su adorada amiga Ainara.

–Sí, la verdad es que ha hecho un trabajo excepcional –reconoció Javier. No me hubiera imaginado nunca un colofón así a nuestra increíble aventura–. Muy grande esta señora aire.

–Sí, y qué gran regalo nos ha hecho, no lo olvidaremos jamás –se unió también Mar, francamente feliz.

–Pero esto no puede ser el final de nada, ¿no os parece? ¡Yo necesito que sea solo el principio! –se rebeló de pronto Javier–. A mí este viaje me ha cambiado la vida. He recuperado e incorporado a mi existencia a personas excepcionales, mis moáis, y encima he conseguido logros profesionales que no hubiera podido ni imaginar.

Y es que Javier no lo iba a contar en público nunca, pero había acabado el año como mejor Vendedor de la Concesión, tanto en resultados cuantitativos como cualitativos. Tan impresionantes habían sido sus cifras y logros en el último trimestre del año, que su Jefe de Ventas, el mismísimo Román, le había comunicado oficialmente que se jubilaba en marzo de ese mismo año y que le había propuesto a él como su sucesor, a fin de brindarle la oportunidad de extender su nuevo modelo de ventas. Al menos un año como Jefe de Ventas le iba a venir como anillo al dedo. Así pues en febrero iniciaría el solape de funciones y luego ya en marzo asumiría sus nuevas atribuciones.

–Entonces, por favor, tía Andrea, ¿dónde nos llevas el próximo verano?

FIN

4

EL MODELO DE LA VENTA POSITIVA

Un sinfín de organizaciones están convencidas de hacer venta consultiva. Y así lo explican sus papeles oficiales. Pero la realidad del día a día es bien distinta y una gran parte de ellas hace en realidad venta transaccional pura y dura. Así de claro y directo.

Se trata de una tendencia creciente en los tiempos actuales, en los que precisamente la gran mayoría de los potenciales Clientes realizan algún tipo de búsqueda o navegación por diferentes *sites* de Internet antes de acudir a una tienda física (si es que acaban finalmente visitando una tienda física).

Los Vendedores insisten en que «los Clientes hoy en día saben perfectamente lo que quieren y solo vienen aquí a conseguir la mejor propuesta económica posible, somos meros negociadores». Y la gran mayoría de compañías alimentan esa estrategia de venta invirtiendo ante todo en campañas tácticas (que es lo que reclaman a gritos los Vendedores) que aporten algún tipo de ventaja competitiva basada de forma exclusiva en el precio en cada momento del año.

Pero, esa manera de vender simplemente tiene los días contados, tiene fecha de caducidad, ya no sirve. Nadie podrá superar a Amazon (y similares) si el tema se centra en la lucha de precios. O de servicios, o de plazos de entrega.

Realizar venta consultiva efectiva hoy no es fácil, es cierto, pero es perfectamente posible. Solo es preciso, eso sí, comprender que las reglas del juego han cambiado, y mucho. Y que lo que servía quizá hace 10 o incluso solo 5 años, ya no sirve hoy.

La venta consultiva requiere en estos momentos de un nivel de especialización superior por parte de los equipos de ventas, dado que es imprescindible que incorporen de forma indudable una serie de valores, habilidades y competencias cuya importancia hasta ahora no se conocía. Hablamos de aquellos elementos que la neurociencia ha demostrado que son clave en la toma de decisiones humanas y que contribuyen de forma determinante a una Experiencia de Cliente excepcional. Que recordemos, se trata de la única razón por la que los Clientes están dispuestos a comprar en el mundo físico.

Por ello, la forma en que los equipos comerciales deben ser formados y capacitados ha de cambiar. En este sentido, este apartado está diseñado para presentar una guía clara y eminentemente práctica sobre todos los elementos que deben ser tratados a la hora de llevar a un equipo de ventas a la excelencia.

Les presentamos a continuación el modelo esquemático de todos los componentes de la **Venta Positiva** que a lo largo del libro se han ido trabajando en profundidad a través de situaciones asimilables a la realidad. Conforman una casa, la casa de la **Venta Positiva**, que, como todas las casas, se construye desde la base.

Esperamos que lo disfruten y que algún día consigan aplicarlo. Por supuesto, a través de mi compañía estaremos encantados de acompañarlos en su propio viaje, si así lo desean. Si tienen interés en ello, en el apartado «Sobre la autora» encontrarán detalles sobre cómo contactar con mi organización.

La casa de la Venta Positiva

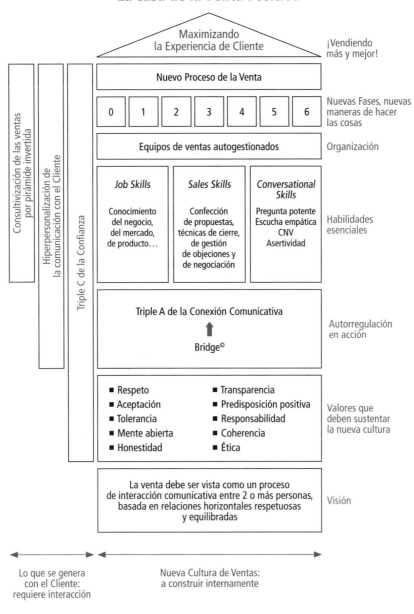

Maximizando
la Experiencia de Cliente

¡Vendiendo
más y mejor!

Nuevo Proceso de la Venta

| 0 | 1 | 2 | 3 | 4 | 5 | 6 |

Nuevas Fases, nuevas
maneras de hacer
las cosas

Equipos de ventas autogestionados

Organización

Job Skills

Conocimiento
del negocio,
del mercado,
de producto…

Sales Skills

Confección
de propuestas,
técnicas de cierre,
de gestión
de objeciones y
de negociación

*Conversational
Skills*

Pregunta potente
Escucha empática
CNV
Asertividad

Habilidades
esenciales

Triple A de la Conexión Comunicativa

Bridge©

Autorregulación
en acción

- Respeto
- Aceptación
- Tolerancia
- Mente abierta
- Honestidad

- Transparencia
- Predisposición positiva
- Responsabilidad
- Coherencia
- Ética

Valores que
deben sustentar
la nueva cultura

La venta debe ser vista como un proceso
de interacción comunicativa entre 2 o más personas,
basada en relaciones horizontales respetuosas
y equilibradas

Visión

Consultivización de las ventas
por pirámide invertida

Hiperpersonalización de
la comunicación con el Cliente

Triple C de la Confianza

Lo que se genera
con el Cliente:
requiere interacción

Nueva Cultura de Ventas:
a construir internamente

5

❖ AGRADECIMIENTOS ❖

Este libro es el resultado de múltiples experiencias vitales y profesionales de gran parte de mi vida. Así que, sin quererlo, seguro que alguna persona relevante se me quedará en el tintero. Por tanto, vayan por delante mis disculpas a ellas y mi sincero agradecimiento, aunque no aparezcan aquí.

En primer lugar, quiero dar las gracias a mi más fiel equipo: mi marido, Luis Úbeda, y mi hija Martina. Sin vosotros, sin todo vuestro amor, sin la alegría y la vida que me dais, sin vuestro compromiso inmutable, sin vuestro apoyo y sin vuestra paciencia y fantástica actitud cuando mamá tiene que viajar por trabajo prácticamente cada semana, nada de esto habría sido posible.

A continuación, quiero agradecer el amor de mis padres. Siempre me habéis dado la seguridad emocional que necesitaba para arriesgarme y atreverme a soñar. Me hicisteis crecer con la certeza de que era capaz de conseguir todo cuanto me propusiera. Y me habéis dado todas esas cosas que vosotros no pudisteis tener.

Gracias a mi hermana Amparo por su preocupación total siempre y a mi hermano Ricardo por su despreocupación total siempre también. Siendo la pequeña, entre los dos, me ayudasteis a encontrar un punto equilibrado en casi todo.

Y a los montones de primos, primas, tíos, tías, sobrinos, sobrinas, cuñados, cuñadas y demás familiares directos y políticos, por vuestro interés y bondad, significan mucho para mí.

A todos los amigos y amigas del alma, compañeros muchos de vosotros de mil viajes, buceos y aventuras. En especial a David Xirau y Laura Aguilar, porque con vosotros empezó todo: hicimos juntos nuestro primer gran viaje, justamente a Nepal, y nos ayudasteis a abrir los ojos al mundo. Gracias a todos por vuestra amistad de tantos años. Por estar siempre ahí.

Gracias a Cristina Gómez y a Pedro Mateos, porque ellos fueron realmente los que provocaron el cambio vital que describo en el libro al hilo de mi análisis 360º. La que liasteis.

Y gracias a Luis Úbeda, Marta Pastrana, Enrique Padrón, Silvia Jiménez y Cristina Gómez, marido y parte del grupo de amigos del alma, tan y tan cercanos a mí y que, total o parcialmente, han leído una o más veces el libro. Gracias por vuestro tiempo, vuestra dedicación desinteresada, vuestras siempre constructivas críticas, vuestro apoyo incondicional y vuestra inspiración constante.

Gracias a todos los jefes y colegas de trabajo que he tenido en mi vida, porque de todos vosotros he aprendido. Y gracias a mis mayores mentores de los últimos años, Ferran Ramon-Cortés y Álex Galofré, por vuestra generosidad infinita y por todas, muchísimas, vuestras enseñanzas.

Gracias a Jane Nelsen, creadora de la Disciplina Positiva (basada en la Psicología Adleriana), a quien he tenido el honor de conocer personalmente en 2019 y que me ha inspirado el título del libro, junto a Martin Seligman y su Psicología Positiva. Este libro bebe claramente de una gran cantidad de influencias de ambos.

Gracias a los muchos clientes con los que he tenido el placer de trabajar, por los años de confianza y compromiso en la cocreación de nuevas soluciones. Y en especial a todos «mis vendedores», todos aquellos con los que he tenido el placer de trabajar tanto y tanto: ya sabéis que os siento a todos un poco como «mis hijos». Con vosotros he aprendido más de lo que hubiera podido imaginar. Gracias por vuestras historias, por vuestros cientos de anécdotas, por vuestras confesiones, por compartir vuestros miedos, vuestras dudas, vuestros enfados y vuestros éxitos conmigo. Muchos de los diálogos que aparecen en el libro los he tenido con vosotros antes.

Y, finalmente, gracias a mi amiga y vecina Ada Pulido y a Oriol López, que me pusieron en contacto con mi editor, Alexandre Amat. A quien también agradezco infinitamente su flexibilidad, lo fácil que es hablar con él y que desde el minuto 1 creyera en el libro y activara el proyecto para su edición.

Gracias a todos.

6

❖ SOBRE LA AUTORA ❖

Nuria Martín, Ingeniera Superior de Telecomunicaciones por la Universidad Politécnica de Cataluña (UPC), cuenta en su haber con varios másters, postgrados y certificaciones en diversas materias relacionadas con el desarrollo de equipos y personas, es la fundadora y directora de Dakota Consultoría, una firma de consultoría de desarrollo de negocio y de la salud empresarial, ubicada en Barcelona.

Antes de crear Dakota Consultoría, había trabajado durante más de 17 años, entre otras organizaciones, en el mayor grupo multinacional automovilístico de Europa. Fundó su propia compañía para conseguir un nivel superior de conciliación familiar, llegado el momento de ser madre.

Y desde entonces ha trabajo con cientos de vendedores, directores comerciales, especialistas en marketing y experiencia de Cliente y gerentes de compañías (de diferentes sectores empresariales), afrontando los retos crecientes del mundo de la venta en particular, y de la comunicación, el liderazgo y el desarrollo organizacional en general.

Si desea establecer contacto con ella puede hacerlo a través de la dirección: nuria.martin@dakotaconsultoria.com

Estará encantada de ayudarles a poner en acción la Venta Positiva en su organización.

Y también pone a su disposición el Proceso de Certificación en Venta Positiva, que posibilitará a los que la consigan aplicar el modelo por sí mismos en sus propias organizaciones o en otras, actuando como Consultores Certificados en Venta Positiva.

7

❖ BIBLIOGRAFÍA ❖

LIBROS

Anderson, Chris, *The Long Tail: Why the future of business is selling less of more / La Economía Long Tail, de los mercados de masas al triunfo de lo minoritario*. Ediciones Urano. Barcelona (2007).

Bradberry, Travis y Greaves, Jean, *Inteligencia emocional 2.0*. Conecta/ Penguin Random House. Barcelona (2012).

Covey, Stephen M. R. con Merrill, Rebecca R., *La velocidad de la confianza*. Paidós/Espasa Libros. Madrid (2007).

Covey, Stephen R., *Los 7 hábitos de las personas altamente efectivas*. Paidós/ Espasa Libros. Madrid (1989).

Cuddy, Amy, *El poder de la presencia*. Ediciones Urano. Barcelona (2016).

Damasio, Antonio, *El error de Descartes*. Destino. Barcelona (1994).

Dixon, Mattew y Adamson, Brent, *The Challenger Sale / El vendedor desafiante*. Ediciones Urano. Barcelona (2012).

Echevarría, Rafael, *La empresa emergente, la confianza y los desafíos de la transformación*. Granica. Buenos Aires (2000).

Gallo, Carmine, *The Apple Experience*. McGraw Hill Companies. EE. UU. (2012).

Gino, Francesca, *Sidetracked*. Library of Congress Cataloging-in-Publication Data. EE. UU. (2013).

Goleman, Daniel, *La práctica de la inteligencia emocional*. Editorial Kairós. Barcelona (1998).

Jung, Carl, *El libro rojo*. El Hilo de Ariadna. Buenos Aires (2019).

Jung, Carl, *Los tipos psicológicos*. Editorial Trotta. Madrid (2013).

Kahneman, Daniel, *Pensar rápido, pensar despacio*. Penguin Random House. Barcelona (2012).

Lehrer, Jonah, *Cómo decidimos*. Paidós/ Espasa Libros. Madrid (2011).

Lyubomirsky, Sonja, *La ciencia de la felicidad: un método probado para conseguir el bienestar*. Ediciones Urano. Barcelona (2011).

Perkins, Dennis, *Lecciones de Liderazgo*. Ediciones Desnivel. Madrid (2014).

Rackham, Neil, *SPIN Selling*. Routledge. Londres (1995).

Ramon-Cortés, Ferran y Galofré, Álex, *Relaciones que funcionan*. Conecta/ Penguin Random House. Barcelona (2015).

Rosenberg, Marshall, *Comunicación No Violenta*. Gran Aldea Editores. Buenos Aires (2013).

Seligman, Martin, *La auténtica felicidad*. Penguin Random House. Barcelona (2011).

Seligman, Martin, *Florecer*. Editorial Océano de México. Ciudad de México (2017).

Siegel, Daniel y Payne Bryson, Tina, *El cerebro del niño*. Alba Editorial. Barcelona (2014).

Sinek, Simon, *Encuentra tu porqué*. Empresa Activa/Ediciones Urano. Madrid (2018).

Stone, Douglas Patton, Bruce y Heen, Sheila, *Difficult conversations. How to discuss what matters most*. Penguin Books. EE. UU. (2010).

Taleb, Nassim, *El cisne negro*. Paidós/ Espasa Libros. Barcelona (2011).

Thaler, Richard, *Un pequeño empujón: el impulso que necesitas para tomar las mejores decisiones sobre salud, dinero y felicidad*. Penguin Random House. Barcelona (2009).

Voss, Chris, *Never Split the difference / Rompe la barrera del no*. Penguin Random House. Barcelona (2016).

ARTÍCULOS

Cann, Rebecca L., *ADN mitocondrial y evolución humana* (1987).

Cornu, Laurence, *La confianza en las relaciones pedagógicas*, en Frigerio, Graciela et al., Construyendo un saber sobre el interior de la escuela. Ediciones Novedades Educativas. Buenos Aires (1999).

Huang, K.; Yeomans, M.; Brooks, A. W.; Minson, J. y Gino, F., «It Doesn't Hurt to Ask: Question-asking increases liking». *Journal of Personality and Social Phsychology*. Faculty & Research, Harvard Business School (2017).

Jackson, Melissa y BBC News Online health staff, «The Humble Leech's Medical Magic». BBC News (2004).

Jonhson, Ron entrevista, «Retail Isn't Broken. Stores Are». *Harvard Business Review* (2011).

Kolsky, Esteban, «50 estadísticas importantes sobre la Experiencia de Cliente». *ThinkJar* (2015).

Lehrer, Jonah, «Similarity Attraction Effect». *Wired* (2016).

Pine, Joseph y Gilmore, James H., «Welcome to the Experience Economy». *Harvard Business Review* (1998).

Riera Ortolá, M. T. y Llobell, J., «El mandala como herramienta de conocimiento personal». *Arteterapia* (2017).

Solis, Brian, «AI Sets the Stage For a New Round of Retail Innovation». *Forbes* (2017).

The Agile Alliance, *Manifesto for Agile Software Development*.

Entrevista en *La Vanguardia*, La Contra, Susan Redline: *https://www.lavanguardia.com/lacontra/20181027/452561468752/las-pesadillas-sirven-para-entrenar-nuestras-emociones.html*